Petits Classiques
LAROUSSE

Collection fondée par Félix Guirand,
Agrégé des Lettres

Les Confessions

Livres I à IV

Rousseau

Récit autobiographique

Édition présentée,
annotée et commentée
par Cécile LIGNEREUX,
agrégée de lettres modernes,
ancienne élève
de l'École normale supérieure

ISBN : *978-2-03-586789-6*

SOMMAIRE

Avant d'aborder l'œuvre

6 Fiche d'identité de l'auteur
8 Repères chronologiques
10 Fiche d'identité de l'œuvre
12 L'œuvre dans son siècle
18 Lire l'œuvre aujourd'hui

Les Confessions

LIVRES I À IV

JEAN-JACQUES ROUSSEAU

23 Livre I
81 Livre II
145 Livre III
209 Livre IV

Pour approfondir

276 Genre, action, personnages
289 L'œuvre : origine et prolongements
297 L'œuvre et ses représentations
305 L'œuvre à l'examen
315 Outils de lecture
317 Bibliographie et filmographie

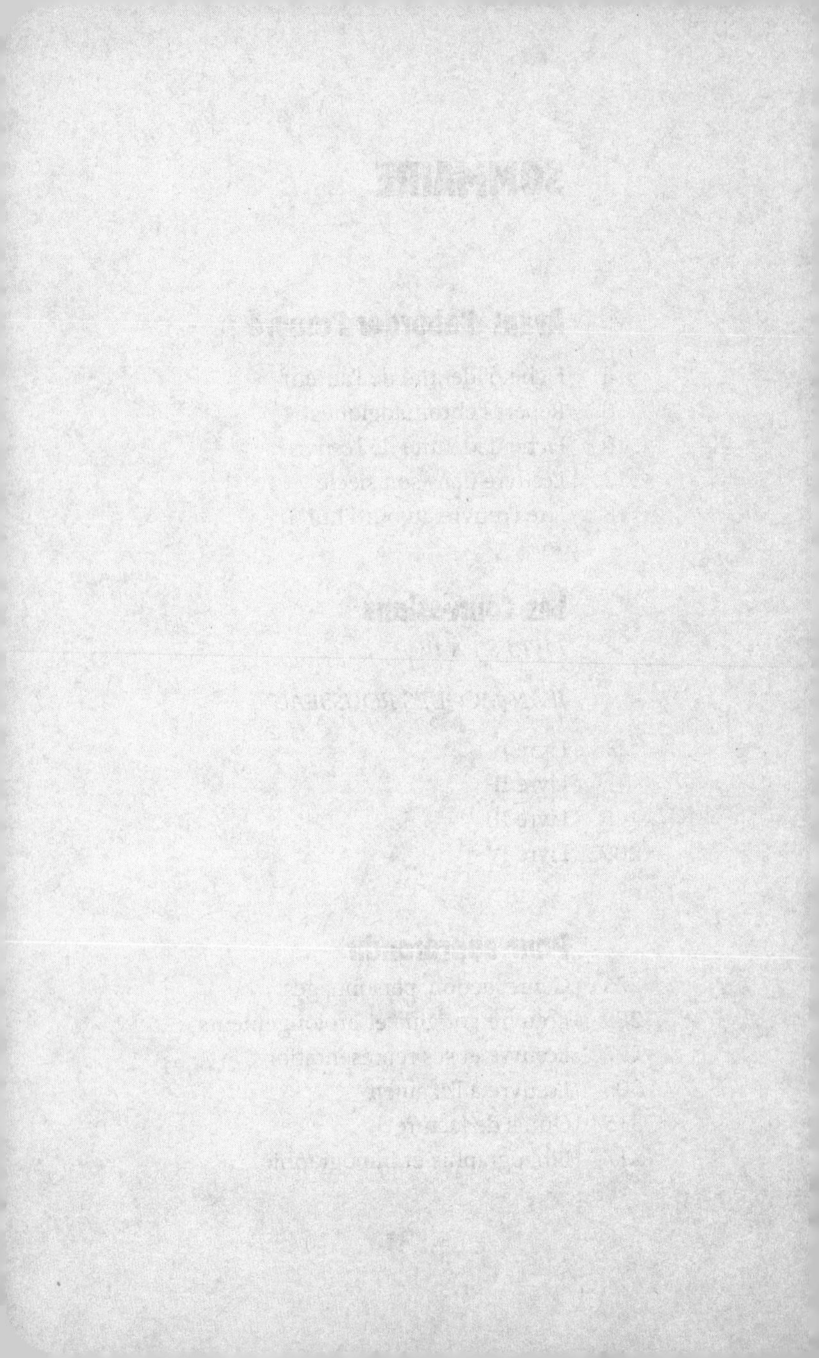

AVANT D'ABORDER L'ŒUVRE

Fiche d'identité de l'auteur

Rousseau

Nom : Jean-Jacques Rousseau.

Naissance : en 1712 à Genève, petite république indépendante.

Famille : sa mère, fille d'un pasteur protestant, meurt à sa naissance ; son père est maître horloger.

Formation : pas d'"éducation" à proprement parler ; c'est en autodidacte que Rousseau acquiert au fil des ans une très vaste culture.

Début de carrière : à trente ans, installation à Paris, où il mène de front ses activités de musicien et de philosophe.

Premier succès : en 1750, le *Discours sur les sciences et les arts* connaît un succès éclatant et met son auteur à la mode ; en 1755, publication du *Discours sur l'origine et les fondements de l'inégalité parmi les hommes*.

Évolution de sa carrière : alors qu'il est admiré et reconnu, Rousseau s'isole, se brouille avec ses amis philosophes et quitte Paris pour la campagne ; rédaction de trois œuvres majeures : *La Nouvelle Héloïse* (1761), *Du contrat social* et *Émile* (1762).

Tournant de sa carrière : en 1762, condamnation de l'*Émile* et du *Contrat social* ; un mandat d'arrêt est lancé contre Rousseau, qui est obligé de quitter la France durant plusieurs années.

Dernière partie de sa carrière : Rousseau, qui souffre d'un délire de persécution, consacre ses trois dernières œuvres à l'introspection et à l'écriture de soi : *Les Confessions* (1765-1770), les *Dialogues ou Rousseau juge de Jean-Jacques* (1772-1776) et les *Rêveries du promeneur solitaire* (1776-1778).

Mort : en 1778 à Ermenonville, au nord de Paris ; l'île des Peupliers, où il est inhumé, devient un lieu de culte. Transfert de ses cendres au Panthéon en 1794.

Portrait de Rousseau.
Pastel de Maurice Quentin Delatour.

Repères chronologiques

Vie et œuvre de Rousseau	Événements politiques et culturels
1712 Naissance à Genève dans une famille d'artisans. Sa mère meurt à sa naissance.	**1715** Mort de Louis XIV. Régence.
1722 En pension chez un pasteur.	**1715-1735** Lesage, *Gil Blas de Santillane*.
1725 Séjour chez son oncle ; apprentissage chez un greffier puis chez un maître graveur.	**1721** Montesquieu, *Lettres persanes*.
1728 Jean-Jacques s'enfuit de Genève. Rencontre de Mme de Warens, qui le pousse à se convertir au catholicisme.	**1722** Marivaux, *La Surprise de l'amour*.
1729 Installation chez Mme de Warens.	**1723** Règne de Louis XV.
1732-1737 À Chambéry et aux Charmettes, il vit auprès de Mme de Warens et étudie en autodidacte.	**1730** Marivaux, *Le Jeu de l'amour et du hasard*.
1742 Départ pour Paris.	**1731** Abbé Prévost, *Manon Lescaut*.
1745 Rencontre Thérèse Levasseur ; ils auront cinq enfants, qu'ils abandonneront aux Enfants-Trouvés.	**1731-1741** Marivaux, *La Vie de Marianne*.
1745-1750 Rousseau devient l'ami de Diderot ; il rédige les articles de musique de l'*Encyclopédie.*	**1733-1749** Rameau compose l'essentiel de ses opéras.
1750 *Discours sur les sciences et les arts.*	**1734** Voltaire, *Lettres philosophiques*.
1752 *Le Devin du village*, opéra joué devant le roi, est un triomphe ; Rousseau refuse de recevoir une pension.	**1748** Montesquieu, *De l'esprit des lois*. Voltaire, *Zadig ou La Destinée*.
	1751-1772 *Encyclopédie*.
	1752 Voltaire, *Micromégas*.
	1754-1764 Mme de Pompadour favorite du roi.
	1759 Voltaire, *Candide*.

Repères chronologiques

Vie et œuvre de Rousseau	*Événements politiques et culturels*
1753 Querelles musicales. *Lettre sur la musique française.*	**1763** Voltaire, *Traité sur la tolérance.*
1755 Publication du *Discours sur l'origine et les fondements de l'inégalité parmi les hommes* ; article « Économie politique » dans l'*Encyclopédie.*	**1764-1769** Voltaire, *Dictionnaire philosophique.*
1756 Grâce à Mme d'Épinay, il s'installe à « l'Ermitage » de Montmorency.	**1767** Voltaire, *L'Ingénu.*
1757-1758 Ses relations avec ses anciens amis du milieu encyclopédiste (qu'il imagine ligués contre lui) deviennent difficiles.	**1772** Diderot, *Supplément au voyage de Bougainville.*
1761 Immense succès de son roman épistolaire *La Nouvelle Héloïse.*	**1774** Début du règne de Louis XVI.
1762-1765 *Du contrat Social* et l'*Émile* sont condamnés ; un mandat d'arrêt est lancé contre Rousseau, contraint de quitter la France.	**1777** Diderot, *Jacques le Fataliste.*
1767-1770 Retour en France et dernières errances avant de rentrer à Paris.	
1770 Achève *Les Confessions*, dont il donne quelques lectures.	
1772-1776 Écrit *Dialogues ou Rousseau juge de Jean-Jacques* pour se justifier.	
1776 Travaille aux *Rêveries du promeneur solitaire.*	
1778 Meurt chez le marquis de Girardin, à Ermenonville.	

Fiche d'identité de l'œuvre

Les Confessions

Genre : autobiographie.

Auteur : Jean-Jacques Rousseau (1712-1778).

Objet d'étude : l'autobiographie ; le narratif ; les Lumières.

Registres : dominent le registre lyrique (élégiaque ou pathétique) et le registre comique (souvent teinté d'humour, d'ironie satirique et d'autodérision).

Structure : douze livres, procédant de manière chronologique. Les livres I à IV sont consacrés aux vingt premières années de Jean-Jacques (1712-1732).

Forme : récit rétrospectif en prose que fait Rousseau de sa propre existence.

Principaux personnages : Jean-Jacques Rousseau, à la fois héros, narrateur et auteur du livre, recense avec précision les différentes interventions et influences qui ont marqué son existence, dont celle de Mme de Warens, sa séduisante et généreuse protectrice.

Sujet : le livre I raconte l'enfance genevoise de Jean-Jacques et les divers événements qui ont marqué ses seize premières années. Le livre II est celui de la rencontre de Mme de Warens, mais aussi de sa rapide instruction religieuse et de ses premiers emplois au service de familles nobles. Le livre III fait défiler les figures marquantes (maîtres, amis ou connaissances) rencontrées par l'adolescent au cours de ses pérégrinations. Le livre IV relate les aventures et les premières expériences musicales d'un jeune homme épris d'indépendance.

Lectures de l'œuvre : en décidant de dévoiler la vérité sur lui-même à travers l'histoire de son existence, Rousseau se livre à une entreprise d'introspection inédite jusque-là. *Les Confessions* apparaissent ainsi comme le texte fondateur du genre autobiographique.

Frontispice des *Confessions* par Antoine Calbet,
1934.

L'œuvre dans son siècle

Le siècle des Lumières

Le combat des philosophes pour une société plus juste

La France du XVIIIe siècle connaît non seulement d'importantes mutations économiques et sociales mais aussi de profonds changements de mentalité – qui, faute d'être accompagnés de réformes politiques, aboutiront à la chute de l'Ancien Régime en 1789. Si Louis XV et Louis XVI ne prennent pas la mesure de ces réalités nouvelles, en revanche, les philosophes les comprennent et les favorisent en se chargeant de « tout examiner, tout remuer », selon le mot d'ordre des Encyclopédistes.

Dans les années d'intense bouillonnement intellectuel qui s'écoulent entre 1750 et 1778, qu'est-ce qu'un philosophe ? Premièrement, le philosophe est un homme de raison qui n'accepte pour vrai que ce qui a été prouvé par l'observation scientifique des faits ou bien démontré par un raisonnement logique. Qu'il s'agisse des opinions, des préjugés, des systèmes dogmatiques ou des croyances, tout doit être soumis à l'esprit d'examen. Penser par soi-même, traquer toutes les formes d'obscurantisme grâce à son esprit critique, rejeter le principe d'autorité au nom de la liberté de penser, tels sont ses mots d'ordre. Deuxièmement, le philosophe croit au progrès de l'esprit et des connaissances. S'intéressant à tous les champs du savoir, il cherche à le répandre. Tel est le rôle de l'*Encyclopédie* (1751-1772), qui veut non seulement diffuser l'ensemble des connaissances disponibles dans tous les domaines, mais aussi les soumettre à l'examen critique de la raison. Troisièmement, le philosophe est un homme de combat. Constamment soucieux de favoriser l'épanouissement des hommes dans une société harmonieuse, il considère qu'il est de son devoir de participer à toutes les luttes en faveur de la liberté, de la dignité et du bonheur. Conscients d'appartenir à une élite intellectuelle et morale qui agit dans l'intérêt de l'humanité et au nom de valeurs fondamentales, les philosophes, tels que Voltaire, Rousseau ou Diderot interviennent dans tous les domaines de la vie sociale, faisant de l'écrit (pamphlets, contes philosophiques, articles de dictionnaire, traités, essais, dialogues ou lettres notamment) une véritable arme. Les ouvrages que fait paraître Rousseau entre 1750 et 1762 illustrent bien ce souci d'améliorer le sort de l'homme. De fait, ils appréhendent tous les grands problèmes humains dans tous les domaines, qu'il s'agisse d'analyses sociales et morales comme dans ses deux *Discours*, de théorie politique comme dans *Du contrat social*, de projet pédagogique comme dans l'*Émile*, de considérations religieuses comme dans sa fameuse « Profession de foi du vicaire savoyard » ou de la définition du bonheur comme dans *La Nouvelle Héloïse*.

Une effervescence intellectuelle favorisée par la multiplication des lieux de sociabilité

LES PHILOSOPHES des Lumières se caractérisent par leur esprit d'ouverture, qui les pousse à être attentifs à toutes les réalités humaines, mais également à rechercher le dialogue, notamment dans les lieux d'échange intellectuel qui se développent alors. Les philosophes aiment à converser dans les cafés (comme le café de la Régence ou le café Procope). Ils se rencontrent également dans les salons. Animés par des femmes telles que Mme Geoffrin (qui encourage les philosophes tout en modérant prudemment leurs audaces subversives et favorise le cosmopolitisme intellectuel grâce à ses nombreux amis étrangers), Mme Du Deffand (qui présente les philosophes à des gens du monde et à des hommes d'État) ou de Mlle de Lespinasse, surnommée « la Muse de l'*Encyclopédie* », ces salons créent une atmosphère favorable au progrès des Lumières et permettent aux grands esprits du temps de se fréquenter. C'est ainsi que Rousseau fait la connaissance de Diderot, de Grimm ou de Mme d'Épinay. Les académies constituent aussi des lieux de discussion et de débat, comme en témoignent les concours lancés par l'académie des sciences de Dijon. En 1749, le sujet, qui consiste à se demander « si le progrès des sciences et des arts a contribué à corrompre ou à épurer les mœurs » donne lieu au *Discours sur les sciences et les arts* de Rousseau, qui gagne le premier prix. Trois ans après, Rousseau, encouragé par son premier succès, répond à une nouvelle question (« Quelle est l'origine de l'inégalité parmi les hommes ; et si elle est autorisée par la loi naturelle ») par son *Discours sur l'origine et les fondements de l'inégalité parmi les hommes*. C'est dans ce contexte d'effervescence intellectuelle qu'ont lieu de nombreuses polémiques, comme celles déclenchées par les thèses originales et provocatrices de Rousseau. En stigmatisant dans son premier discours les effets pervers du progrès et de la civilisation puis en dénonçant dans le second l'inégalité et l'injustice comme des maux inhérents à la vie en société – présentée comme l'aboutissement d'une déchéance morale et sociale par rapport à l'état de nature –, Rousseau prend en effet le contre-pied des idées défendues par Voltaire et les Encyclopédistes, qui pensent au contraire que le développement des arts, des sciences et des techniques favorise le bonheur humain et que la sociabilité est naturelle. L'actualité intellectuelle du temps est ainsi féconde en débats et en controverses passionnés.

Écrire et publier au XVIIIe siècle : la condition difficile des hommes de lettres

Des hommes de lettres confrontés à une grande précarité

AU XVIIIe SIÈCLE, la propriété littéraire n'existe pas. Si certains écrivains ont une fortune personnelle, la plupart d'entre eux, simples roturiers, ne parviennent pas à vivre de leur plume et doivent chercher des ressources dans des activités parallèles : Diderot, fils d'un coutelier de Langres, travaille à l'*Encyclopédie* en partie pour gagner sa vie ; Beaumarchais, fils d'un horloger, fait des affaires ; et Rousseau, fils d'un artisan genevois, exerce toutes sortes de métiers, dont ceux de musicien, de secrétaire et de copiste de musique ! Un autre moyen de subsistance est le recours au mécénat, qu'il s'agisse du mécénat royal (Voltaire est un moment historiographe du roi avant d'être disgracié) ou du mécénat privé : les Encyclopédistes bénéficient ainsi de la fortune d'Helvétius ou de Mme Geoffrin ; l'aide financière de Mme de Tencin permet à Montesquieu de publier *De l'esprit des lois* ; Diderot reçoit une pension de Catherine II de Russie ; quant à Rousseau, malgré son farouche désir d'indépendance, il est contraint d'accepter à plusieurs reprises l'hospitalité d'aristocrates éclairés tels que Mme d'Épinay, le maréchal de Luxembourg, le marquis de Mirabeau, le prince de Conti ou le marquis de Girardin.

Des hommes de lettres confrontés à la censure

AU SIÈCLE DES LUMIÈRES, la liberté d'expression est fortement limitée par la censure. Pour paraître, un ouvrage doit recevoir un « privilège », c'est-à-dire une autorisation accordée par les censeurs de l'administration royale, qui sont chargés de juger si l'ouvrage respecte les normes religieuses, politiques et morales en vigueur. Certes, M. de Malesherbes, directeur de la librairie royale (et donc responsable de la censure), est un esprit éclairé, qui se montre favorable aux idées nouvelles et qui protège ouvertement l'*Encyclopédie* et Rousseau ; certes, le monde de l'édition évolue, notamment sous l'influence d'imprimeurs gagnés par les idées des Lumières. Pourtant, les philosophes – qui n'hésitent pas à remettre en question l'absolutisme royal et le pouvoir de l'Église – doivent constamment affronter les menaces qui pèsent sur leurs livres et sur leur personne même. En 1734, après la publication de ses *Lettres philosophiques*, Voltaire doit se réfugier en Lorraine, alors indépendante ; en 1749, Diderot est emprisonné à Vincennes pour sa *Lettre sur les aveugles* ; en 1762, la publication d'*Émile* vaut à Rousseau huit ans de fuites, de refuges provisoires, d'exil et d'errance, un mandat d'arrêt ayant été lancé contre lui.

L'émergence d'une nouvelle sensibilité

Aux origines du courant sensible : la valorisation accrue de l'individu et de la vie affective

Certes, le premier XVIIIe siècle est essentiellement placé sous le signe du rationalisme philosophique. Pourtant, on peut déceler de nombreux indices indiquant le changement de sensibilité qui s'opère peu à peu. Au théâtre tout d'abord, les pièces de Marivaux explorent les subtilités de l'amour et les raffinements de l'amour-propre ; quant à la comédie larmoyante, qui se situe entre 1730 et 1750, elle accorde la première place à la sensibilité et aux considérations morales. Le genre romanesque, qui se développe de façon considérable, prend également une orientation nouvelle. En donnant accès à la vie intérieure du personnage, il favorise les analyses psychologiques détaillées, comme c'est le cas pour le roman picaresque *Histoire de Gil Blas de Santillane* de Lesage, pour l'autobiographie fictive *La Vie de Marianne* de Marivaux ou pour le roman d'amour *Manon Lescaut* de l'abbé Prévost. Quant aux femmes cultivées des salons parisiens (comme Mme de Tencin, Mme de Graffigny ou Mme de Riccoboni), elles pratiquent l'écriture de lettres, de mémoires et de romans épistolaires, qui permettent d'exprimer les sentiments intimes. Pourtant, pendant toute la période où domine l'activité des Encyclopédistes, les thèmes du courant sensible restent au second plan, occupant dans la production littéraire une place relativement marginale – même si quelques voix isolées, comme celle de Diderot, célèbrent les emportements de la passion, la puissance des émotions ou les vertus de la sensibilité.

L'œuvre dans son siècle

Rousseau et l'éclosion d'une sensibilité préromantique

En 1761, le roman épistolaire de Rousseau intitulé *La Nouvelle Héloïse* connaît un succès prodigieux. Un tel succès traduit les aspirations nouvelles et le changement de sensibilité des lecteurs, qui prennent conscience des insuffisances et des limites de la raison. Avant *La Nouvelle Héloïse*, le courant sensible était resté latent ; après, il envahit la production artistique. Désormais, les thèmes rousseauistes de l'aspiration à un bonheur idéal, du penchant à la solitude et à la rêverie, de la passion de la vertu, des souffrances liées à l'amour ou du dégoût de la société réelle l'emportent, que ce soit dans les romans (comme le célèbre *Paul et Virginie* de Bernardin de Saint-Pierre), dans la poésie (comme les *Élégies* de Chénier) ou dans la correspondance de femmes célèbres (comme celle de Mme Du Deffand ou de Julie de Lespinasse). Bref, le lyrisme passe au premier plan. Si *La Nouvelle Héloïse* marque l'éclosion de la sensibilité préromantique, c'est que ce roman explore tous les thèmes qui deviendront ceux des romantiques du siècle suivant : la supériorité des âmes ardentes, la primauté du sentiment sur la raison, la valorisation du *moi* et de la vie intérieure, les tourments mélancoliques des cœurs déchirés par un amour impossible, les ravissements et les extases de l'âme sensible dans la nature, l'exaltation de la sensibilité comme source de vertu et de sentiment religieux, les mystérieuses harmonies qui unissent le paysage au sentiment ou encore l'éloge nostalgique d'une vie conforme à la nature. D'où cette formule de Goethe : « Avec Voltaire, c'est un monde qui finit ; avec Rousseau, c'est un monde qui commence. »

Lire l'œuvre aujourd'hui

Si la relation qui s'établit entre le lecteur et l'auteur des *Confessions* est souvent passionnée, c'est que les choix d'écriture et la personnalité qui transparaît dans ce texte ne peuvent laisser indifférent un lecteur tour à tour surpris, compréhensif, ému, choqué, complice ou réprobateur. Mais c'est aussi que cette autobiographie rencontre des problématiques éminemment modernes, questionnant les différentes aliénations dont est victime l'individu, dépossédé de lui-même aussi bien par les méthodes d'éducation et par les contraintes de la vie en société que par le regard des autres.

Le poids oppressant de l'éducation

Rousseau évoque dans *Les Confessions* ses réactions face aux différentes tentatives de ses maîtres et de ses protecteurs pour l'instruire : sentiment de servitude, incapacité à apprendre sous la contrainte, révolte et insoumission. Mais surtout il présente cette éducation comme une violence faite à l'enfant, un asservissement qui le fait souffrir, un dressage contre nature qui l'étouffe et même comme une déformation de son être naturel. Ce faisant, non seulement il remet en question les principes d'éducation admis – notamment l'importance accordée à la rigueur, à la discipline et à l'autorité –, mais encore il expose les dilemmes auxquels toute pratique éducative se trouve confrontée : comment instruire sans oppresser ? comment éduquer sans dénaturer ? comment enseigner sans imposer ? comment concilier expérience pratique et connaissances livresques ?

Le poids contraignant de la vie en société

Certes, *Les Confessions*, parce qu'elles mettent en scène un protagoniste naïf faisant toutes sortes de rencontres, de découvertes et d'expériences, prennent parfois l'allure d'un roman picaresque, dans lequel le héros traverse les milieux sociaux les plus divers. Mais, si Rousseau retrace aussi minutieusement les différentes aventures du jeune Jean-Jacques, c'est surtout pour évoquer ses désillusions, ses souffrances, ses humiliations et ses révoltes face à une société fondée sur le culte du paraître. En effet, Rousseau ne perd jamais de vue ses préoccupations de philosophe, et les pérégrinations de Jean-Jacques – qui se heurte aux maux inhérents à la société tels que l'hypocrisie, l'injustice, l'inégalité et l'intolérance – sont aussi pour lui l'occasion d'alerter le lecteur sur les corruptions et les perversions de la vie en société. Ce faisant, Rousseau soulève des problèmes qui sont toujours d'actualité : comment organiser les relations entre les hommes sans les pervertir et les dénaturer ? comment faire de la vie en société non pas un lieu d'oppression de l'individu mais un lieu d'épanouissement et de réalisation de soi ?

Le poids douloureux du regard d'autrui

Si Rousseau décide d'écrire *Les Confessions*, c'est pour se faire connaître aussi intimement, aussi intégralement que possible, afin de mettre fin à la fausse image que les autres se font de lui. En effet, il ne supporte plus le décalage entre la connaissance qu'il a de lui – de ses sentiments et de sa vie intérieure – et la méconnaissance des autres, qui donne lieu à toutes sortes de jugements erronés et réducteurs. Parce qu'ils visent à rectifier l'opinion que les autres ont de lui, les écrits autobiographiques de Rousseau soulignent la difficulté à faire reconnaître son véritable visage. De fait, comment faire concorder l'image que l'on a de soi et l'image qu'en ont les autres ? comment instaurer un rapport à l'autre authentique, permettant, selon le vœu de Rousseau, de « rendre son âme transparente » ?

L'Ermitage de Montmorency.
Gravure de Karl Girardet, 1846.

Les Confessions

Livres I à IV

Rousseau

Récit autobiographique (1782)

L'ŒUVRE

JEAN-JACQUES ROUSSEAU
LES CONFESSIONS
Livres I à IV
Texte conforme au manuscrit de Genève

Voici le seul portrait d'homme, peint exactement d'après nature et dans toute sa vérité, qui existe et qui probablement existera jamais. Qui que vous soyez, que ma destinée ou ma confiance ont fait l'arbitre du sort de ce cahier, je vous conjure par mes malheurs, par vos entrailles, et au nom de toute l'espèce humaine de ne pas anéantir un ouvrage utile et unique, lequel peut servir de première pièce de comparaison pour l'étude des hommes, qui certainement est encore à commencer, et de ne pas ôter à l'honneur de ma mémoire le seul monument sûr de mon caractère qui n'ait pas été défiguré par mes ennemis. Enfin, fussiez-vous[1]*, vous-même un de ces ennemis implacables, cessez de l'être envers ma cendre, et ne portez pas votre cruelle injustice jusqu'au temps où ni vous ni moi ne vivrons plus ; afin que vous puissiez vous rendre au moins une fois le noble témoignage d'avoir été généreux et bon quand vous pouviez être malfaisant et vindicatif : si tant est que le mal qui s'adresse à un homme qui n'en a jamais fait, ou voulu faire, puisse porter le nom de vengeance.*

1. **Fussiez-vous :** même si vous étiez.

LIVRE I
(1712-1728)

Intus, et in cute[1]

JE FORME une entreprise qui n'eut jamais d'exemple, et dont l'exécution n'aura point d'imitateur. Je veux montrer à mes semblables un homme dans toute la vérité de la nature ; et cet homme, ce sera moi.

Moi seul. Je sens mon cœur et je connais les hommes. Je ne suis fait comme aucun de ceux que j'ai vus ; j'ose croire n'être fait comme aucun de ceux qui existent. Si je ne vaux pas mieux, au moins je suis autre. Si la nature a bien ou mal fait de briser le moule dans lequel elle m'a jeté, c'est ce dont on ne peut juger qu'après m'avoir lu.

Que la trompette du jugement dernier sonne quand elle voudra ; je viendrai, ce livre à la main, me présenter devant le souverain juge. Je dirai hautement : voilà ce que j'ai fait, ce que j'ai pensé, ce que je fus. J'ai dit le bien et le mal avec la même franchise. Je n'ai rien tu de mauvais, rien ajouté de bon, et s'il m'est arrivé d'employer quelque ornement indifférent, ce n'a jamais été que pour remplir un vide occasionné par mon défaut de mémoire ; j'ai pu supposer vrai ce que je savais avoir pu l'être, jamais ce que je savais être faux. Je me suis montré tel que je fus, méprisable et vil quand je l'ai été, bon, généreux, sublime, quand je l'ai été : j'ai dévoilé mon intérieur tel que tu l'as vu toi-même. Être éternel, rassemble autour de moi l'innombrable foule de mes semblables : qu'ils écoutent mes confessions, qu'ils gémissent de mes indignités, qu'ils rougissent de mes misères. Que chacun d'eux découvre à

1. ***Intus, et in cute :*** « Intérieurement, et sous la peau. » Formule empruntée à un vers du poète latin Perse (*Satires* III, v. 30).

son tour son cœur au pied de ton trône avec la même sincérité ; et puis qu'un seul te dise, s'il l'ose : *Je fus meilleur que cet homme-là.*

30 Je suis né à Genève[1] en 1712, d'Isaac Rousseau, Citoyen[2], et de Suzanne Bernard, Citoyenne. Un bien fort médiocre à partager entre quinze enfants, ayant réduit presque à rien la portion de mon père, il n'avait pour subsister que son métier d'horloger, dans lequel il était à la vérité fort 35 habile. Ma mère, fille du ministre[3] Bernard, était plus riche ; elle avait de la sagesse et de la beauté : ce n'était pas sans peine que mon père l'avait obtenue. Leurs amours avaient commencé presque avec leur vie : dès l'âge de huit à neuf ans ils se promenaient ensemble tous 40 les soirs sur la Treille[4] ; à dix ans ils ne pouvaient plus se quitter. La sympathie[5], l'accord des âmes affermit en eux le sentiment qu'avait produit l'habitude. Tous deux, nés tendres et sensibles, n'attendaient que le moment de trouver dans un autre la même disposition, ou plutôt ce 45 moment les attendait eux-mêmes, et chacun d'eux jeta son cœur dans le premier qui s'ouvrit pour le recevoir. Le sort, qui semblait contrarier leur passion, ne fit que l'animer. Le jeune amant, ne pouvant obtenir sa maîtresse, se consumait de douleur ; elle lui conseilla de voyager pour 50 l'oublier. Il voyagea sans fruit, et revint plus amoureux que jamais. Il retrouva celle qu'il aimait tendre et fidèle. Après cette épreuve, il ne restait qu'à s'aimer toute la vie ; ils le jurèrent, et le ciel bénit leur serment.

Gabriel Bernard, frère de ma mère, devint amoureux 55 d'une des sœurs de mon père ; mais elle ne consentit à

---

1. **Genève :** à l'époque, république indépendante.
2. **Citoyen :** il s'agit d'un des quatre ordres de la société genevoise.
3. **Ministre :** pasteur du culte protestant.
4. **La Treille :** promenade publique sur les remparts de Genève.
5. **Sympathie :** accord profond entre deux êtres (termes beaucoup plus forts qu'aujourd'hui).

épouser le frère qu'à condition que son frère épouserait la sœur. L'amour arrangea tout, et les deux mariages se firent le même jour. Ainsi mon oncle était le mari de ma tante, et leurs enfants furent doublement mes cousins germains. Il en naquit un de part et d'autre au bout d'une année ; ensuite il fallut encore se séparer. 60

Mon oncle Bernard était ingénieur : il alla servir dans l'Empire[1] et en Hongrie sous le prince Eugène[2]. Il se distingua au siège et à la bataille de Belgrade. Mon père, après la naissance de mon frère unique, partit pour Constantinople, où il était appelé, et devint horloger du sérail. Durant son absence, la beauté de ma mère, son esprit, ses talents* lui attirèrent des hommages. M. de la Closure, résident[4] de France, fut des plus empressés à lui en offrir. Il fallait que sa passion fût vive, puisqu'au bout de trente ans je l'ai vu s'attendrir en me parlant d'elle. Ma mère avait plus que de la vertu pour s'en défendre, elle aimait tendrement son mari, elle le pressa de revenir : il quitta tout et revint. Je fus le triste fruit de ce retour. Dix 65 70

---

1. **L'Empire :** l'empire des Habsbourg, qui deviendra plus tard l'empire d'Autriche-Hongrie.
2. **Le prince Eugène :** Eugène de Savoie-Carignan, l'un des principaux généraux des armées de l'Empire.

* **Talents : il s'agit d'une note de Rousseau.** Elle en avait de trop brillants pour son état, le ministre son père qui l'adorait ayant pris grand soin de son éducation. Elle dessinait, elle chantait, elle s'accompagnait du théorbe[3], elle avait de la lecture et faisait des vers passables. En voici qu'elle fit impromptu dans l'absence de son frère et de son mari, se promenant avec sa belle-sœur et leurs deux enfants, sur un propos que quelqu'un lui tint à leur sujet :

Ces deux Messieurs qui sont absents
Nous sont chers de bien des manières ;
Ce sont nos amis, nos amants ;
Ce sont nos maris et nos frères,
Et les pères de ces enfants.

3. ** **Théorbe :** instrument de musique ; luth.
4. **Résident :** agent diplomatique.

mois après, je naquis infirme et malade ; je coûtai la vie à ma mère, et ma naissance fut le premier de mes malheurs.

Je n'ai pas su comment mon père supporta cette perte, mais je sais qu'il ne s'en consola jamais. Il croyait la revoir en moi, sans pouvoir oublier que je la lui avais ôtée ; jamais il ne m'embrassa que je ne sentisse[1] à ses soupirs, à ses convulsives étreintes, qu'un regret amer se mêlait à ses caresses ; elles n'en étaient que plus tendres. Quand il me disait : Jean-Jacques, parlons de ta mère, je lui disais : hé bien ! mon père, nous allons donc pleurer ; et ce mot seul lui tirait déjà des larmes. Ah ! disait-il en gémissant, rends-la-moi, console-moi d'elle, remplis le vide qu'elle a laissé dans mon âme. T'aimerais-je ainsi si tu n'étais que mon fils ? Quarante ans après l'avoir perdue, il est mort dans les bras d'une seconde femme, mais le nom de la première à la bouche, et son image au fond du cœur.

Tels furent les auteurs de mes jours. De tous les dons que le ciel leur avait départis, un cœur sensible est le seul qu'ils me laissèrent ; mais il avait fait leur bonheur, et fit tous les malheurs de ma vie.

J'étais né presque mourant ; on espérait peu de me conserver. J'apportai le germe d'une incommodité[2] que les ans ont renforcée, et qui maintenant ne me donne quelquefois des relâches que pour me laisser souffrir plus cruellement d'une autre façon. Une sœur de mon père[3], fille aimable et sage, prit si grand soin de moi, qu'elle me sauva. Au moment où j'écris ceci, elle est encore en vie, soignant, à l'âge de quatre-vingts ans, un mari plus jeune qu'elle, mais usé par la boisson. Chère tante, je vous pardonne de m'avoir fait vivre, et je m'afflige de ne pouvoir vous rendre à la fin de vos jours les tendres soins que

---

1. **Que je ne sentisse :** sans que je sente.
2. **Incommodité :** Rousseau souffrira toute sa vie de troubles urinaires.
3. **Une sœur de mon père :** Suzanne Rousseau, appelée plus loin « tante Suzon ».

vous m'avez prodigués au commencement des miens. J'ai aussi ma mie[1] Jacqueline encore vivante, saine et robuste. Les mains qui m'ouvrirent les yeux à ma naissance pourront me les fermer à ma mort.

Je sentis avant de penser : c'est le sort commun de l'humanité. Je l'éprouvai plus qu'un autre. J'ignore ce que je fis jusqu'à cinq ou six ans ; je ne sais comment j'appris à lire ; je ne me souviens que de mes premières lectures et de leur effet sur moi : c'est le temps d'où je date sans interruption la conscience de moi-même. Ma mère avait laissé des romans. Nous nous mîmes à les lire après souper mon père et moi. Il n'était question d'abord que de m'exercer à la lecture par des livres amusants ; mais bientôt l'intérêt devint si vif, que nous lisions tour à tour sans relâche et passions les nuits à cette occupation. Nous ne pouvions jamais quitter qu'à la fin du volume. Quelquefois mon père, entendant le matin les hirondelles, disait tout honteux : allons nous coucher ; je suis plus enfant que toi.

En peu de temps j'acquis, par cette dangereuse méthode, non seulement une extrême facilité à lire et à m'entendre, mais une intelligence unique à mon âge sur les passions. Je n'avais aucune idée des choses que tous les sentiments m'étaient déjà connus. Je n'avais rien conçu, j'avais tout senti. Ces émotions confuses que j'éprouvais coup sur coup n'altéraient point la raison que je n'avais pas encore ; mais elles m'en formèrent une d'une autre trempe, et me donnèrent de la vie humaine des notions bizarres et romanesques, dont l'expérience et la réflexion n'ont jamais bien pu me guérir.

Les romans finirent avec l'été de 1719. L'hiver suivant, ce fut autre chose. La bibliothèque de ma mère épuisée, on eut recours à la portion de celle de son père qui nous était échue. Heureusement, il s'y trouva de bons livres ; et

---

1. **Ma mie :** mon amie.

cela ne pouvait guère être autrement, cette bibliothèque
140 ayant été formée par un ministre, à la vérité, et savant même, car c'était la mode alors, mais homme de goût et d'esprit. L'*Histoire de l'Église et de l'Empire*, par Le Sueur[1] ; le *Discours* de Bossuet[2] *sur l'histoire universelle* ; les *Hommes illustres* de Plutarque[3] ; l'*Histoire de Venise* par
145 Nani[4] ; les *Métamorphoses* d'Ovide[5] ; La Bruyère[6] ; les *Mondes* de Fontenelle[7] ; ses *Dialogues des morts*, et quelques tomes de Molière, furent transportés dans le cabinet de mon père, et je les lui lisais tous les jours, durant son travail. J'y pris un goût rare et peut-être unique à cet âge.
150 Plutarque surtout devint ma lecture favorite. Le plaisir que je prenais à le relire sans cesse me guérit un peu des romans ; et je préférai bientôt Agésilas, Brutus, Aristide[8], à Orondate, Artamène et Juba[9]. De ces intéressantes[10] lectures, des entretiens qu'elles occasionnaient entre mon père et
155 moi, se forma cet esprit libre et républicain, ce caractère indomptable et fier, impatient de[11] joug et de servitude,

---

1. **Le Sueur :** pasteur français du XVIIe siècle.
2. **Bossuet :** célèbre évêque du XVIIe siècle, connu pour ses *Oraisons funèbres.*
3. **Plutarque :** célèbre auteur grec du Ier siècle après J.-C., connu pour ses *Vies parallèles.*
4. **Nani :** homme d'État et historien du XVIIe siècle.
5. **Ovide :** célèbre poète latin.
6. **La Bruyère :** célèbre écrivain français du XVIIe siècle, auteur des *Caractères.*
7. **Fontenelle :** homme de lettres français (1657-1757) auteur d'œuvres à caractère philosophique, comme les *Dialogues des morts* et les *Entretiens sur la pluralité des mondes.*
8. **Agésilas, Brutus, Aristide :** trois illustres personnages de l'Antiquité, dont Plutarque raconte la vie.
9. **Orondate, Artamène et Juba :** personnages de célèbres romans du XVIIe siècle, le premier tiré de la *Cassandre* de La Calprenède, le deuxième du *Grand Cyrus* de Madeleine de Scudéry, le troisième de la *Cléopâtre* de La Calprenède.
10. **Intéressantes :** émouvantes.
11. **Impatient de :** ne supportant pas.

qui m'a tourmenté tout le temps de ma vie dans les situations les moins propres à lui donner l'essor. Sans cesse occupé de Rome et d'Athènes, vivant pour ainsi dire avec leurs grands hommes, né moi-même citoyen d'une république, et fils d'un père dont l'amour de la patrie était la plus forte passion, je m'en enflammais à son exemple ; je me croyais Grec ou Romain ; je devenais le personnage dont je lisais la vie : le récit des traits de constance et d'intrépidité qui m'avaient frappé me rendait les yeux étincelants et la voix forte. Un jour que je racontais à table l'aventure de Scaevola[1], on fut effrayé de me voir avancer et tenir la main sur un réchaud pour représenter son action.

J'avais un frère plus âgé que moi de sept ans. Il apprenait la profession de mon père. L'extrême affection qu'on avait pour moi le faisait un peu négliger, et ce n'est pas cela que j'approuve. Son éducation se sentit de cette négligence. Il prit le train du libertinage, même avant l'âge d'être un vrai libertin. On le mit chez un autre maître, d'où il faisait des escapades comme il en avait fait de la maison paternelle. Je ne le voyais presque point, à peine puis-je dire avoir fait connaissance avec lui ; mais je ne laissais pas de[2] l'aimer tendrement, et il m'aimait autant qu'un polisson peut aimer quelque chose. Je me souviens qu'une fois que mon père le châtiait rudement et avec colère, je me jetai impétueusement entre deux, l'embrassant étroitement. Je le couvris ainsi de mon corps, recevant les coups qui lui étaient portés, et je m'obstinai si bien dans cette attitude, qu'il fallut enfin que mon père lui fît grâce, soit désarmé par mes cris et mes larmes, soit

1. **Scaevola :** Mucius Scaevola est un héros légendaire romain qui s'introduisit dans le camp ennemi pour tenter d'assassiner le roi Porsenna. Fait prisonnier, il mit sa main droite dans un brasier pour se punir d'avoir échoué.
2. **Je ne laissais pas de :** je ne manquais pas de.

pour ne pas me maltraiter plus que lui. Enfin mon frère tourna si mal, qu'il s'enfuit et disparut tout à fait. Quelque temps après, on sut qu'il était en Allemagne. Il n'écrivit
190 pas une seule fois. On n'a plus eu de ses nouvelles depuis ce temps-là, et voilà comment je suis demeuré fils unique.

Si ce pauvre garçon fut élevé négligemment, il n'en fut pas ainsi de son frère, et les enfants des rois ne sauraient être soignés avec plus de zèle que je le fus durant mes
195 premiers ans, idolâtré de tout ce qui m'environnait, et toujours, ce qui est bien plus rare, traité en enfant chéri, jamais en enfant gâté. Jamais une seule fois, jusqu'à ma sortie de la maison paternelle, on ne m'a laissé courir seul dans la rue avec les autres enfants, jamais on n'eut à répri-
200 mer en moi ni à satisfaire aucune de ces fantasques humeurs qu'on impute à la nature, et qui naissent toutes de la seule éducation. J'avais les défauts de mon âge ; j'étais babillard, gourmand, quelquefois menteur. J'aurais volé des fruits, des bonbons, de la mangeaille ; mais
205 jamais je n'ai pris plaisir à faire du mal, du dégât, à charger les autres, à tourmenter de pauvres animaux. Je me souviens pourtant d'avoir une fois pissé dans la marmite d'une de nos voisines, appelée Mme Clot, tandis qu'elle était au prêche[1]. J'avoue même que ce souvenir me fais
210 encore rire, parce que Mme Clot, bonne femme au demeurant, était bien la vieille la plus grognon que je connus de ma vie. Voilà la courte et véridique histoire de tous mes méfaits enfantins.

Comment serais-je devenu méchant, quand je n'avais
215 sous les yeux que des exemples de douceur, et autour de moi que les meilleures gens du monde ? Mon père, ma tante, ma mie, mes parents, nos amis, nos voisins, tout ce qui m'environnait ne m'obéissait pas à la vérité, mais m'aimait, et moi je les aimais de même. Mes volontés étaient si peu

---

1. **Prêche :** sermon d'un ministre protestant, et lieu du culte lui-même.

excitées et si peu contrariées, qu'il ne me venait pas dans l'esprit d'en avoir. Je puis jurer que jusqu'à mon asservissement sous un maître, je n'ai pas su ce que c'était qu'une fantaisie[1]. Hors le temps que je passais à lire ou écrire auprès de mon père, et celui où ma mie me menait promener, j'étais toujours avec ma tante, à la voir broder, à l'entendre chanter, assis ou debout à côté d'elle, et j'étais content. Son enjouement, sa douceur, sa figure agréable, m'ont laissé de si fortes impressions, que je vois encore son air, son regard, son attitude : je me souviens de ses petits propos caressants ; je dirais comment elle était vêtue et coiffée, sans oublier les deux crochets que ses cheveux noirs faisaient sur ses tempes, selon la mode de ce temps-là.

Je suis persuadé que je lui dois le goût ou plutôt la passion pour la musique, qui ne s'est bien développée en moi que longtemps après. Elle savait une quantité prodigieuse d'airs et de chansons qu'elle chantait avec un filet de voix fort douce. La sérénité d'âme de cette excellente fille éloignait d'elle et de tout ce qui l'environnait la rêverie[2] et la tristesse. L'attrait que son chant avait pour moi fut tel que non seulement plusieurs de ses chansons me sont toujours restées dans la mémoire, mais qu'il m'en revient même, aujourd'hui que je l'ai perdue, qui, totalement oubliées depuis mon enfance, se retracent à mesure que je vieillis, avec un charme que je ne puis exprimer. Dirait-on que moi, vieux radoteur, rongé de soucis et de peines, je me surprends quelquefois à pleurer comme un enfant en marmottant ces petits airs d'une voix déjà cassée et tremblante ? Il y en a un surtout qui m'est bien revenu tout entier quant à l'air ; mais la seconde moitié des paroles s'est constamment refusée à tous mes efforts pour me la

1. **Fantaisie :** caprice, envie brusque et bizarre.
2. **Rêverie :** mélancolie, humeur chagrine.

rappeler, quoiqu'il m'en revienne confusément les rimes. Voici le commencement et ce que j'ai pu me rappeler du reste :

Tircis, je n'ose
Écouter ton chalumeau
Sous l'ormeau ;
Car on en cause
Déjà dans notre hameau.
....
... un berger
... s'engager
... sans danger,
Et toujours l'épine est sous la rose.

Je cherche où est le charme attendrissant que mon cœur trouve à cette chanson : c'est un caprice auquel je ne comprends rien ; mais il m'est de toute impossibilité de la chanter jusqu'à la fin sans être arrêté par mes larmes. J'ai cent fois projeté d'écrire à Paris pour faire chercher le reste des paroles, si tant est que quelqu'un les connaisse encore. Mais je suis presque sûr que le plaisir que je prends à me rappeler cet air s'évanouirait en partie, si j'avais la preuve que d'autres que ma pauvre tante Suzon l'ont chanté.

Telles furent les premières affections[1] de mon entrée à la vie : ainsi commençait à se former ou à se montrer en moi ce cœur à la fois si fier et si tendre, ce caractère efféminé, mais pourtant indomptable, qui, flottant toujours entre la faiblesse et le courage, entre la mollesse et la vertu, m'a jusqu'au bout mis en contradiction avec moi-même, et a fait que l'abstinence et la jouissance, le plaisir et la sagesse, m'ont également échappé.

Ce train d'éducation fut interrompu par un accident dont les suites ont influé sur le reste de ma vie. Mon père

1. **Affections :** dispositions psychologiques qui résultent des émotions et des influences reçues de l'extérieur.

eut un démêlé avec un M. Gautier, capitaine en France et apparenté dans le Conseil. Ce Gautier, homme insolent et lâche, saigna du nez, et, pour se venger, accusa mon père d'avoir mis l'épée à la main dans la ville. Mon père, qu'on voulut envoyer en prison, s'obstinait à vouloir que, selon la loi, l'accusateur y entrât aussi bien que lui. N'ayant pu l'obtenir, il aima mieux sortir de Genève, et s'expatrier pour le reste de sa vie, que de céder sur un point où l'honneur et la liberté lui paraissaient compromis.

Je restai sous la tutelle de mon oncle Bernard, alors employé aux fortifications de Genève. Sa fille aînée était morte, mais il avait un fils de même âge que moi. Nous fûmes mis ensemble à Bossey, en pension chez le ministre Lambercier, pour y apprendre avec le latin tout le menu fatras dont on l'accompagne sous le nom d'éducation.

Deux ans passés au village adoucirent un peu mon âpreté romaine, et me ramenèrent à l'état d'enfant. À Genève, où l'on ne m'imposait rien, j'aimais l'application, la lecture ; c'était presque mon seul amusement[1] ; à Bossey[2], le travail me fit aimer les jeux qui lui servaient de relâche. La campagne était pour moi si nouvelle, que je ne pouvais me lasser d'en jouir. Je pris pour elle un goût si vif, qu'il n'a jamais pu s'éteindre. Le souvenir des jours heureux que j'y ai passés m'a fait regretter son séjour et ses plaisirs dans tous les âges, jusqu'à celui qui m'y a ramené. M. Lambercier était un homme fort raisonnable, qui, sans négliger notre instruction, ne nous chargeait point de devoirs extrêmes. La preuve qu'il s'y prenait bien est que, malgré mon aversion pour la gêne[3], je ne me suis jamais rappelé avec dégoût mes heures d'étude, et que, si je n'appris pas de lui beaucoup de choses, ce que j'appris je l'appris sans peine, et n'en ai rien oublié.

1. **Amusement :** occupation propre à occuper le loisir.
2. **Bossey :** village proche de Genève.
3. **Gêne :** contrainte.

La simplicité de cette vie champêtre me fit un bien d'un prix inestimable en ouvrant mon cœur à l'amitié. Jusqu'alors je n'avais connu que des sentiments élevés, mais imaginaires. L'habitude de vivre ensemble dans un état paisible m'unit 320 tendrement à mon cousin Bernard. En peu de temps j'eus pour lui des sentiments plus affectueux que ceux que j'avais eus pour mon frère, et qui ne se sont jamais effacés. C'était un grand garçon fort efflanqué, fort fluet, aussi doux d'esprit que faible de corps, et qui n'abusait pas trop 325 de la prédilection qu'on avait pour lui dans la maison comme fils de mon tuteur. Nos travaux, nos amusements, nos goûts, étaient les mêmes : nous étions seuls ; nous étions de même âge ; chacun des deux avait besoin d'un camarade ; nous séparer était, en quelque sorte, nous 330 anéantir. Quoique nous eussions peu d'occasions de faire preuve de notre attachement l'un pour l'autre, il était extrême, et non seulement nous ne pouvions vivre un instant séparés, mais nous n'imaginions pas que nous pussions jamais l'être. Tous deux d'un esprit facile à céder aux 335 caresses, complaisants quand on ne voulait pas nous contraindre, nous étions toujours d'accord sur tout. Si, par la faveur de ceux qui nous gouvernaient, il avait sur moi quelque ascendant sous leurs yeux, quand nous étions seuls j'en avais un sur lui qui rétablissait l'équilibre. Dans 340 nos études, je lui soufflais sa leçon quand il hésitait ; quand mon thème[1] était fait je lui aidais à faire le sien, et dans nos amusements mon goût plus actif lui servait toujours de guide. Enfin nos deux caractères s'accordaient si bien, et l'amitié qui nous unissait était si vraie, que, dans 345 plus de cinq ans que nous fûmes presque inséparables, tant à Bossey qu'à Genève, nous nous battîmes souvent, je l'avoue, mais jamais on n'eut besoin de nous séparer, jamais une de nos querelles ne dura plus d'un quart

1. **Thème :** exercice qui consiste à traduire un texte français en latin.

d'heure, et jamais une seule fois nous ne portâmes l'un contre l'autre aucune accusation. Ces remarques sont, si l'on veut, puériles, mais il en résulte pourtant un exemple peut-être unique depuis qu'il existe des enfants.

La manière dont je vivais à Bossey me convenait si bien, qu'il ne lui a manqué que de durer plus longtemps pour fixer absolument mon caractère. Les sentiments tendres, affectueux, paisibles, en faisaient le fond. Je crois que jamais individu de notre espèce n'eut naturellement moins de vanité que moi. Je m'élevais par élans à des mouvements sublimes, mais je retombais aussitôt dans ma langueur[1]. Être aimé de tout ce qui m'approchait était le plus vif de mes désirs. J'étais doux, mon cousin l'était ; ceux qui nous gouvernaient l'étaient eux-mêmes. Pendant deux ans entiers je ne fus ni témoin ni victime d'un sentiment violent. Tout nourrissait dans mon cœur les dispositions qu'il reçut de la nature. Je ne connaissais rien d'aussi charmant que de voir tout le monde content de moi et de toute chose. Je me souviendrai toujours qu'au temple, répondant au catéchisme, rien ne me troublait plus, quand il m'arrivait d'hésiter, que de voir sur le visage de Mlle Lambercier des marques d'inquiétude et de peine. Cela seul m'affligeait plus que la honte de manquer[2] en public, qui m'affectait pourtant extrêmement ; car, quoique peu sensible aux louanges, je le fus toujours beaucoup à la honte, et je puis dire ici que l'attente des réprimandes de Mlle Lambercier me donnait moins d'alarmes que la crainte de la chagriner.

Cependant elle ne manquait pas au besoin de sévérité, non plus que son frère[3] ; mais comme cette sévérité, presque toujours juste, n'était jamais emportée, je m'en affligeais, et ne m'en mutinais point[4]. J'étais plus fâché de

---

1. **Langueur :** état d'abattement.
2. **Manquer :** commettre une faute.
3. **Non plus que son frère :** de même que son frère.
4. **Ne m'en mutinais point :** ne me révoltais pas.

déplaire que d'être puni, et le signe du mécontentement m'était plus cruel que la peine afflictive. Il est embarrassant de s'expliquer mieux, mais cependant il le faut. Qu'on changerait de méthode avec la jeunesse, si l'on voyait mieux les effets éloignés de celle qu'on emploie toujours indistinctement, et souvent indiscrètement[1] ! La grande leçon qu'on peut tirer d'un exemple aussi commun que funeste me fait résoudre à le donner.

Comme Mlle Lambercier avait pour nous l'affection d'une mère, elle en avait aussi l'autorité, et la portait quelquefois jusqu'à nous infliger la punition des enfants quand nous l'avions méritée. Assez longtemps elle s'en tint à la menace, et cette menace d'un châtiment tout nouveau pour moi me semblait très effrayante ; mais après l'exécution, je la trouvai moins terrible à l'épreuve que l'attente ne l'avait été, et ce qu'il y a de plus bizarre est que ce châtiment m'affectionna davantage encore à celle qui me l'avait imposé. Il fallait même toute la vérité de cette affection et toute ma douceur naturelle pour m'empêcher de chercher le retour du même traitement en le méritant ; car j'avais trouvé dans la douleur, dans la honte même, un mélange de sensualité qui m'avait laissé plus de désir que de crainte de l'éprouver derechef par la même main. Il est vrai que, comme il se mêlait sans doute à cela quelque instinct précoce du sexe[2], le même châtiment reçu de son frère ne m'eût point du tout paru plaisant. Mais, de l'humeur dont il était, cette substitution n'était guère à craindre, et si je m'abstenais de mériter la correction, c'était uniquement de peur de fâcher Mlle Lambercier ; car tel est en moi l'empire de la bienveillance, et même de celle que les sens ont fait naître, qu'elle leur donna toujours la loi dans mon cœur.

---

1. **Indiscrètement :** mal à propos.
2. **Sexe :** le *sexe* ou le *beau sexe* désigne les femmes.

Cette récidive, que j'éloignais sans la craindre, arriva sans qu'il y eût de ma faute, c'est-à-dire de ma volonté, et j'en profitai, je puis dire, en sûreté de conscience. Mais cette seconde fois fut aussi la dernière, car Mlle Lambercier, s'étant sans doute aperçue à quelque signe que ce châtiment n'allait pas à son but, déclara qu'elle y renonçait et qu'il la fatiguait trop. Nous avions jusque-là couché dans sa chambre, et même en hiver quelquefois dans son lit. Deux jours après on nous fit coucher dans une autre chambre et j'eus désormais l'honneur, dont je me serais bien passé, d'être traité par elle en grand garçon.

Qui croirait que ce châtiment d'enfant, reçu à huit ans par la main d'une fille de trente, a décidé de mes goûts, de mes désirs, de mes passions, de moi pour le reste de ma vie, et cela précisément dans le sens contraire à ce qui devait s'ensuivre naturellement ? En même temps que mes sens furent allumés, mes désirs prirent si bien le change, que, bornés à ce que j'avais éprouvé, ils ne s'avisèrent point de chercher autre chose. Avec un sang brûlant de sensualité presque dès ma naissance, je me conservai pur de toute souillure jusqu'à l'âge où les tempéraments les plus froids et les plus tardifs se développent. Tourmenté longtemps sans savoir de quoi, je dévorais d'un œil ardent les belles personnes ; mon imagination me les rappelait sans cesse, uniquement pour les mettre en œuvre à ma mode, et en faire autant de demoiselles Lambercier.

Même après l'âge nubile, ce goût bizarre, toujours persistant, et porté jusqu'à la dépravation, jusqu'à la folie, m'a conservé les mœurs honnêtes qu'il semblerait avoir dû m'ôter. Si jamais éducation fut modeste et chaste, c'est assurément celle que j'ai reçue. Mes trois tantes n'étaient pas seulement des personnes d'une sagesse exemplaire, mais d'une réserve que depuis longtemps les femmes ne connaissent plus. Mon père, homme de plaisir, mais galant à la vieille mode, n'a jamais tenu, près des femmes qu'il aimait le plus, des propos dont une vierge eût pu rougir, et jamais on n'a poussé plus loin que dans ma famille et devant moi le respect qu'on doit aux enfants ; je ne trouvai pas moins d'attention chez M. Lambercier sur le même article, et une fort bonne servante y fut mise à la porte pour un mot un peu gaillard qu'elle avait prononcé devant nous. Non seulement je n'eus jusqu'à mon adolescence aucune idée distincte de l'union des sexes, mais jamais cette idée confuse ne s'offrit à moi que sous une image odieuse et dégoûtante. J'avais pour les filles publiques une horreur qui ne s'est jamais effacée : je ne pouvais voir un débauché sans dédain, sans effroi même, car mon aversion pour la débauche allait jusque-là, depuis qu'allant un jour au Petit Sacconex[1] par un chemin creux, je vis des deux côtés des cavités dans la terre, où l'on me dit que ces gens-là faisaient leurs accouplements. Ce que j'avais vu de ceux des chiennes me revenait aussi toujours à l'esprit en pensant aux autres, et le cœur me soulevait à ce seul souvenir.

Ces préjugés de l'éducation, propres par eux-mêmes à retarder les premières explosions d'un tempérament combustible, furent aidés, comme j'ai dit, par la diversion que firent sur moi les premières pointes de la sensualité. N'imaginant que ce que j'avais senti, malgré des effervescences de sang très incommodes, je ne savais porter mes désirs que vers l'espèce de volupté qui m'était connue, sans aller jamais jusqu'à celle qu'on m'avait rendue haïssable et qui tenait de si près à l'autre sans que j'en eusse le moindre soupçon. Dans mes sottes fantaisies, dans mes érotiques fureurs, dans les actes extravagants auxquels elles me portaient quelquefois, j'empruntais imaginairement le secours de l'autre sexe, sans penser jamais qu'il fût propre à nul autre usage qu'à celui que je brûlais d'en tirer.

Non seulement donc c'est ainsi qu'avec un tempérament très ardent, très lascif, très précoce, je passai toutefois l'âge

---

1. **Le Petit Sacconex :** village proche de Genève.

de puberté sans désirer, sans connaître d'autres plaisirs des sens que ceux dont Mlle Lambercier m'avait très innocemment donné l'idée ; mais quand enfin le progrès des ans m'eut fait homme, c'est encore ainsi que ce qui devait me perdre me conserva. Mon ancien goût d'enfant, au lieu 485 de s'évanouir, s'associa tellement à l'autre, que je ne pus jamais l'écarter des désirs allumés par mes sens ; et cette folie, jointe à ma timidité naturelle, m'a toujours rendu très peu entreprenant près des femmes, faute d'oser tout dire ou de pouvoir tout faire ; l'espèce de jouissance dont 490 l'autre n'était pour moi que le dernier terme ne pouvant être usurpée par celui qui la désire, ni devinée par celle qui peut l'accorder. J'ai ainsi passé ma vie à convoiter et me taire auprès des personnes que j'aimais le plus. N'osant jamais déclarer mon goût, je l'amusais du moins par des 495 rapports qui m'en conservaient l'idée. Être aux genoux d'une maîtresse impérieuse, obéir à ses ordres, avoir des pardons à lui demander, étaient pour moi de très douces jouissances, et plus ma vive imagination m'enflammait le sang, plus j'avais l'air d'un amant transi. On conçoit que 500 cette manière de faire l'amour[1] n'amène pas des progrès bien rapides, et n'est pas fort dangereuse à la vertu de celles qui en sont l'objet. J'ai donc fort peu possédé, mais je n'ai pas laissé de jouir beaucoup à ma manière, c'est-à-dire par l'imagination. Voilà comment mes sens, d'accord avec mon 505 humeur timide et mon esprit romanesque, m'ont conservé des sentiments purs et des mœurs honnêtes, par les mêmes goûts qui peut-être, avec un peu plus d'effronterie, m'auraient plongé dans les plus brutales voluptés.

J'ai fait le premier pas et le plus pénible dans le labyrinthe 510 obscur et fangeux de mes confessions. Ce n'est pas ce qui est criminel qui coûte le plus à dire, c'est ce qui est ridicule et honteux. Dès à présent je suis sûr de moi : après ce

---

1. **Faire l'amour :** faire la cour.

que je viens d'oser dire, rien ne peut plus m'arrêter. On
515 peut juger de ce qu'ont pu me coûter de semblables aveux, sur ce que, dans tout le cours de ma vie, emporté quelquefois près de celles que j'aimais par les fureurs d'une passion qui m'ôtait la faculté de voir, d'entendre,
520 hors de sens et saisi d'un tremblement convulsif dans tout mon corps, jamais je n'ai pu prendre sur moi de leur déclarer ma folie, et d'implorer d'elles, dans la plus intime familiarité, la seule faveur qui manquait aux autres. Cela ne m'est jamais arrivé qu'une fois dans l'enfance, avec une
525 enfant de mon âge ; encore fut-ce elle qui en fit la première proposition.

En remontant de cette sorte aux premières traces de mon être sensible, je trouve des éléments qui, semblant quelquefois incompatibles, n'ont pas laissé de s'unir pour pro-
530 duire avec force un effet uniforme et simple, et j'en trouve d'autres qui, les mêmes en apparence, ont formé, par le concours de certaines circonstances, de si différentes combinaisons, qu'on n'imaginerait jamais qu'ils eussent entre eux aucun rapport. Qui croirait, par exemple, qu'un
535 des ressorts les plus vigoureux de mon âme fut trempé dans la même source d'où la luxure et la mollesse ont coulé dans mon sang ? Sans quitter le sujet dont je viens de parler, on en va voir sortir une impression bien différente.

J'étudiais un jour seul ma leçon dans la chambre conti-
540 guë à la cuisine. La servante avait mis sécher à la plaque[1] les peignes de Mlle Lambercier. Quand elle revint les prendre, il s'en trouva un dont tout un côté de dents était brisé. À qui s'en prendre de ce dégât ? personne autre que moi n'était entré dans la chambre. On m'interroge : je nie
545 d'avoir touché le peigne. M. et Mlle Lambercier se réunissent, m'exhortent, me pressent, me menacent ; je persiste avec opiniâtreté ; mais la conviction était trop forte,

1. **Plaque** : plaque servant de fond à une niche aménagée dans la cheminée.

elle l'emporta sur toutes mes protestations, quoique ce fût la première fois qu'on m'eût trouvé tant d'audace à mentir. La chose fut prise au sérieux ; elle méritait de l'être. La méchanceté, le mensonge, l'obstination, parurent également dignes de punition ; mais pour le coup ce ne fut pas par Mlle Lambercier qu'elle me fut infligée. On écrivit à mon oncle Bernard ; il vint. Mon pauvre cousin était chargé d'un autre délit, non moins grave ; nous fûmes enveloppés dans la même exécution. Elle fut terrible. Quand, cherchant le remède dans le mal même, on eût voulu pour jamais amortir mes sens dépravés, on n'aurait pu mieux s'y prendre. Aussi me laissèrent-ils en repos pour longtemps.

On ne put m'arracher l'aveu qu'on exigeait. Repris à plusieurs fois et mis dans l'état le plus affreux, je fus inébranlable. J'aurais souffert la mort, et j'y étais résolu. Il fallut que la force même cédât au diabolique entêtement d'un enfant, car on n'appela pas autrement ma constance. Enfin je sortis de cette cruelle épreuve en pièces, mais triomphant.

Il y a maintenant près de cinquante ans de cette aventure, et je n'ai pas peur d'être aujourd'hui puni derechef pour le même fait. Eh bien, je déclare à la face du Ciel que j'en étais innocent, que je n'avais ni cassé, ni touché le peigne, que je n'avais pas approché de la plaque, et que je n'y avais pas même songé. Qu'on ne me demande pas comment ce dégât se fit : je l'ignore et ne puis le comprendre ; ce que je sais très certainement, c'est que j'en étais innocent.

Qu'on se figure un caractère timide et docile dans la vie ordinaire, mais ardent, fier, indomptable dans les passions ; un enfant toujours gouverné par la voix de la raison, toujours traité avec douceur, équité, complaisance, qui n'avait pas même l'idée de l'injustice, et qui, pour la première fois, en éprouve une si terrible de la part précisément des gens qu'il chérit et qu'il respecte le plus. Quel renversement d'idées ! quel désordre de sentiments ! quel bouleversement dans son cœur, dans sa cervelle, dans tout son petit être intelligent et moral ! Je dis qu'on s'imagine tout cela, s'il est possible, car pour moi, je ne me sens pas capable de démêler, de suivre la moindre trace de ce qui se passait alors en moi.

Je n'avais pas encore assez de raison pour sentir combien les apparences me condamnaient, et pour me mettre à la place des autres. Je me tenais à la mienne, et tout ce que je sentais, c'était la rigueur d'un châtiment effroyable pour un crime que je n'avais pas commis. La douleur du corps, quoique vive, m'était peu sensible ; je ne sentais que l'indignation, la rage, le désespoir. Mon cousin, dans un cas à peu près semblable, et qu'on avait puni d'une faute involontaire comme d'un acte prémédité, se mettait en fureur à mon exemple, et se montait, pour ainsi dire, à mon unisson. Tous deux dans le même lit nous nous embrassions avec des transports convulsifs, nous étouffions et quand nos jeunes cœurs un peu soulagés pouvaient exhaler leur colère, nous nous levions sur notre séant, et nous nous mettions tous deux à crier cent fois de toute notre force : *Carnifex, Carnifex, Carnifex*[1] !

Je sens en écrivant ceci que mon pouls s'élève encore ; ces moments me seront toujours présents quand je vivrais cent mille ans. Ce premier sentiment de la violence et de l'injustice est resté si profondément gravé dans mon âme, que toutes les idées qui s'y rapportent me rendent ma première émotion, et ce sentiment, relatif à moi dans son origine, a pris une telle consistance en lui-même, et s'est tellement détaché de tout intérêt personnel, que mon cœur s'enflamme au spectacle ou au récit de toute action injuste, quel qu'en soit l'objet et en quelque lieu qu'elle se commette, comme si l'effet en retombait sur moi. Quand je lis les cruautés d'un tyran féroce, les subtiles noirceurs

---

1. ***Carnifex :*** « bourreau » en latin (terme souvent employé lors de leur mise à mort par les victimes des empereurs romains tels que Néron, Tibère ou Domitien).

d'un fourbe de prêtre, je partirais volontiers pour aller poignarder ces misérables, dussé-je cent fois y périr. Je me suis souvent mis en nage à poursuivre à la course ou à coups de pierre un coq, une vache, un chien, un animal que j'en voyais tourmenter un autre, uniquement parce qu'il se sentait le plus fort. Ce mouvement peut m'être naturel, et je crois qu'il l'est ; mais le souvenir profond de la première injustice que j'ai soufferte y fut trop longtemps et trop fortement lié pour ne l'avoir pas beaucoup renforcé. 620

Là fut le terme de la sérénité de ma vie enfantine. Dès ce moment je cessai de jouir d'un bonheur pur, et je sens aujourd'hui même que le souvenir des charmes de mon enfance s'arrête là. Nous restâmes encore à Bossey quelques mois. Nous y fûmes comme on nous représente le premier homme encore dans le paradis terrestre, mais ayant cessé d'en jouir. C'était en apparence la même situation, et en effet[1] une tout autre manière d'être. L'attachement, le respect, l'intimité, la confiance, ne liaient plus les élèves à leurs guides ; nous ne les regardions plus comme des dieux qui lisaient dans nos cœurs : nous étions moins honteux de mal faire et plus craintifs d'être accusés : nous commencions à nous cacher, à nous mutiner, à mentir. Tous les vices de notre âge corrompaient notre innocence, et enlaidissaient nos jeux. La campagne même perdit à nos yeux cet attrait de douceur et de simplicité qui va au cœur. Elle nous semblait déserte et sombre ; elle s'était comme couverte d'un voile qui nous en cachait les beautés. Nous cessâmes de cultiver nos petits jardins, nos herbes, nos fleurs. Nous n'allions plus gratter légèrement la terre, et crier de joie en découvrant le germe du grain que nous avions semé. Nous nous dégoûtâmes de cette vie ; on se dégoûta de nous ; mon oncle nous retira, et nous nous séparâmes de M. et Mlle Lambercier, rassasiés les uns des autres, et regrettant peu de nous quitter. 625 630 635 640 645

1. **En effet :** en réalité.

Près de trente ans se sont passés depuis ma sortie de 650 Bossey sans que je m'en sois rappelé le séjour d'une manière agréable par des souvenirs un peu liés : mais depuis qu'ayant passé l'âge mûr je décline vers la vieillesse, je sens que ces mêmes souvenirs renaissent tandis que les autres s'effacent, et se gravent dans ma mémoire 655 avec des traits dont le charme et la force augmentent de jour en jour ; comme si, sentant déjà la vie qui s'échappe, je cherchais à la ressaisir par ses commencements. Les moindres faits de ce temps-là me plaisent par cela seul qu'ils sont de ce temps-là. Je me rappelle toutes les cir-660 constances des lieux, des personnes, des heures. Je vois la servante ou le valet agissant dans la chambre, une hirondelle entrant par la fenêtre, une mouche se poser sur ma main tandis que je récitais ma leçon : je vois tout l'arrangement de la chambre où nous étions ; le cabinet de 665 M. Lambercier à main droite[1], une estampe représentant tous les papes, un baromètre, un grand calendrier, des framboisiers qui, d'un jardin fort élevé dans lequel la maison s'enfonçait sur le derrière, venaient ombrager la fenêtre, et passaient quelquefois jusqu'en dedans. Je sais bien que 670 le lecteur n'a pas grand besoin de savoir tout cela, mais j'ai besoin, moi, de le lui dire. Que n'osé-je lui raconter de même toutes les petites anecdotes de cet heureux âge, qui me font encore tressaillir d'aise quand je me les rappelle ! Cinq ou six surtout... Composons[2]. Je vous fais grâce des 675 cinq ; mais j'en veux une, une seule, pourvu qu'on me la laisse conter le plus longuement qu'il me sera possible, pour prolonger mon plaisir.

Si je ne cherchais que le vôtre, je pourrais choisir celle du derrière de Mlle Lambercier, qui, par une malheureuse 680 culbute au bas du pré, fut étalé tout en plein devant le Roi

---

1. **À main droite :** sur la droite.
2. **Composons :** arrangeons-nous en trouvant un juste milieu.

de Sardaigne à son passage : mais celle du noyer de la terrasse est plus amusante pour moi qui fus acteur au lieu que je ne fus que spectateur de la culbute ; et j'avoue que je ne trouvai pas le moindre mot pour rire à un accident qui, bien que comique en lui-même, m'alarmait pour une personne que j'aimais comme une mère, et peut-être plus.

Ô vous, lecteurs curieux de la grande histoire du noyer de la terrasse, écoutez-en l'horrible tragédie et vous abstenez de frémir, si vous pouvez.

Il y avait, hors la porte de la cour, une terrasse à gauche en entrant, sur laquelle on allait souvent s'asseoir l'après-midi, mais qui n'avait point d'ombre. Pour lui en donner, M. Lambercier y fit planter un noyer. La plantation de cet arbre se fit avec solennité : les deux pensionnaires en furent les parrains ; et, tandis qu'on comblait le creux, nous tenions l'arbre chacun d'une main avec des chants de triomphe. On fit pour l'arroser une espèce de bassin tout autour du pied. Chaque jour, ardents spectateurs de cet arrosement, nous nous confirmions, mon cousin et moi, dans l'idée très naturelle qu'il était plus beau de planter un arbre sur la terrasse qu'un drapeau sur la brèche, et nous résolûmes de nous procurer cette gloire sans la partager avec qui que ce fût.

Pour cela nous allâmes couper une bouture d'un jeune saule, et nous la plantâmes sur la terrasse, à huit ou dix pieds de l'auguste noyer. Nous n'oubliâmes pas de faire aussi un creux autour de notre arbre : la difficulté était d'avoir de quoi le remplir ; car l'eau venait d'assez loin, et on ne nous laissait pas courir pour en aller prendre. Cependant il en fallait absolument pour notre saule. Nous employâmes toutes sortes de ruses pour lui en fournir durant quelques jours, et cela nous réussit si bien, que nous le vîmes bourgeonner et pousser de petites feuilles dont nous mesurions l'accroissement d'heure en heure, persuadés, quoiqu'il ne fût pas à un pied de terre, qu'il ne tarderait pas à nous ombrager.

Comme notre arbre, nous occupant tout entiers, nous rendait incapables de toute application, de toute étude, que nous étions comme en délire, et que, ne sachant à qui 720 nous en avions, on nous tenait de plus court qu'auparavant, nous vîmes l'instant fatal où l'eau nous allait manquer, et nous nous désolions dans l'attente de voir notre arbre périr de sécheresse. Enfin la nécessité, mère de l'industrie[1], nous suggéra une invention pour garantir l'arbre 725 et nous d'une mort certaine : ce fut de faire par-dessous terre une rigole qui conduisît secrètement au saule une partie de l'eau dont on arrosait le noyer. Cette entreprise, exécutée avec ardeur, ne réussit pourtant pas d'abord. Nous avions si mal pris la pente, que l'eau ne coulait 730 point ; la terre s'éboulait et bouchait la rigole ; l'entrée se remplissait d'ordures ; tout allait de travers. Rien ne nous rebuta : *omnia vincit labor improbus*[2]. Nous creusâmes davantage et la terre et notre bassin, pour donner à l'eau son écoulement ; nous coupâmes des fonds de boîtes en petites 735 planches étroites, dont les unes mises de plat à la file, et d'autres posées en angle des deux côtés sur celles-là, nous firent un canal triangulaire pour notre conduit. Nous plantâmes à l'entrée de petits bouts de bois minces et à claire-voie[3], qui, faisant une espèce de grillage ou de crapaudine[4], 740 retenaient le limon et les pierres sans boucher le passage à l'eau. Nous recouvrîmes soigneusement notre ouvrage de terre bien foulée ; et le jour où tout fut fait, nous attendîmes dans des transes d'espérance et de crainte l'heure de l'arrosement. Après des siècles d'attente, 745 cette heure vint enfin ; M. Lambercier vint aussi à son

1. **Industrie :** activité inventive.
2. ***Omnia vincit labor improbus :*** citation du poète latin Virgile, employée pour signifier que le travail acharné vient à bout de toutes les difficultés.
3. **À claire-voie :** dont les parties sont espacées les unes des autres.
4. **Crapaudine :** plaque posée à l'entrée d'un tuyau pour empêcher les crapauds et les ordures d'y entrer.

ordinaire assister à l'opération, durant laquelle nous nous tenions tous deux derrière lui pour cacher notre arbre, auquel très heureusement il tournait le dos.

À peine achevait-on de verser le premier seau d'eau que nous commençâmes d'en voir couler dans notre bassin. À cet aspect la prudence nous abandonna ; nous nous mîmes à pousser des cris de joie qui firent retourner M. Lambercier, et ce fut dommage, car il prenait grand plaisir à voir comment la terre du noyer était bonne et buvait avidement son eau. Frappé de la voir se partager entre deux bassins, il s'écrie à son tour, regarde, aperçoit la friponnerie se fait brusquement apporter une pioche, donne un coup, fait voler deux ou trois éclats de nos planches, et criant à pleine tête : *Un aqueduc ! un aqueduc !* il frappe de toutes parts des coups impitoyables, dont chacun portait au milieu de nos cœurs. En un moment, les planches, le conduit, le bassin, le saule, tout fut détruit, tout fut labouré, sans qu'il y eût, durant cette expédition terrible, nul autre mot prononcé, sinon l'exclamation qu'il répétait sans cesse. *Un aqueduc !* s'écriait-il en brisant tout, *un aqueduc ! un aqueduc !*

On croira que l'aventure finit mal pour les petits architectes. On se trompera : tout fut fini. M. Lambercier ne nous dit pas un mot de reproche, ne nous fit pas plus mauvais visage, et ne nous en parla plus ; nous l'entendîmes même un peu après rire auprès de sa sœur à gorge déployée, car le rire de M. Lambercier s'entendait de loin, et ce qu'il y eut de plus étonnant encore, c'est que, passé le premier saisissement, nous ne fûmes pas nous-mêmes fort affligés. Nous plantâmes ailleurs un autre arbre, et nous nous rappelions souvent la catastrophe du premier, en répétant entre nous avec emphase : *Un aqueduc ! un aqueduc !* Jusque-là j'avais eu des accès d'orgueil par intervalles quand j'étais Aristide ou Brutus[1]. Ce fut ici mon pre-

1. **Aristide ou Brutus :** Aristide, vainqueur de la bataille de Marathon, et Brutus, fils adoptif de César, sont deux héros de Plutarque.

mier mouvement de vanité bien marquée. Avoir pu
780 construire un aqueduc de nos mains, avoir mis une bouture en concurrence avec un grand arbre, me paraissait le suprême degré de la gloire. À dix ans j'en jugeais mieux que César à trente[1].

L'idée de ce noyer et la petite histoire qui s'y rapporte
785 m'est si bien restée ou revenue, qu'un de mes plus agréables projets dans mon voyage de Genève, en 1754, était d'aller à Bossey y revoir les monuments des jeux de mon enfance, et surtout le cher noyer, qui devait alors avoir déjà le tiers d'un siècle. Je fus si continuellement obsédé, si peu maître
790 de moi-même, que je ne pus trouver le moment de me satisfaire. Il y a peu d'apparence que cette occasion renaisse jamais pour moi. Cependant je n'en ai pas perdu le désir avec l'espérance, et je suis presque sûr que si jamais, retournant dans ces lieux chéris, j'y retrouvais mon cher
795 noyer encore en être, je l'arroserais de mes pleurs.

De retour à Genève, je passai deux ou trois ans chez mon oncle en attendant qu'on résolût ce que l'on ferait de moi. Comme il destinait son fils au génie[2], il lui fit apprendre un peu de dessin, et lui enseignait les éléments d'Euclide[3].
800 J'apprenais tout cela par compagnie, et j'y pris goût, surtout au dessin. Cependant on délibérait si l'on me ferait horloger, procureur ou ministre. J'aimais mieux être ministre, car je trouvais bien beau de prêcher. Mais le petit revenu
805 du bien de ma mère à partager entre mon frère et moi ne suffisait pas pour pousser mes études. Comme l'âge où j'étais ne rendait pas ce choix bien pressant encore, je restais en attendant chez mon oncle, perdant à peu près mon

1. **Mieux que César à trente :** allusion à une anecdote de Plutarque racontant que César se mit un jour à pleurer, alors qu'il lisait la vie d'Alexandre, en déplorant n'avoir encore rien fait de tel à son âge !
2. **Génie :** art de la construction, de l'attaque et de la défense des fortifications.
3. **Les éléments d'Euclide :** c'est-à-dire la géométrie.

temps, et ne laissant pas de payer, comme il était juste, une assez forte pension. 810

Mon oncle, homme de plaisir ainsi que mon père, ne savait pas comme lui se captiver par[1] ses devoirs, et prenait assez peu de soin de nous. Ma tante était une dévote un peu piétiste[2], qui aimait mieux chanter les psaumes que veiller à notre éducation. On nous laissait presque 815 une liberté entière dont nous n'abusâmes jamais. Toujours inséparables, nous nous suffisions l'un à l'autre, et n'étant point tentés de fréquenter les polissons de notre âge, nous ne prîmes aucune des habitudes libertines que l'oisiveté nous pouvait inspirer. J'ai même tort de nous supposer 820 oisifs, car de la vie nous ne le fûmes moins, et ce qu'il y avait d'heureux était que tous les amusements dont nous nous passionnions successivement nous tenaient ensemble occupés dans la maison sans que nous fussions même tentés de descendre à la rue. Nous faisions des cages, des flûtes, 825 des volants, des tambours, des maisons, des *équiffles*[3], des arbalètes. Nous gâtions les outils de mon bon vieux grand-père pour faire des montres à son imitation. Nous avions surtout un goût de préférence pour barbouiller du papier, dessiner, laver, enluminer, faire un dégât de cou- 830 leurs. Il vint à Genève un charlatan[4] italien, appelé *Gamba-Corta* ; nous allâmes le voir une fois, et puis nous n'y voulûmes plus aller : mais il avait des marionnettes, et nous nous mîmes à faire des marionnettes ; ses marionnettes jouaient des manières de comédies, et nous fîmes 835 des comédies pour les nôtres. Faute de pratique, nous contrefaisions du gosier la voix de Polichinelle[5], pour jouer ces charmantes comédies que nos pauvres bons

1. **Se captiver par :** se soumettre à.
2. **Piétiste :** le piétisme est un mouvement religieux protestant.
3. **Équiffles :** mot employé à Genève pour désigner des sarbacanes.
4. **Charlatan :** marchand ambulant se produisant sur les places et dans les foires.
5. **Polichinelle :** personnage de la commedia dell'arte.

parents avaient la patience de voir et d'entendre. Mais
840 mon oncle Bernard ayant un jour lu dans la famille un
très beau sermon de sa façon, nous quittâmes les comédies, et nous nous mîmes à composer des sermons. Ces détails ne sont pas fort intéressants, je l'avoue ; mais ils montrent à quel point il fallait que notre première éduca-
845 tion eût été bien dirigée, pour que, maîtres presque de notre temps et de nous dans un âge si tendre, nous fussions si peu tentés d'en abuser. Nous avions si peu besoin de nous faire des camarades que nous en négligions même l'occasion. Quand nous allions nous promener,
850 nous regardions en passant leurs jeux sans convoitise, sans songer même à y prendre part. L'amitié remplissait si bien nos cœurs, qu'il nous suffisait d'être ensemble pour que les plus simples goûts fissent nos délices.

À force de nous voir inséparables, on y prit garde ; d'autant
855 plus que, mon cousin étant très grand et moi très petit, cela faisait un couple assez plaisamment assorti. Sa longue figure effilée, son petit visage de pomme cuite, son air mou, sa démarche nonchalante, excitaient les enfants à se moquer de lui.

Dans le patois du pays on lui donna le surnom de *Barnâ*
860 *Bredanna*[1], et sitôt que nous sortions nous n'entendions que *Barnâ Bredanna* tout autour de nous. Il endurait cela plus tranquillement que moi. Je me fâchai, je voulus me battre ; c'était ce que les petits coquins demandaient. Je battis, je fus battu. Mon pauvre cousin me soutenait de
865 son mieux ; mais il était faible, d'un coup de poing on le renversait. Alors je devenais furieux. Cependant, quoique j'attrapasse force horions[2], ce n'était pas à moi qu'on en voulait, c'était à *Barnâ Bredanna* ; mais j'augmentai tellement le mal par ma mutine[3] colère que nous n'osions plus

---

1. ***Barnâ Bredanna* :** surnom forgé en patois savoyard à partir du *Roman de Renart* et qui signifie « âne bâté ».
2. **Force horions :** de nombreux coups violents.
3. **Mutine :** révoltée.

sortir qu'aux heures où l'on était en classe, de peur d'être hués et suivis par les écoliers. 870

Me voilà déjà redresseur des torts. Pour être un Paladin[1] dans les formes, il ne me manquait que d'avoir une dame ; j'en eus deux. J'allais de temps en temps voir mon père à Nyon[2], petite ville du pays de Vaud[3], où il s'était établi. 875 Mon père était fort aimé, et son fils se sentait de cette bienveillance. Pendant le peu de séjour que je faisais près de lui, c'était à qui me fêterait. Une Madame de Vulson, surtout, me faisait mille caresses ; et pour y mettre le comble, sa fille me prit pour son galant. On sent ce que c'est qu'un 880 galant de onze ans pour une fille de vingt-deux. Mais toutes ces friponnes sont si aises de mettre ainsi de petites poupées en avant pour cacher les grandes, ou pour les tenter par l'image d'un jeu qu'elles savent rendre attirant ! Pour moi, qui ne voyais point entre elle et moi de disconve- 885 nance, je pris la chose au sérieux ; je me livrai de tout mon cœur, ou plutôt de toute ma tête, car je n'étais guère amoureux que par là, quoique je le fusse à la folie, et que mes transports, mes agitations, mes fureurs donnassent des scènes à pâmer de rire. 890

Je connais deux sortes d'amours très distincts, très réels, et qui n'ont presque rien de commun, quoique très vifs l'un et l'autre, et tous deux différents de la tendre amitié. Tout le cours de ma vie s'est partagé entre ces deux amours de si diverses natures, et je les ai même éprouvés 895 tous deux à la fois ; car, par exemple, au moment dont je parle, tandis que je m'emparais de Mlle de Vulson si publiquement et si tyranniquement que je ne pouvais souffrir qu'aucun homme approchât d'elle, j'avais avec une petite Mlle Goton des tête-à-tête assez courts, mais assez vifs, 900

---

1. **Paladin :** désigne ici un chevalier idéal, au service de sa dame.
2. **Nyon :** petite ville entre Genève et Lausanne.
3. **Pays de Vaud :** région chère à Rousseau située au nord du lac de Genève.

dans lesquels elle daignait faire la maîtresse d'école, et c'était tout ; mais ce tout, qui en effet était tout pour moi, me paraissait le bonheur suprême, et, sentant déjà le prix du mystère, quoique je n'en susse user qu'en enfant, je
905 rendais à Mlle de Vulson, qui ne s'en doutait guère, le soin qu'elle prenait de m'employer à cacher d'autres amours. Mais à mon grand regret mon secret fut découvert, ou moins bien gardé de la part de ma petite maîtresse d'école que de la mienne, car on ne tarda pas à nous séparer, et
910 quelque temps après, de retour à Genève, j'entendis, en passant à Coutance, de petites filles me crier à demi-voix : *Goton tic-tac*[1] *Rousseau.*

C'était, en vérité, une singulière personne que cette petite Mlle Goton. Sans être belle, elle avait une figure dif-
915 ficile à oublier, et que je me rappelle encore, souvent beaucoup trop pour un vieux fou. Ses yeux surtout n'étaient pas de son âge, ni sa taille, ni son maintien. Elle avait un petit air imposant et fier, très propre à son rôle, et qui en avait occasionné la première idée entre nous. Mais
920 ce qu'elle avait de plus bizarre était un mélange d'audace et de réserve difficile à concevoir. Elle se permettait avec moi les plus grandes privautés, sans jamais m'en permettre aucune avec elle ; elle me traitait exactement en enfant : ce qui me fait croire, ou qu'elle avait déjà cessé de l'être,
925 ou qu'au contraire elle l'était encore assez elle-même pour ne voir qu'un jeu dans le péril auquel elle s'exposait.

J'étais tout entier, pour ainsi dire, à chacune de ces deux personnes, et si parfaitement, qu'avec aucune des deux il ne m'arrivait jamais de songer à l'autre. Mais du reste rien
930 de semblable en ce qu'elles me faisaient éprouver. J'aurais passé ma vie entière avec Mlle de Vulson sans songer à la quitter ; mais en l'abordant ma joie était tranquille et n'allait

---

1. **Tic-tac :** onomatopée pouvant imiter soit le bruit de gens qui se battent soit les battements du cœur amoureux…

pas à l'émotion. Je l'aimais surtout en grande compagnie ; les plaisanteries, les agaceries, les jalousies même, m'attachaient, m'intéressaient ; je triomphais avec orgueil de ses préférences près des grands rivaux qu'elle paraissait maltraiter. J'étais tourmenté, mais j'aimais ce tourment. Les applaudissements, les encouragements, les ris m'échauffaient, m'animaient. J'avais des emportements, des saillies ; j'étais transporté d'amour dans un cercle ; tête-à-tête j'aurais été contraint, froid, peut-être ennuyé. Cependant je m'intéressais tendrement à elle ; je souffrais quand elle était malade, j'aurais donné ma santé pour rétablir la sienne, et notez que je savais très bien par expérience ce que c'était que maladie, et ce que c'était que santé. Absent d'elle, j'y pensais, elle me manquait ; présent, ses caresses m'étaient douces au cœur, non aux sens. J'étais impunément familier avec elle ; mon imagination ne me demandait que ce qu'elle m'accordait ; cependant je n'aurais pu supporter de lui en voir faire autant à d'autres. Je l'aimais en frère, mais j'en étais jaloux en amant.

Je l'eusse été de Mlle Goton en Turc, en furieux, en tigre, si j'avais seulement imaginé qu'elle pût faire à un autre le même traitement qu'elle m'accordait, car cela même était une grâce qu'il fallait demander à genoux.

J'abordais Mlle de Vulson avec un plaisir très vif, mais sans trouble ; au lieu qu'en voyant seulement Mlle Goton, je ne voyais plus rien ; tous mes sens étaient bouleversés. J'étais familier avec la première sans avoir de familiarités ; au contraire, j'étais aussi tremblant qu'agité devant la seconde, même au fort des plus grandes familiarités. Je crois que si j'avais resté trop longtemps avec elle, je n'aurais pu vivre ; les palpitations m'auraient étouffé. Je craignais également de leur déplaire ; mais j'étais plus complaisant pour l'une et plus obéissant pour l'autre. Pour rien au monde je n'aurais voulu fâcher Mlle de Vulson ; mais si Mlle Goton m'eût ordonné de me jeter dans les flammes, je crois qu'à l'instant j'aurais obéi.

Mes amours ou plutôt mes rendez-vous avec celle-ci
970 durèrent peu, très heureusement pour elle et pour moi. Quoique mes liaisons avec Mlle de Vulson n'eussent pas le même danger, elles ne laissèrent pas d'avoir aussi leur catastrophe, après avoir un peu plus longtemps duré. Les fins de tout cela devaient toujours avoir l'air un peu roma-
975 nesque, et donner prise aux exclamations. Quoique mon commerce avec Mlle de Vulson fût moins vif, il était plus attachant peut-être. Nos séparations ne se faisaient jamais sans larmes, et il est singulier dans quel vide accablant je me sentais plongé après l'avoir quittée. Je ne pouvais par-
980 ler que d'elle, ni penser qu'à elle : mes regrets étaient vrais et vifs ; mais je crois qu'au fond ces héroïques regrets n'étaient pas tous pour elle, et que, sans que je m'en aperçusse, les amusements dont elle était le centre y avaient leur bonne part. Pour tempérer les douleurs de l'absence,
985 nous nous écrivions des lettres d'un pathétique à faire fendre les rochers. Enfin j'eus la gloire qu'elle n'y put plus tenir, et qu'elle vint me voir à Genève. Pour le coup, la tête acheva de me tourner ; je fus ivre et fou les deux jours qu'elle y resta. Quand elle partit, je voulais me jeter dans l'eau après
990 elle, et je fis longtemps retentir l'air de mes cris. Huit jours après, elle m'envoya des bonbons et des gants ; ce qui m'eût paru fort galant, si je n'eusse appris en même temps qu'elle était mariée, et que ce voyage, dont il lui avait plu de me faire honneur, était pour acheter ses habits de
995 noces. Je ne décrirai pas ma fureur ; elle se conçoit. Je jurai dans mon noble courroux de ne plus revoir la perfide, n'imaginant pas pour elle de plus terrible punition. Elle n'en mourut pas cependant ; car vingt ans après, étant allé voir mon père, et me promenant avec lui sur le lac, je
1000 demandai qui étaient des dames que je voyais dans un bateau peu loin du nôtre. Comment ! me dit mon père en souriant, le cœur ne te le dit-il pas ? ce sont tes anciennes amours ; c'est Mme Christin, c'est Mlle de Vulson. Je tressaillis à ce nom presque oublié mais je dis aux bateliers de

changer de route ; ne jugeant pas, quoique j'eusse assez beau jeu pour prendre ma revanche, que ce fût la peine d'être parjure, et de renouveler une querelle de vingt ans avec une femme de quarante.

Ainsi se perdait en niaiseries le plus précieux temps de mon enfance, avant qu'on eût décidé de ma destination. Après de longues délibérations pour suivre mes dispositions naturelles, on prit enfin le parti pour lequel j'en avais le moins, et l'on me mit chez M. Masseron, greffier de la ville, pour apprendre sous lui, comme disait M. Bernard, l'utile métier de grapignan[1]. Ce surnom me déplaisait souverainement ; l'espoir de gagner force écus par une voie ignoble flattait peu mon humeur hautaine ; l'occupation me paraissait ennuyeuse, insupportable ; l'assiduité, l'assujettissement, achevèrent de m'en rebuter, et je n'entrais jamais au greffe[2] qu'avec une horreur qui croissait de jour en jour. M. Masseron, de son côté, peu content de moi, me traitait avec mépris, me reprochant sans cesse mon engourdissement, ma bêtise, me répétant tous les jours que mon oncle l'avait assuré *que je savais, que je savais*, tandis que dans le vrai je ne savais rien ; qu'il lui avait promis un joli garçon, et qu'il ne le lui avait donné qu'un âne. Enfin je fus renvoyé du greffe ignominieusement pour mon ineptie, et il fut prononcé par les clercs de M. Masseron que je n'étais bon qu'à mener la lime.

Ma vocation ainsi déterminée, je fus mis en apprentissage, non toutefois chez un horloger, mais chez un graveur. Les dédains du greffier m'avaient extrêmement humilié et j'obéis sans murmure. Mon maître, appelé M. Ducommun, était un jeune homme rustre et violent, qui vint à bout, en très peu de temps, de ternir tout l'éclat de mon enfance, d'abrutir mon caractère aimant et vif et de

1. **Grapignan :** grappilleur, cherchant à faire toutes sortes de petits profits illicites.
2. **Greffe :** bureau où sont conservés les actes légaux.

me réduire, par l'esprit ainsi que par la fortune, à mon véritable état d'apprenti. Mon latin, mes antiquités, mon histoire, tout fut pour longtemps oublié ; je ne me souvenais pas même qu'il y eût eu des Romains au monde. Mon père, quand je l'allais voir, ne trouvait plus en moi son idole, je n'étais plus pour les dames le galant Jean-Jacques, et je sentais si bien moi-même que M. et Mlle Lambercier n'auraient plus reconnu en moi leur élève que j'eus honte de me représenter à eux, et ne les ai plus revus depuis lors. Les goûts les plus vils, la plus basse polissonnerie, succédèrent à mes aimables amusements, sans m'en laisser même la moindre idée. Il faut que, malgré l'éducation la plus honnête, j'eusse un grand penchant à dégénérer ; car cela se fit très rapidement, sans la moindre peine, et jamais César si précoce ne devint si promptement Laridon[1].

Le métier ne me déplaisait pas en lui-même : j'avais un goût vif pour le dessin, le jeu du burin m'amusait assez, et, comme le talent du graveur pour l'horlogerie est très borné, j'avais l'espoir d'en atteindre la perfection. J'y serais parvenu peut-être si la brutalité de mon maître et la gêne excessive ne m'avaient rebuté du travail. Je lui dérobais mon temps pour l'employer en occupations du même genre, mais qui avaient pour moi l'attrait de la liberté. Je gravais des espèces de médailles pour nous servir, à moi et à mes camarades, d'ordre de chevalerie. Mon maître me surprit à ce travail de contrebande, et me roua de coups, disant que je m'exerçais à faire de la fausse monnaie, parce que nos médailles avaient les armes de la République. Je puis bien jurer que je n'avais nulle idée de la fausse monnaie, et très peu de la véritable. Je savais mieux comment se faisaient les as romains que nos pièces de trois sols.

---

1. **Laridon :** allusion à une fable de La Fontaine (« L'éducation », VIII, 24) opposant le noble chien César, qui accomplit des exploits à la chasse, et le misérable chien Laridon, qui se contente de rester à la cuisine et de traîner aux carrefours.

La tyrannie de mon maître finit par me rendre insupportable le travail que j'aurais aimé, et par me donner des vices que j'aurais haïs, tels que le mensonge, la fainéantise, le vol. Rien ne m'a mieux appris la différence qu'il y a de la dépendance filiale à l'esclavage servile, que le souvenir des changements que produisit en moi cette époque. Naturellement timide et honteux, je n'eus jamais plus d'éloignement pour aucun défaut que pour l'effronterie. Mais j'avais joui d'une liberté honnête, qui seulement s'était restreinte jusque-là par degrés, et s'évanouit enfin tout à fait. J'étais hardi chez mon père, libre chez M. Lambercier, discret chez mon oncle ; je devins craintif chez mon maître, et dès lors je fus un enfant perdu. Accoutumé à une égalité parfaite avec mes supérieurs dans la manière de vivre, à ne pas connaître un plaisir qui ne fût à ma portée, à ne pas voir un mets dont je n'eusse ma part, à n'avoir pas un désir que je ne témoignasse, à mettre enfin tous les mouvements de mon cœur sur mes lèvres : qu'on juge de ce que je dus devenir dans une maison où je n'osais pas ouvrir la bouche, où il fallait sortir de table au tiers du repas, et de la chambre aussitôt que je n'y avais rien à faire, où, sans cesse enchaîné à mon travail, je ne voyais qu'objets de jouissance pour d'autres et de privations pour moi seul ; où l'image de la liberté du maître et des compagnons augmentait le poids de mon assujettissement ; où dans les disputes[1] sur ce que je savais le mieux, je n'osais ouvrir la bouche ; où tout enfin ce que je voyais devenait pour mon cœur un objet de convoitise, uniquement parce que j'étais privé de tout. Adieu l'aisance, la gaieté, les mots heureux qui jadis souvent dans mes fautes m'avaient fait échapper au châtiment. Je ne puis me rappeler sans rire qu'un soir, chez mon père, étant condamné pour quelque espièglerie à m'aller coucher sans

1070 1075 1080 1085 1090 1095 1100

1. **Disputes :** discussions.

souper, et passant par la cuisine avec mon triste morceau de pain, je vis et flairai le rôti tournant à la broche. On était autour du feu ; il fallut en passant saluer tout le monde. Quand la ronde fut faite, lorgnant du coin de l'œil ce rôti qui avait si bonne mine et qui sentait si bon, je ne pus m'abstenir de lui faire aussi la révérence, et de lui dire d'un ton piteux : *Adieu, rôti.* Cette saillie[1] de naïveté parut si plaisante, qu'on me fit rester à souper. Peut-être eût-elle eu le même bonheur chez mon maître, mais il est sûr qu'elle ne m'y serait pas venue, ou que je n'aurais jamais osé m'y livrer.

Voilà comment j'appris à convoiter en silence, à me cacher, à dissimuler, à mentir, et à dérober enfin, fantaisie qui jusqu'alors ne m'était pas venue, et dont je n'ai pu depuis lors bien me guérir. La convoitise et l'impuissance mènent toujours là. Voilà pourquoi tous les laquais sont fripons, et pourquoi tous les apprentis doivent l'être ; mais dans un état égal et tranquille, où tout ce qu'ils voient est à leur portée, ces derniers perdent en grandissant ce honteux penchant. N'ayant pas eu le même avantage, je n'en ai pu tirer le même profit.

Ce sont presque toujours de bons sentiments mal dirigés qui font faire aux enfants le premier pas vers le mal. Malgré les privations et les tentations continuelles, j'avais demeuré plus d'un an chez mon maître sans pouvoir me résoudre à rien prendre, pas même des choses à manger. Mon premier vol fut une affaire de complaisance ; mais il ouvrit la porte à d'autres qui n'avaient pas une si louable fin.

Il y avait chez mon maître un compagnon appelé M. Verrat, dont la maison, dans le voisinage, avait un jardin assez éloigné qui produisait de très belles asperges. Il prit envie à M. Verrat, qui n'avait pas beaucoup d'argent, de voler à sa mère des asperges dans leur primeur, et de

1. **Saillie :** bon mot, plaisanterie spirituelle.

les vendre pour faire quelques bons déjeuners. Comme il ne voulait pas s'exposer lui-même et qu'il n'était pas fort ingambe[1], il me choisit pour cette expédition. Après quelques cajoleries préliminaires, qui me gagnèrent d'autant mieux que je n'en voyais pas le but, il me la proposa comme une idée qui lui venait sur-le-champ. Je disputai beaucoup ; il insista. Je n'ai jamais pu résister aux caresses ; je me rendis. J'allais tous les matins moissonner les plus belles asperges ; je les portais au Molard[2], où quelque bonne femme, qui voyait que je venais de les voler, me le disait pour les avoir à meilleur compte. Dans ma frayeur je prenais ce qu'elle voulait bien me donner ; je le portais à M. Verrat. Cela se changeait promptement en un déjeuner dont j'étais le pourvoyeur, et qu'il partageait avec un autre camarade ; car pour moi, très content d'en avoir quelque bribe, je ne touchais pas même à leur vin.

Ce petit manège dura plusieurs jours sans qu'il me vînt même à l'esprit de voler le voleur, et de dîmer[3] sur M. Verrat le produit de ses asperges. J'exécutais ma friponnerie avec la plus grande fidélité ; mon seul motif était de complaire à celui qui me la faisait faire. Cependant, si j'eusse été surpris, que de coups, que d'injures, quels traitements cruels n'eussé-je point essuyés, tandis que le misérable, en me démentant, eût été cru sur sa parole, et moi doublement puni pour avoir osé le charger, attendu qu'il était compagnon[4] et que je n'étais qu'apprenti ! Voilà comment en tout état le fort coupable se sauve aux dépens du faible innocent.

1. **Qu'il n'était pas fort ingambe :** qu'il n'avait pas un usage normal de ses deux jambes, qu'il avait du mal à marcher.
2. **Molard :** marché de Genève (qui se tenait sur la place du Molard).
3. **Dîmer :** prélever une partie du bénéfice (allusion à la *dîme*, impôt de l'Ancien Régime).
4. **Compagnon :** dans un corps de métier, état entre l'apprenti et le maître.

J'appris ainsi qu'il n'était pas si terrible de voler que je l'avais cru, et je tirai bientôt si bon parti de ma science, que rien de ce que je convoitais n'était à ma portée en
1165 sûreté. Je n'étais pas absolument mal nourri chez mon maître et la sobriété ne m'était pénible qu'en la lui voyant si mal garder. L'usage de faire sortir de table les jeunes gens quand on y sert ce qui les tente le plus, me paraît très bien entendu pour les rendre aussi friands que fri-
1170 pons. Je devins en peu de temps l'un et l'autre ; et je m'en trouvais fort bien pour l'ordinaire, quelquefois fort mal quand j'étais surpris.

Un souvenir, qui me fait frémir encore et rire tout à la fois, est celui d'une chasse aux pommes qui me coûta
1175 cher. Ces pommes étaient au fond d'une dépense[1] qui, par une jalousie[2] élevée recevait du jour de la cuisine. Un jour que j'étais seul dans la maison, je montai sur la maie[3] pour regarder dans le jardin des Hespérides[4] ce précieux fruit dont je ne pouvais approcher. J'allai chercher la broche
1180 pour voir si elle pourrait y atteindre : elle était trop courte. Je l'allongeai par une autre petite broche qui servait pour le menu gibier ; car mon maître aimait la chasse. Je piquai plusieurs fois sans succès ; enfin je sentis avec transport que j'amenais une pomme. Je tirai très doucement : déjà la
1185 pomme touchait à la jalousie : j'étais prêt à la saisir. Qui dira ma douleur ? La pomme était trop grosse, elle ne put passer par le trou. Que d'inventions ne mis-je point en usage pour la tirer ! Il fallut trouver des supports pour tenir la broche en état, un couteau assez long pour fendre

---

1. **Dépense :** pièce servant d'entrepôt, où l'on range notamment les aliments, la vaisselle et le linge de table.
2. **Jalousie :** petite ouverture avec un volet.
3. **Maie :** meuble dans lequel on pétrissait le pain.
4. **Jardin des Hespérides :** dans la mythologie, jardin où se trouvaient des pommes d'or. L'un des douze travaux d'Hercule consista à aller les cueillir.

Le vol des pommes.
Gravure de Maurice Leloir, 1889.

1190 la pomme, une latte pour la soutenir. À force d'adresse et de temps je parvins à la partager, espérant tirer ensuite les pièces l'une après l'autre ; mais à peine furent-elles séparées, qu'elles tombèrent toutes deux dans la dépense. Lecteur pitoyable, partagez mon affliction.

1195 Je ne perdis point courage ; mais j'avais perdu beaucoup de temps. Je craignais d'être surpris ; je renvoie au lendemain une tentative plus heureuse, et je me remets à l'ouvrage tout aussi tranquillement que si je n'avais rien fait, sans songer aux deux témoins indiscrets qui dépo-1200 saient contre moi dans la dépense.

Le lendemain, retrouvant l'occasion belle, je tente un nouvel essai. Je monte sur mes tréteaux, j'allonge la broche, je l'ajuste ; j'étais prêt à piquer... Malheureusement le dragon ne dormait pas ; tout à coup la porte de la dépense 1205 s'ouvre : mon maître en sort, croise les bras, me regarde et me dit : Courage !... La plume me tombe des mains.

Bientôt, à force d'essuyer de mauvais traitements, j'y devins moins sensible ; ils me parurent enfin une sorte de compensation du vol, qui me mettait en droit de le conti-1210 nuer. Au lieu de retourner les yeux en arrière et de regarder la punition, je les portais en avant et je regardais la vengeance. Je jugeais que me battre comme fripon, c'était m'autoriser à l'être. Je trouvais que voler et être battu allaient ensemble, et constituaient en quelque sorte un 1215 état, et qu'en remplissant la partie de cet état qui dépendait de moi, je pouvais laisser le soin de l'autre à mon maître. Sur cette idée je me mis à voler plus tranquillement qu'auparavant. Je me disais : Qu'en arrivera-t-il enfin ? Je serai battu. Soit : je suis fait pour l'être.

1220 J'aime à manger, sans être avide : je suis sensuel, et non pas gourmand. Trop d'autres goûts me distraisent[1] de celui-là. Je ne me suis jamais occupé de ma bouche que

1. **Me distraisent :** me distraient.

quand mon cœur était oisif ; et cela m'est si rarement arrivé dans ma vie, que je n'ai guère eu le temps de songer aux bons morceaux. Voilà pourquoi je ne bornai pas long- 1225 temps ma friponnerie au comestible[1], je l'étendis bientôt à tout ce qui me tentait ; et si je ne devins pas un voleur en forme, c'est que je n'ai jamais été beaucoup tenté d'argent. Dans le cabinet[2] commun, mon maître avait un autre cabinet à part qui fermait à clef ; je trouvai le moyen d'en 1230 ouvrir la porte et de la refermer sans qu'il y parût. Là je mettais à contribution ses bons outils, ses meilleurs dessins, ses empreintes[3], tout ce qui me faisait envie et qu'il affectait d'éloigner de moi. Dans le fond, ces vols étaient bien innocents, puisqu'ils n'étaient faits que pour être 1235 employés à son service : mais j'étais transporté de joie d'avoir ces bagatelles en mon pouvoir ; je croyais voler le talent avec ses productions. Du reste, il y avait dans des boîtes des recoupes[4] d'or et d'argent, de petits bijoux, des pièces de prix, de la monnaie. Quand j'avais quatre ou 1240 cinq sols dans ma poche, c'était beaucoup : cependant, loin de toucher à rien de tout cela, je ne me souviens pas même d'y avoir jeté de ma vie un regard de convoitise. Je le voyais avec plus d'effroi que de plaisir. Je crois bien que cette horreur du vol de l'argent et de ce qui en produit me 1245 venait en grande partie de l'éducation. Il se mêlait à cela des idées secrètes d'infamie, de prison, de châtiment, de potence[5] qui m'auraient fait frémir si j'avais été tenté ; au lieu que mes tours ne me semblaient que des espiègleries,

---

1. **Comestible :** nourriture.
2. **Cabinet :** petite pièce de travail.
3. **Empreintes :** modèles pour graver.
4. **Recoupes :** terme technique désignant des rognures, des copeaux ou des éclats qui tombent lorsqu'on coupe ou taille une matière.
5. **Potence :** parmi les châtiments auxquels s'exposaient les domestiques qui volaient chez leur maître, la potence désigne l'instrument de supplice pour la pendaison.

1250 et n'étaient pas autre chose en effet. Tout cela ne pouvait valoir que d'être bien étrillé[1] par mon maître, et d'avance je m'arrangeais là-dessus.

Mais, encore une fois, je ne convoitais pas même assez pour avoir à m'abstenir ; je ne sentais rien à combattre. 1255 Une seule feuille de beau papier à dessiner me tentait plus que l'argent pour en payer une rame. Cette bizarrerie tient à une des singularités de mon caractère ; elle a eu tant d'influence sur ma conduite qu'il importe de l'expliquer.

J'ai des passions très ardentes, et tandis qu'elles m'agitent, 1260 rien n'égale mon impétuosité : je ne connais plus ni ménagement, ni respect, ni crainte, ni bienséance ; je suis cynique, effronté, violent, intrépide ; il n'y a ni honte qui m'arrête, ni danger qui m'effraye : hors le seul objet qui m'occupe, l'univers n'est plus rien pour moi. Mais tout cela ne dure 1265 qu'un moment, et le moment qui suit me jette dans l'anéantissement. Prenez-moi dans le calme, je suis l'indolence[2] et la timidité mêmes : tout m'effarouche, tout me rebute ; une mouche en volant me fait peur ; un mot à dire, un geste à faire épouvante ma paresse ; la crainte et 1270 la honte me subjuguent à tel point que je voudrais m'éclipser aux yeux de tous les mortels. S'il faut agir, je ne sais que faire ; s'il faut parler, je ne sais que dire ; si l'on me regarde, je suis décontenancé. Quand je me passionne, je sais trouver quelquefois ce que j'ai à dire ; mais dans les 1275 entretiens ordinaires, je ne trouve rien, rien du tout ; ils me sont insupportables par cela seul que je suis obligé de parler.

Ajoutez qu'aucun de mes goûts dominants ne consiste en choses qui s'achètent. Il ne me faut que des plaisirs 1280 purs, et l'argent les empoisonne tous. J'aime par exemple ceux de la table ; mais, ne pouvant souffrir ni la gêne de la

1. **Étrillé :** battu (une étrille sert à nettoyer le poil des chevaux).
2. **Indolence :** nonchalance.

bonne compagnie, ni la crapule du cabaret, je ne puis les goûter qu'avec un ami ; car seul, cela ne m'est pas possible ; mon imagination s'occupe alors d'autre chose, et je n'ai pas le plaisir de manger. Si mon sang allumé me demande des femmes, mon cœur ému me demande encore plus de l'amour. Des femmes à prix d'argent perdraient pour moi tous leurs charmes ; je doute même s'il serait en moi d'en profiter. Il en est ainsi de tous les plaisirs à ma portée ; s'ils ne sont gratuits, je les trouve insipides. J'aime les seuls biens qui ne sont à personne qu'au premier qui sait les goûter.

Jamais l'argent ne me parut une chose aussi précieuse qu'on la trouve. Bien plus, il ne m'a jamais paru fort commode ; il n'est bon à rien par lui-même, il faut le transformer pour en jouir ; il faut acheter, marchander, souvent être dupe, bien payer, être mal servi. Je voudrais une chose bonne dans sa qualité : avec mon argent je suis sûr de l'avoir mauvaise. J'achète cher un œuf frais, il est vieux ; un beau fruit, il est vert ; une fille, elle est gâtée. J'aime le bon vin, mais où en prendre ? Chez un marchand de vin ? Comme que je fasse[1], il m'empoisonnera. Veux-je absolument être bien servi ? Que de soins, que d'embarras ! Avoir des amis, des correspondants, donner des commissions, écrire, aller, venir, attendre ; et souvent au bout être encore trompé. Que de peine avec mon argent ! Je la crains plus que je n'aime le bon vin.

Mille fois, durant mon apprentissage et depuis, je suis sorti dans le dessein d'acheter quelque friandise. J'approche de la boutique d'un pâtissier, j'aperçois des femmes au comptoir ; je crois déjà les voir rire et se moquer entre elles du petit gourmand. Je passe devant une fruitière, je lorgne du coin de l'œil les belles poires, leur parfum me tente ; deux ou trois jeunes gens tout près de là me regardent ; un

---

1. **Comme que je fasse :** quelle que soit la manière dont je m'y prends.

1315 homme qui me connaît est devant sa boutique ; je vois de loin venir une fille ; n'est-ce point la servante de la maison ? Ma vue courte[1] me fait mille illusions. Je prends tous ceux qui passent pour des gens de connaissance ; partout je suis intimidé, retenu par quelque obstacle ; 1320 mon désir croît avec ma honte, et je rentre enfin comme un sot, dévoré de convoitise, ayant dans ma poche de quoi la satisfaire, et n'ayant osé rien acheter.

J'entrerais dans les plus insipides détails, si je suivais dans l'emploi de mon argent, soit par moi, soit par d'autres, 1325 l'embarras, la honte, la répugnance, les inconvénients, les dégoûts de toute espèce que j'ai toujours éprouvés. À mesure qu'avançant dans ma vie le lecteur prendra connaissance de mon humeur, il sentira tout cela sans que je m'appesantisse à le lui dire.

1330 Cela compris, on comprendra sans peine une de mes prétendues contradictions : celle d'allier une avarice presque sordide avec le plus grand mépris pour l'argent. C'est un meuble[2] pour moi si peu commode, que je ne m'avise pas même de désirer celui que je n'ai pas ; et que quand 1335 j'en ai je le garde longtemps sans le dépenser, faute de savoir l'employer à ma fantaisie ; mais l'occasion commode et agréable se présente-t-elle, j'en profite si bien que ma bourse se vide avant que je m'en sois aperçu. Du reste, ne cherchez pas en moi le tic des avares, celui de dépenser 1340 pour l'ostentation ; tout au contraire, je dépense en secret et pour le plaisir : loin de me faire gloire de dépenser, je m'en cache. Je sens si bien que l'argent n'est pas à mon usage, que je suis presque honteux d'en avoir, encore plus de m'en servir. Si j'avais eu jamais un revenu suffisant 1345 pour vivre commodément[3], je n'aurais point été tenté d'être avare, j'en suis très sûr. Je dépenserais tout mon

1. **Ma vue courte :** ma myopie.
2. **Un meuble :** un bien.
3. **Commodément :** aisément.

revenu sans chercher à l'augmenter : mais ma situation précaire me tient en crainte. J'adore la liberté. J'abhorre la gêne, la peine, l'assujettissement. Tant que dure l'argent que j'ai dans ma bourse, il assure mon indépendance ; il 1350 me dispense de m'intriguer[1] pour en trouver d'autre ; nécessité que j'eus toujours en horreur : mais de peur de le voir finir, je le choie. L'argent qu'on possède est l'instrument de la liberté ; celui qu'on pourchasse est celui de la servitude. Voilà pourquoi je serre[2] bien et ne convoite rien. 1355

Mon désintéressement n'est donc que paresse ; le plaisir d'avoir ne vaut pas la peine d'acquérir ; et ma dissipation n'est encore que paresse ; quand l'occasion de dépenser agréablement se présente, on ne peut trop la mettre à profit. Je suis moins tenté de l'argent que des choses, parce 1360 qu'entre l'argent et la possession désirée il y a toujours un intermédiaire ; au lieu qu'entre la chose même et sa jouissance il n'y en a point. Je vois la chose, elle me tente ; si je ne vois que le moyen de l'acquérir, il ne me tente pas. J'ai donc été fripon et quelquefois je le suis encore de baga- 1365 telles qui me tentent et que j'aime mieux prendre que demander : mais, petit ou grand, je ne me souviens pas d'avoir pris de ma vie un liard à personne ; hors une seule fois, il n'y a pas quinze ans, que je volai sept livres dix sous. L'aventure vaut la peine d'être contée, car il s'y 1370 trouve un concours impayable d'effronterie et de bêtise, que j'aurais peine moi-même à croire s'il regardait un autre que moi.

C'était à Paris. Je me promenais avec M. de Francueil[3] au Palais-Royal, sur les cinq heures. Il tire sa montre, la 1375 regarde, et me dit : « Allons à l'Opéra » : je le veux bien ;

1. **M'intriguer :** me démener pour faire réussir une affaire.
2. **Serre :** serrer signifie mettre en lieu sûr, mettre de côté pour préserver du vol.
3. **M. de Francueil :** secrétaire du cabinet du roi, c'est lui qui introduisit Rousseau chez Mme d'Épinay.

nous allons. Il prend deux billets d'amphithéâtre, m'en donne un, et passe le premier avec l'autre ; je le suis, il entre. En entrant après lui, je trouve la porte embarrassée.
1380 Je regarde, je vois tout le monde debout ; je juge que je pourrai bien me perdre dans cette foule, ou du moins laisser supposer à M. de Francueil que j'y suis perdu. Je sors, je reprends ma contremarque[1], puis mon argent, et je m'en vais, sans songer qu'à peine avais-je atteint la porte que
1385 tout le monde était assis, et qu'alors M. de Francueil voyait clairement que je n'y étais plus.

Comme jamais rien ne fut plus éloigné de mon humeur que ce trait-là, je le note, pour montrer qu'il y a des moments d'une espèce de délire où il ne faut point juger
1390 des hommes par leurs actions. Ce n'était pas précisément voler cet argent ; c'était en voler l'emploi : moins c'était un vol, plus c'était une infamie.

Je ne finirais pas ces détails si je voulais suivre toutes les routes par lesquelles, durant mon apprentissage, je passai
1395 de la sublimité de l'héroïsme à la bassesse d'un vaurien. Cependant, en prenant les vices de mon état, il me fut impossible d'en prendre tout à fait les goûts. Je m'ennuyais des amusements de mes camarades ; et quand la trop grande gêne m'eut aussi rebuté du travail, je m'ennuyai de
1400 tout. Cela me rendit le goût de la lecture que j'avais perdu depuis longtemps. Ces lectures, prises sur mon travail, devinrent un nouveau crime qui m'attira de nouveaux châtiments. Ce goût irrité par la contrainte devint passion, bientôt fureur. La Tribu, fameuse loueuse de livres, m'en
1405 fournissait de toute espèce. Bons et mauvais, tout passait ; je ne choisissais point : je lisais tout avec une égale avidité. Je lisais à l'établi, je lisais en allant faire mes messages, je lisais à la garde-robe[2], et m'y oubliais des heures

---

1. **Contremarque :** billet remis à l'entrée d'un spectacle.
2. **Garde-robe :** ici, lieux d'aisances (pièce où l'on mettait la chaise percée).

entières ; la tête me tournait de la lecture, je ne faisais plus que lire. Mon maître m'épiait, me surprenait, me battait, me prenait mes livres. Que de volumes furent déchirés, brûlés, jetés par les fenêtres ! que d'ouvrages restèrent dépareillés chez la Tribu ! Quand je n'avais plus de quoi la payer, je lui donnais mes chemises, mes cravates, mes hardes[1] ; mes trois sols d'étrennes[2] tous les dimanches lui étaient régulièrement portés.

Voilà donc, me dira-t-on, l'argent devenu nécessaire. Il est vrai, mais ce fut quand la lecture m'eût ôté toute activité. Livré tout entier à mon nouveau goût, je ne faisais plus que lire, je ne volais plus. C'est encore ici une de mes différences caractéristiques. Au fort d'une certaine habitude d'être, un rien me distrait, me change, m'attache, enfin me passionne ; et alors tout est oublié, je ne songe plus qu'au nouvel objet qui m'occupe. Le cœur me battait d'impatience de feuilleter le nouveau livre que j'avais dans la poche ; je le tirais aussitôt que j'étais seul, et ne songeais plus à fouiller le cabinet de mon maître. J'ai même peine à croire que j'eusse volé quand même j'aurais eu des passions plus coûteuses. Borné au moment présent, il n'était pas dans mon tour d'esprit de m'arranger ainsi pour l'avenir. La Tribu me faisait crédit : les avances étaient petites ; et quand j'avais empoché mon livre, je ne songeais plus à rien. L'argent qui me venait naturellement passait de même à cette femme, et quand elle devenait pressante, rien n'était plus tôt sous ma main que mes propres effets. Voler par avance était trop de prévoyance, et voler pour payer n'était pas même une tentation.

À force de querelles, de coups, de lectures dérobées et mal choisies, mon humeur devint taciturne, sauvage ; ma tête commençait à s'altérer, et je vivais en vrai loup-garou.

---

1. **Hardes :** vêtements (le mot n'est pas péjoratif à l'époque).
2. **Étrennes :** argent de poche.

Cependant si mon goût ne me préserva pas des livres plats et fades, mon bonheur me préserva des livres obscènes et licencieux : non que la Tribu, femme à tous égards très accommodante, se fît un scrupule de m'en prêter. Mais,
1445 pour les faire valoir, elle me les nommait avec un air de mystère qui me forçait précisément à les refuser, tant par dégoût que par honte ; et le hasard seconda si bien mon humeur pudique, que j'avais plus de trente ans avant que j'eusse jeté les yeux sur aucun de ces dangereux livres
1450 qu'une belle dame de par le monde trouve incommodes, en ce qu'on ne peut, dit-elle, les lire que d'une main.

En moins d'un an j'épuisai la mince boutique de la Tribu, et alors je me trouvai dans mes loisirs cruellement désœuvré. Guéri de mes goûts d'enfant et de polisson par
1455 celui de la lecture, et même par mes lectures, qui, bien que sans choix et souvent mauvaises, ramenaient pourtant mon cœur à des sentiments plus nobles que ceux que m'avait donné[s] mon état ; dégoûté de tout ce qui était à ma portée, et sentant trop loin de moi tout ce qui m'aurait
1460 tenté, je ne voyais rien de possible qui pût flatter mon cœur. Mes sens émus depuis longtemps me demandaient une jouissance dont je ne savais pas même imaginer l'objet. J'étais aussi loin du véritable que si je n'avais point eu de sexe ; et, déjà pubère et sensible, je pensais quelquefois à
1465 mes folies, mais je ne voyais rien au-delà. Dans cette étrange situation, mon inquiète imagination prit un parti qui me sauva de moi-même et calma ma naissante sensualité ; ce fut de se nourrir des situations qui m'avaient intéressé dans mes lectures, de les rappeler, de les varier,
1470 de les combiner, de me les approprier tellement que je devinsse un des personnages que j'imaginais, que je me visse toujours dans les positions les plus agréables selon mon goût, enfin que l'état fictif où je venais à bout de me mettre me fît oublier mon état réel dont j'étais si mécontent.
1475 Cet amour des objets imaginaires et cette facilité de m'en occuper achevèrent de me dégoûter de tout ce qui

m'entourait, et déterminèrent ce goût pour la solitude qui m'est toujours resté depuis ce temps-là. On verra plus d'une fois dans la suite les bizarres effets de cette disposition si misanthrope et si sombre en apparence, mais qui vient en effet d'un cœur trop affectueux, trop aimant, trop tendre, qui, faute d'en trouver d'existants qui lui ressemblent, est forcé de s'alimenter de fictions. Il me suffit, quant à présent, d'avoir marqué l'origine et la première cause d'un penchant qui a modifié toutes mes passions, et qui, les contenant par elles-mêmes, m'a toujours rendu paresseux à faire, par trop d'ardeur à désirer.

J'atteignis ainsi ma seizième année, inquiet, mécontent de tout et de moi, sans goûts de mon état, sans plaisirs de mon âge, dévoré de désirs dont j'ignorais l'objet, pleurant sans sujets de larmes, soupirant sans savoir de quoi ; enfin caressant tendrement mes chimères[1], faute de rien voir autour de moi qui les valût. Les dimanches, mes camarades venaient me chercher après le prêche pour aller m'ébattre avec eux. Je leur aurais volontiers échappé si j'avais pu ; mais une fois en train dans leurs jeux, j'étais le plus ardent et j'allais plus loin qu'aucun autre ; difficile à ébranler et à retenir. Ce fut là de tout temps ma disposition constante. Dans nos promenades hors de la ville, j'allais toujours en avant sans songer au retour, à moins que d'autres n'y songeassent pour moi. J'y fus pris deux fois ; les portes furent fermées[2] avant que je pusse arriver. Le lendemain je fus traité comme on s'imagine, et la seconde fois il me fut promis un tel accueil pour la troisième, que je résolus de ne m'y pas exposer. Cette troisième fois si redoutée arriva pourtant. Ma vigilance fut mise en défaut par un maudit capitaine appelé M. Minutoli,

1. **Chimères :** illusions, fantasmes, rêves.
2. **Les portes furent fermées :** comme la plupart des villes de l'époque, Genève était entourée de remparts, franchissables par des portes que l'on fermait la nuit en levant le pont-levis.

qui fermait toujours la porte où il était de garde une demi-heure avant les autres. Je revenais avec deux camarades.
1510 À demi-lieue[1] de la ville, j'entends sonner la retraite[2] ; je double le pas ; j'entends battre la caisse[3], je cours à toutes jambes : j'arrive essoufflé, tout en nage ; le cœur me bat ; je vois de loin les soldats à leur poste ; j'accours, je crie d'une voix étouffée. Il était trop tard. À vingt pas de l'avan-
1515 cée[4] je vois lever le premier pont. Je frémis en voyant en l'air ces cornes terribles, sinistre et fatal augure du sort inévitable que ce moment commençait pour moi.

Dans le premier transport de douleur, je me jetai sur le glacis et mordis la terre. Mes camarades, riant de leur mal-
1520 heur, prirent à l'instant leur parti. Je pris aussi le mien ; mais ce fut d'une autre manière. Sur le lieu même je jurai de ne retourner jamais chez mon maître ; et le lendemain, quand, à l'heure de la découverte[5], ils rentrèrent en ville, je leur dis adieu pour jamais, les priant seulement d'avertir
1525 en secret mon cousin Bernard de la résolution que j'avais prise, et du lieu où il pourrait me voir encore une fois.

À mon entrée en apprentissage, étant plus séparé de lui, je le vis moins : toutefois, durant quelque temps nous nous rassemblions les dimanches ; mais insensiblement
1530 chacun prit d'autres habitudes, et nous nous vîmes plus rarement. Je suis persuadé que sa mère contribua beaucoup à ce changement. Il était, lui, un garçon du haut ; moi, chétif apprenti, je n'étais plus qu'un enfant de Saint-Gervais[6]. Il n'y avait plus entre nous d'égalité malgré la

---

1. **À demi-lieue :** à environ deux kilomètres.
2. **La retraite :** terme militaire désignant la sonnerie (grâce aux cloches de la ville) qui annonce aux troupes qu'il est l'heure de rentrer et de fermer les portes.
3. **Battre la caisse :** battre le tambour.
4. **L'avancée :** poste de garde situé en avant d'une citadelle.
5. **La découverte :** ouverture des portes.
6. **Saint-Gervais :** quartier populaire de Genève.

naissance ; c'était déroger[1] que de me fréquenter. Cependant les liaisons ne cessèrent point tout à fait entre nous, et comme c'était un garçon d'un bon naturel, il suivait quelquefois son cœur malgré les leçons de sa mère. Instruit de ma résolution, il accourut, non pour m'en dissuader ou la partager, mais pour jeter, par de petits présents, quelque agrément dans ma fuite ; car mes propres ressources ne pouvaient me mener fort loin. Il me donna entre autres une petite épée, dont j'étais fort épris, que j'ai portée jusqu'à Turin, où le besoin m'en fit défaire, et où je me la passai, comme on dit, au travers du corps[2]. Plus j'ai réfléchi depuis à la manière dont il se conduisit avec moi dans ce moment critique, plus je me suis persuadé qu'il suivit les instructions de sa mère, et peut-être de son père ; car il n'est pas possible que, de lui-même, il n'eût fait quelque effort pour me retenir, ou qu'il n'eût été tenté de me suivre : mais point. Il m'encouragea dans mon dessein plutôt qu'il ne m'en détourna ; puis, quand il me vit bien résolu, il me quitta sans beaucoup de larmes. Nous ne nous sommes jamais écrit ni revus. C'est dommage : il était d'un caractère essentiellement bon : nous étions faits pour nous aimer.

Avant de m'abandonner à la fatalité de ma destinée, qu'on me permette de tourner un moment les yeux sur celle qui m'attendait naturellement si j'étais tombé dans les mains d'un meilleur maître. Rien n'était plus convenable à mon humeur, ni plus propre à me rendre heureux, que l'état tranquille et obscur d'un bon artisan, dans certaines classes surtout, telle qu'est à Genève celle des graveurs. Cet état, assez lucratif[3] pour donner une subsis-

1. **Déroger :** déchoir, manquer à sa situation dans la hiérarchie sociale par un comportement qui en est indigne.
2. **Au travers du corps :** l'expression signifie que le propriétaire de l'épée l'a vendue pour avoir de quoi acheter à manger.
3. **Assez lucratif :** qui rapporte assez d'argent.

1565 tance aisée, et pas assez pour mener à la fortune, eût borné mon ambition pour le reste de mes jours, et, me laissant un loisir honnête pour cultiver des goûts modérés, il m'eût contenu dans ma sphère sans m'offrir aucun moyen d'en sortir. Ayant une imagination assez riche pour 1570 orner de ses chimères tous les états, assez puissante pour me transporter, pour ainsi dire à mon gré, de l'un à l'autre, il m'importait peu dans lequel je fusse en effet. Il ne pouvait y avoir si loin du lieu où j'étais au premier château en Espagne[1], qu'il ne me fût aisé de m'y établir. De cela seul il 1575 suivait que l'état le plus simple, celui qui donnait le moins de tracas et de soins, celui qui laissait l'esprit le plus libre, était celui qui me convenait le mieux ; et c'était précisément le mien. J'aurais passé dans le sein de ma religion, de ma patrie, de ma famille et de mes amis, une vie paisible 1580 et douce, telle qu'il la fallait à mon caractère, dans l'uniformité d'un travail de mon goût et d'une société selon mon cœur. J'aurais été bon chrétien, bon citoyen, bon père de famille, bon ami, bon ouvrier, bon homme en toute chose. J'aurais aimé mon état, je l'aurais honoré peut-être, et 1585 après avoir passé une vie obscure et simple, mais égale et douce, je serais mort paisiblement dans le sein des miens. Bientôt oublié, sans doute, j'aurais été regretté du moins aussi longtemps qu'on se serait souvenu de moi.

Au lieu de cela... quel tableau vais-je faire ? Ah ! 1590 N'anticipons point sur les misères de ma vie ! Je n'occuperai que trop mes lecteurs de ce triste sujet.

---

1. **Château en Espagne :** l'expression désigne un rêve irréalisable.

Clefs d'analyse

Le « préambule » (Livre I, l. 1-29)

Compréhension

Le projet autobiographique

- Définir la situation d'énonciation et le « pacte autobiographique » qui en découle.
- Définir les intentions et le projet de Rousseau.

Une singularité irréductible

- Répertorier les différentes formes grammaticales de la première personne et définir l'impact de cette omniprésence du moi.
- Observer comment Rousseau affirme sa différence radicale.

Réflexion

Une sincérité absolue

- Analyser quelle définition de l'écriture autobiographique transparaît à travers la revendication insistante de sincérité.
- Étudier comment la volonté de se « confesser » conduit l'auteur à lancer un défi à l'humanité.

Une mise en scène dramatisée

- Analyser comment le besoin de se justifier donne lieu à un texte oratoire.
- Expliquer comment Rousseau esquisse une scène de tribunal où l'accusé devient accusateur.
- Analyser les procédés stylistiques qui contribuent à la théâtralité de ce passage, dans lequel Rousseau se met en scène face aux autres hommes, face à Dieu et face à l'humanité.

À retenir :

L'autobiographie est le récit que l'on fait soi-même de sa propre vie, dans lequel l'auteur (celui qui signe le livre), le narrateur (celui qui raconte) et le personnage principal sont une seule et même personne. C'est cette identité qui fonde le « pacte autobiographique » (Philippe Lejeune) – « pacte » passé entre l'auteur qui s'engage à dire la vérité et son lecteur.

Clefs d'analyse

La fessée donnée par Mlle Lambercier (Livre I, l. 381-437)

Compréhension

La « confession » d'une expérience intime

- Relever les termes appartenant au champ lexical du désir sexuel.
- Observer comment Rousseau donne à cette « confession » une justification d'ordre moral, didactique et psychologique.

Une étape déterminante dans la formation de sa personnalité

- Montrer comment le choix des temps verbaux (alternance récit/analyse) contribue à faire de cette double fessée un événement irréversible.
- Observer comment le dernier paragraphe souligne la métamorphose du jeune Jean-Jacques.

Réflexion

L'interprétation d'une anecdote au service de l'introspection

- Expliquer comment Rousseau analyse la difficulté de ses relations avec les femmes.
- Montrer comment Rousseau insiste sur le passage de l'enfance à l'âge adulte.

De l'aveu au plaidoyer

- Expliquer comment la façon dont Rousseau présente sa découverte du désir innocente le jeune Jean-Jacques (l. 412-414).
- Analyser comment Rousseau rejette la responsabilité de ses penchants sexuels (l. 382-387 et 423-427).

À retenir :

L'écriture autobiographique mêle souvent différents types de discours. C'est ainsi qu'outre le discours narratif et le discours descriptif, Rousseau a très souvent recours au discours explicatif et au discours argumentatif.

Synthèse Livre I

Les seize premières années de Jean-Jacques

Personnages

Le parcours singulier d'un enfant à la sensibilité exacerbée

Dans le livre I, Rousseau raconte ses seize premières années (1712 et 1728). Trois périodes de durée inégale se succèdent : la petite enfance (jusqu'à l'âge de dix ans) passée à Genève au sein de sa famille ; le séjour à Bossey chez le pasteur Lambercier, qui ne dure qu'un an ; le retour à Genève, marqué par les premières amours et l'apprentissage de Jean-Jacques, de 1724 à 1728. Structuré de façon à mettre l'accent sur les étapes d'une déchéance à la fois affective, morale et sociale qui met progressivement fin au bonheur serein et innocent de l'enfance, ce premier livre retrace la genèse de la personnalité singulière de Rousseau, qui, en expliquant l'influence aussi bien de l'hérédité que de son entourage ou d'épisodes marquants, dévoile l'origine de la plupart de ses traits de caractère. Donnant au lecteur toute une série de clefs pour lui faire comprendre sa sensibilité exacerbée, l'hypertrophie de son imagination, son goût pour la musique, son amour de la nature, ses penchants masochistes ou encore sa haine de l'injustice et de l'oppression, il souligne ainsi à quel point son identité profonde résulte de « combinaisons » singulières (l. 527-534).

Langage

L'organisation de la matière narrative selon la méthode de la psychologie rétrospective

Rousseau adopte une méthode inédite : en s'efforçant constamment d'expliquer ce qu'il est par ce qu'il a été, il opère un constant va-et-vient entre le récit et l'analyse, les faits vécus et les sentiments ressentis par le jeune Jean-Jacques étant non seulement racontés mais aussi analysés et interprétés par l'homme mûr soucieux d'en évaluer l'influence « pour le reste de [s]a vie » (l. 425-426). Cette alternance donne lieu à toute une série de formules visant à faire comprendre au lecteur à quel point l'épisode raconté, même s'il peut à première vue sembler anodin, est en fait lourd de conséquences sur la psychologie du jeune Jean-Jacques. Qu'elles annoncent un traumatisme enfantin, récapitulent une évolution morale ou affective, évaluent les conséquences psychologiques d'un événement ou expliquent l'origine d'une modification de la sensibilité, d'un trait de caractère ou d'un goût, ces formules qui scandent le livre I soulignent non seulement les découvertes et les désillusions qui viennent ternir l'innocence enfantine mais aussi la responsabilité des autres dans la formation et la modification progressive de l'identité individuelle.

Société

L'importance nouvelle accordée à l'enfance

Derrière l'autobiographe qui raconte ses souvenirs d'enfance et le psychologue qui en analyse les conséquences sur la formation de sa personnalité apparaît en filigrane le pédagogue qui considère l'enfant comme un « petit être intelligent et moral » (l. 583) et défend « le respect qu'on doit aux enfants » (l. 449). Les thèses exposées par Rousseau dans son célèbre traité d'éducation intitulé *Émile* ont en effet de nombreux échos dans *Les Confessions*. Racontant les châtiments qui lui ont été infligés, les humiliations dont il a souffert (en particulier chez le greffier) et l'oppression dont il a été victime enfant (notamment chez le graveur), Rousseau s'élève contre des méthodes d'éducation non seulement inadaptées mais encore pernicieuses puisqu'elles produisent souvent l'effet inverse de celui recherché (l. 382-387, l. 1112-1123). Mais le récit des violences faites à l'enfant par une société corrompue et corruptrice fait aussi entendre la voix du philosophe politique auteur du *Discours sur l'origine et les fondements de l'inégalité parmi les hommes*, révolté par toutes les formes d'injustice, d'inégalité et de tyrannie exercées par les plus forts sur les plus faibles.

LIVRE II

Autant le moment où l'effroi me suggéra le projet de fuir m'avait paru triste, autant celui où je l'exécutai me parut charmant. Encore enfant, quitter mon pays, mes parents, mes appuis, mes ressources ; laisser un apprentissage à moitié fait sans savoir mon métier assez pour en vivre ; 5
me livrer aux horreurs de la misère sans voir aucun moyen d'en sortir ; dans l'âge de la faiblesse et de l'innocence, m'exposer à toutes les tentations du vice et du désespoir ; chercher au loin les maux, les erreurs, les pièges, l'esclavage et la mort, sous un joug bien plus inflexible 10
que celui que je n'avais pu souffrir : c'était là ce que j'allais faire ; c'était la perspective que j'aurais dû envisager. Que celle que je me peignais était différente ! L'indépendance que je croyais avoir acquise était le seul sentiment qui m'affectait. Libre et maître de moi-même, je croyais pou- 15
voir tout faire, atteindre à tout : je n'avais qu'à m'élancer pour m'élever et voler dans les airs. J'entrais avec sécurité dans le vaste espace du monde ; mon mérite allait le remplir ; à chaque pas j'allais trouver des festins, des trésors, des aventures, des amis prêts à me servir, des maîtresses 20
empressées à me plaire : en me montrant j'allais occuper de moi l'univers, non pas pourtant l'univers tout entier, je l'en dispensais en quelque sorte, il ne m'en fallait pas tant. Une société charmante me suffisait sans m'embarrasser du reste. Ma modération m'inscrivait dans une sphère étroite, 25
mais délicieusement choisie, où j'étais assuré de régner. Un seul château bornait mon ambition. Favori du seigneur et de la dame, amant de la demoiselle, ami du frère et protecteur des voisins, j'étais content ; il ne m'en fallait pas davantage. 30

En attendant ce modeste avenir, j'errai quelques jours autour de la Ville, logeant chez des paysans de ma

connaissance, qui tous me reçurent avec plus de bonté que n'auraient fait des urbains[1]. Ils m'accueillaient, me
35 logeaient, me nourrissaient trop bonnement pour en avoir le mérite. Cela ne pouvait pas s'appeler faire l'aumône ; ils n'y mettaient pas assez l'air de la supériorité.

À force de voyager et de parcourir le monde, j'allai jusqu'à Confignon, terres de Savoie à deux lieues de
40 Genève. Le curé s'appelait M. de Pontverre. Ce nom fameux dans l'histoire de la République me frappa beaucoup. J'étais curieux de voir comment étaient faits les descendants des gentilshommes de la Cuiller[2]. J'allai voir M. de Pontverre : il me reçut bien, me parla de l'hérésie de
45 Genève, de l'autorité de la Sainte Mère Église, et me donna à dîner. Je trouvai peu de chose à répondre à des arguments qui finissaient ainsi, et je jugeai que des curés chez qui l'on dînait si bien valaient tout au moins nos ministres. J'étais certainement plus savant que M. de Pontverre,
50 tout gentilhomme qu'il était ; mais j'étais trop bon convive pour être si bon théologien ; et son vin de Frangy[3], qui me parut excellent, argumentait si victorieusement pour lui, que j'aurais rougi de fermer la bouche à un si bon hôte. Je cédais donc, ou du moins je ne résistais pas en
55 face. À voir les ménagements dont j'usais, on m'aurait cru faux. On se fût trompé ; je n'étais qu'honnête, cela est certain. La flatterie, ou plutôt la condescendance[4], n'est pas toujours un vice, elle est plus souvent une vertu, surtout dans les jeunes gens. La bonté avec laquelle un homme
60 nous traite nous attache à lui : ce n'est pas pour l'abuser

---

1. **Urbains :** gens de la ville.
2. **Gentilhommes de la Cuiller :** gentilshommes catholiques qui, au XVIe siècle, s'opposèrent aux calvinistes ; ils avaient choisi la cuiller pour symbole.
3. **Frangy :** entre Annecy et Annemasse.
4. **Condescendance :** complaisance qui fait qu'on se rend aux opinions et aux volontés d'autrui.

qu'on lui cède, c'est pour ne pas l'attrister, pour ne pas lui rendre le mal pour le bien. Quel intérêt avait M. de Pontverre à m'accueillir, à me bien traiter, à vouloir me convaincre ? Nul autre que le mien propre. Mon jeune cœur se disait cela. J'étais touché de reconnaissance et de respect pour le bon prêtre. Je sentais ma supériorité ; je ne voulais pas l'en accabler pour prix de son hospitalité. Il n'y avait point de motif hypocrite à cette conduite : je ne songeais point à changer de religion ; et, bien loin de me familiariser si vite avec cette idée, je ne l'envisageais qu'avec une horreur qui devait l'écarter de moi pour longtemps : je voulais seulement ne point fâcher ceux qui me caressaient dans cette vue ; je voulais cultiver leur bienveillance, et leur laisser l'espoir du succès en paraissant moins armé que je ne l'étais en effet. Ma faute en cela ressemblait à la coquetterie des honnêtes femmes qui, quelquefois, pour parvenir à leurs fins, savent, sans rien permettre ni rien promettre, faire espérer plus qu'elles ne veulent tenir.

La raison, la pitié, l'amour de l'ordre exigeaient assurément que, loin de se prêter à ma folie, on m'éloignât de ma perte où je courais, en me renvoyant dans ma famille. C'est là ce qu'aurait fait ou tâché de faire tout homme vraiment vertueux. Mais quoique M. de Pontverre fût un bon homme, ce n'était assurément pas un homme vertueux ; au contraire, c'était un dévot qui ne connaissait d'autre vertu que d'adorer les images et de dire le rosaire ; une espèce de missionnaire qui n'imaginait rien de mieux, pour le bien de la foi, que faire des libelles contre les ministres de Genève[1]. Loin de penser à me renvoyer chez moi, il profita du désir que j'avais de m'en éloigner, pour me mettre hors d'état d'y retourner quand même il m'en prendrait envie. Il y avait tout à parier qu'il m'envoyait

1. **Ministres de Genève :** pasteurs protestants.

périr de misère ou devenir un vaurien. Ce n'était point là
95 ce qu'il voyait : il voyait une âme ôtée à l'hérésie et rendue à l'Église. Honnête homme ou vaurien, qu'importait
cela pourvu que j'allasse à la messe ? Il ne faut pas croire,
au reste, que cette façon de penser soit particulière aux
Catholiques ; elle est celle de toute religion dogmatique[1]
100 où l'on fait l'essentiel non de faire, mais de croire.

Dieu vous appelle, me dit M. de Pontverre : allez à
Annecy ; vous y trouverez une bonne Dame bien charitable, que les bienfaits du Roi mettent en état de retirer
d'autres âmes de l'erreur dont elle est sortie elle-même. Il
105 s'agissait de Mme de Warens, nouvelle convertie, que les
prêtres forçaient, en effet, de partager avec la canaille qui
venait vendre sa foi, une pension de deux mille francs que
lui donnait le Roi de Sardaigne. Je me sentais fort humilié
d'avoir besoin d'une bonne Dame bien charitable. J'aimais
110 fort qu'on me donnât mon nécessaire, mais non pas qu'on
me fît la charité ; et une dévote[2] n'était pas pour moi fort
attirante. Toutefois, pressé par M. de Pontverre, par la faim
qui me talonnait, bien aise[3] aussi de faire un voyage et
d'avoir un but, je prends mon parti, quoique avec peine, et
115 je pars pour Annecy. J'y pouvais être aisément en un jour ;
mais je ne me pressais pas, j'en mis trois. Je ne voyais pas
un château à droite ou à gauche sans aller chercher
l'aventure que j'étais sûr qui m'y attendait. Je n'osais
entrer dans le château ni heurter, car j'étais fort timide,
120 mais je chantais sous la fenêtre qui avait le plus d'apparence, fort surpris, après m'être longtemps époumoné, de
ne voir paraître ni Dames ni Demoiselles qu'attirât la
beauté de ma voix ou le sel de mes chansons, vu que j'en

1. **Dogmatique :** qui repose sur des dogmes, c'est-à-dire sur des points de doctrine établis comme vérités fondamentales et incontestables.
2. **Dévote :** femme pieuse ; le terme est connoté négativement et désigne aussi une femme austère.
3. **Bien aise :** satisfait, content.

avais d'admirables que mes camarades m'avaient apprises, et que je chantais admirablement. 125

J'arrive enfin ; je vois Mme de Warens. Cette époque de ma vie a décidé de mon caractère ; je ne puis me résoudre à la passer légèrement. J'étais au milieu de ma seizième année. Sans être ce qu'on appelle un beau garçon, j'étais bien pris dans ma petite taille ; j'avais un joli pied, la 130 jambe fine, l'air dégagé, la physionomie animée, la bouche mignonne, les sourcils et les cheveux noirs, les yeux petits et même enfoncés, mais qui lançaient avec force le feu dont mon sang était embrasé. Malheureusement je ne savais rien de tout cela, et de ma vie il ne m'est arrivé de 135 songer à ma figure, que lorsqu'il n'était plus temps d'en tirer parti[1]. Ainsi j'avais avec la timidité de mon âge celle d'un naturel très aimant, toujours troublé par la crainte de déplaire. D'ailleurs, quoique j'eusse l'esprit assez orné[2], n'ayant jamais vu le monde, je manquais totalement de 140 manières, et mes connaissances, loin d'y suppléer, ne servaient qu'à m'intimider davantage, en me faisant sentir combien j'en manquais.

Craignant donc que mon abord ne prévînt pas en ma faveur, je pris autrement mes avantages, et je fis une belle 145 lettre en style d'orateur, où, cousant des phrases des livres avec des locutions d'apprenti, je déployais toute mon éloquence pour capter la bienveillance de Mme de Warens. J'enfermai la lettre de M. de Pontverre dans la mienne, et je partis pour cette terrible audience. Je ne trouvai point 150 Mme de Warens ; on me dit qu'elle venait de sortir pour aller à l'église. C'était le jour des Rameaux de l'année 1728. Je cours pour la suivre : je la vois, je l'attends, je lui parle… Je dois me souvenir du lieu ; je l'ai souvent depuis mouillé de mes larmes et couvert de mes baisers. Que ne 155

---

1. **D'en tirer parti :** d'en profiter, d'en tirer des avantages.
2. **Orné :** avoir l'esprit orné signifie être relativement cultivé.

puis-je entourer d'un balustre d'or cette heureuse place ! Que n'y puis-je attirer les hommages de toute la terre ! Quiconque aime à honorer les monuments du salut des hommes n'en devrait approcher qu'à genoux.

160 C'était un passage derrière sa maison, entre un ruisseau à main droite qui la séparait du jardin, et le mur de la cour à gauche, conduisant par une fausse porte, à l'église des Cordeliers[1]. Prête à entrer dans cette porte, Mme de Warens se retourne à ma voix. Que devins-je à cette vue ! 165 Je m'étais figuré une vieille dévote bien rechignée[2] : la bonne Dame de M. de Pontverre ne pouvait être autre chose à mon avis. Je vois un visage pétri de grâces[3], de beaux yeux bleus pleins de douceur, un teint éblouissant, le contour d'une gorge[4] enchanteresse. Rien n'échappa au 170 rapide coup d'œil du jeune prosélyte[5]; car je devins à l'instant le sien, sûr qu'une religion prêchée par de tels missionnaires ne pouvait manquer de mener en paradis. Elle prend en souriant la lettre que je lui présente d'une main tremblante, l'ouvre, jette un coup d'œil sur celle de M. de 175 Pontverre, revient à la mienne, qu'elle lit tout entière, et qu'elle eût relue encore si son laquais ne l'eût avertie qu'il était temps d'entrer. Eh ! mon enfant, me dit-elle, d'un ton qui me fit tressaillir, vous voilà courant le pays bien jeune ; c'est dommage en vérité. Puis, sans attendre ma 180 réponse, elle ajouta : Allez chez moi m'attendre ; dites qu'on vous donne à déjeuner ; après la messe j'irai causer avec vous.

Louise-Éléonore de Warens était une demoiselle de La Tour de Pil, noble et ancienne famille de Vevey, ville du 185 pays de Vaud. Elle avait épousé fort jeune M. de Warens de

---

1. **Cordeliers :** religieux de l'ordre de Saint-François-d'Assise.
2. **Rechignée :** maussade.
3. **Pétri de grâces :** très beau, gracieux.
4. **Gorge :** poitrine.
5. **Prosélyte :** nouveau converti à la foi catholique.

Jean-Jacques Rousseau et Madame de Warens.
Gravure de Brugnot, 1846.

la maison de Loys, fils aîné de M. de Villardin de Lausanne. Ce mariage, qui ne produisit point d'enfants, n'ayant pas trop réussi, Mme de Warens, poussée par quelque chagrin domestique, prit le temps que le Roi Victor-Amédée était à Évian, pour passer le lac et venir se jeter aux pieds de ce prince, abandonnant ainsi son mari, sa famille et son pays, par une étourderie assez semblable à la mienne, et qu'elle a eu tout le temps de pleurer aussi. Le Roi, qui aimait à faire le zélé catholique, la prit sous sa protection, lui donna une pension de quinze cents livres de Piémont, ce qui était beaucoup pour un prince aussi peu prodigue, et voyant que sur cet accueil on l'en croyait amoureux, il l'envoya à Annecy, escortée par un détachement de ses gardes, où, sous la direction de Michel Gabriel de Bernex, évêque titulaire de Genève, elle fit abjuration au couvent de la Visitation.

Il y avait six ans qu'elle y était quand j'y vins, et elle en avait alors vingt-huit, étant née avec le siècle. Elle avait de ces beautés qui se conservent parce qu'elles sont plus dans la physionomie que dans les traits ; aussi la sienne était-elle encore dans tout son premier éclat. Elle avait un air caressant et tendre, un regard très doux, un sourire angélique, une bouche à la mesure de la mienne, des cheveux cendrés d'une beauté peu commune, et auxquels elle donnait un tour négligé qui la rendait très piquante. Elle était petite de stature, courte même, et ramassée un peu dans sa taille, quoique sans difformité ; mais il était impossible de voir une plus belle tête, un plus beau sein, de plus belles mains et de plus beaux bras.

Son éducation avait été fort mêlée[1] : elle avait ainsi que moi perdu sa mère dès sa naissance, et recevant indifféremment des instructions comme elles s'étaient présentées, elle avait appris un peu de sa gouvernante, un peu

1. **Mêlée :** éclectique, disparate.

de son père, un peu de ses maîtres, et beaucoup de ses amants, surtout d'un M. de Tavel, qui, ayant du goût et des connaissances, en orna la personne qu'il aimait. Mais tant de genres différents se nuisirent les uns aux autres, et le peu d'ordre qu'elle y mit empêcha que ses diverses études n'étendissent la justesse naturelle de son esprit. Ainsi, quoiqu'elle eût quelques principes de philosophie et de physique, elle ne laissa pas de prendre le goût que son père avait pour la médecine empirique[1] et pour l'alchimie : elle faisait des élixirs, des teintures, des baumes, des magistères[2] ; elle prétendait avoir des secrets. Les charlatans, profitant de sa faiblesse, s'emparèrent d'elle, l'obsédèrent, la ruinèrent, et consumèrent, au milieu des fourneaux et des drogues, son esprit, ses talents et ses charmes, dont elle eût pu faire les délices des meilleures sociétés.

Mais si de vils fripons abusèrent de son éducation mal dirigée pour obscurcir les lumières de sa raison, son excellent cœur fut à l'épreuve et demeura toujours le même : son caractère aimant et doux, sa sensibilité pour les malheureux, son inépuisable bonté, son humeur gaie, ouverte et franche, ne s'altérèrent jamais ; et même aux approches de la vieillesse, dans le sein de l'indigence[3], des maux, des calamités diverses, la sérénité de sa belle âme lui conserva jusqu'à la fin de sa vie toute la gaieté de ses plus beaux jours.

Ses erreurs lui vinrent d'un fonds d'activité inépuisable qui voulait sans cesse de l'occupation. Ce n'étaient pas des intrigues de femmes qu'il lui fallait, c'étaient des entreprises[4] à faire et à diriger. Elle était née pour les grandes affaires.

---

1. **Médecine empirique :** médecine qui ne repose pas sur des théories mais sur des expériences.
2. **Magistères :** en pharmacie, terme qui désigne des poudres médicinales.
3. **Indigence :** misère, pauvreté.
4. **Entreprises :** projets.

À sa place Mme de Longueville[1] n'eût été qu'une tracas-
250 sière[2] ; à la place de Mme de Longueville elle eût gouverné l'État. Ses talents ont été déplacés ; et ce qui eût fait sa gloire dans une situation plus élevée a fait sa perte dans celle où elle a vécu. Dans les choses qui étaient à sa portée, elle étendait toujours son plan dans sa tête et voyait
255 toujours son objet en grand. Cela faisait qu'employant des moyens proportionnés à ses vues plus qu'à ses forces, elle échouait par la faute des autres, et son projet venant à manquer, elle était ruinée où d'autres n'auraient presque rien perdu. Ce goût des affaires, qui lui fit tant de maux,
260 lui fit du moins un grand bien dans son asile monastique, en l'empêchant de s'y fixer pour le reste de ses jours comme elle en était tentée. La vie uniforme et simple des religieuses, leur petit cailletage[3] de parloir, tout cela ne pouvait flatter un esprit toujours en mouvement, qui, for-
265 mant chaque jour de nouveaux systèmes, avait besoin de liberté pour s'y livrer. Le bon évêque de Bernex, avec moins d'esprit que François de Sales[4], lui ressemblait sur bien des points ; et Mme de Warens, qu'il appelait sa fille, et qui ressemblait à Mme de Chantal[5] sur beaucoup d'au-
270 tres, eût pu lui ressembler encore dans sa retraite, si son goût ne l'eût détournée de l'oisiveté d'un couvent. Ce ne fut point manque de zèle si cette aimable femme ne se livra pas aux menues pratiques de dévotion qui semblaient convenir à une nouvelle convertie vivant sous la

---

1. **Mme de Longueville :** aristocrate aventurière et intrigante du XVIIe siècle qui joua un rôle politique important au moment de la Fronde, dont elle fut l'un des chefs.
2. **Tracassière :** femme qui s'agite et sème le désordre pour des choses sans importance.
3. **Cailletage :** une caillette est une commère.
4. **François de Sales :** évêque de Genève qui se consacra à la conversion des protestants au début du XVIIe siècle.
5. **Mme de Chantal :** sainte Jeanne de Chantal fonda avec saint François de Sales un nouvel ordre religieux, l'ordre de la Visitation.

direction d'un prélat. Quel qu'eût été le motif de son changement de religion, elle fut sincère dans celle qu'elle avait embrassée. Elle a pu se repentir d'avoir commis la faute, mais non pas désirer d'en revenir. Elle n'est pas seulement morte bonne catholique, elle a vécu telle de bonne foi, et j'ose affirmer, moi qui pense avoir lu dans le fond de son âme, que c'était uniquement par aversion pour les simagrées[1] qu'elle ne faisait point en public la dévote : elle avait une piété trop solide pour affecter de la dévotion. Mais ce n'est pas ici le lieu de m'étendre sur ses principes ; j'aurai d'autres occasions d'en parler.

Que ceux qui nient la sympathie[2] des âmes expliquent, s'ils peuvent, comment, de la première entrevue, du premier mot, du premier regard, Mme de Warens m'inspira non seulement le plus vif attachement, mais une confiance parfaite et qui ne s'est jamais démentie. Supposons que ce que j'ai senti pour elle fût véritablement de l'amour, ce qui paraîtra tout au moins douteux à qui suivra l'histoire de nos liaisons ; comment cette passion fut-elle accompagnée, dès sa naissance, des sentiments qu'elle inspire le moins : la paix du cœur, le calme, la sérénité, la sécurité, l'assurance ? Comment, en approchant pour la première fois d'une femme aimable, polie, éblouissante, d'une Dame d'un état supérieur au mien, dont je n'avais jamais abordé la pareille, de celle dont dépendait mon sort en quelque sorte par l'intérêt plus ou moins grand qu'elle y prendrait ; comment, dis-je, avec tout cela me trouvai-je à l'instant aussi libre, aussi à mon aise que si j'eusse été parfaitement sûr de lui plaire ? Comment n'eus-je pas un moment d'embarras, de timidité, de gêne ? Naturellement honteux, décontenancé, n'ayant jamais vu

---

1. **Simagrées :** manières affectées et peu naturelles pour attirer l'attention.
2. **Sympathie :** accord profond entre deux êtres (terme beaucoup plus fort qu'aujourd'hui).

le monde, comment pris-je avec elle, du premier jour, du premier instant les manières faciles, le langage tendre, le ton familier que j'avais dix ans après, lorsque la plus grande intimité l'eût rendu naturel ? A-t-on de l'amour, je
310 ne dis pas sans désirs, j'en avais ; mais sans inquiétude, sans jalousie ? Ne veut-on pas au moins apprendre de l'objet qu'on aime si l'on est aimé ? C'est une question qu'il ne m'est pas plus venu dans l'esprit de lui faire une fois en ma vie que de me demander à moi-même si je m'aimais, et
315 jamais elle n'a été plus curieuse avec moi. Il y eut certainement quelque chose de singulier dans mes sentiments pour cette charmante femme, et l'on y trouvera dans la suite des bizarreries auxquelles on ne s'attend pas.

Il fut question de ce que je deviendrais, et pour en cau-
320 ser plus à loisir, elle me retint à dîner. Ce fut le premier repas de ma vie où j'eusse manqué d'appétit, et sa femme de chambre, qui nous servait, dit aussi que j'étais le premier voyageur de mon âge et de mon étoffe[1] qu'elle en eût vu manquer. Cette remarque, qui ne me nuisit pas
325 dans l'esprit de sa maîtresse, tombait un peu à plomb[2] sur un gros manant[3] qui dînait avec nous et qui dévora lui tout seul un repas honnête pour six personnes. Pour moi, j'étais dans un ravissement qui ne me permettait pas de manger. Mon cœur se nourrissait d'un sentiment tout
330 nouveau, dont il occupait tout mon être ; il ne me laissait des esprits pour nulle autre fonction.

Mme de Warens voulut savoir les détails de ma petite histoire ; je retrouvai pour la lui conter tout le feu que j'avais perdu chez mon maître. Plus j'intéressais cette
335 excellente âme en ma faveur, plus elle plaignait le sort auquel j'allais m'exposer. Sa tendre compassion se mar-

---

1. **De mon étoffe :** de mon espèce.
2. **Tombait un peu à plomb :** à propos (droit comme le plomb au bout d'un fil).
3. **Un gros manant :** un gros paysan.

quait dans son air, dans son regard, dans ses gestes. Elle n'osait m'exhorter à retourner à Genève. Dans sa position c'eût été un crime de lèse-catholicité, et elle n'ignorait pas combien elle était surveillée et combien ses discours étaient pesés. Mais elle me parlait d'un ton si touchant de l'affliction[1] de mon père, qu'on voyait bien qu'elle eût approuvé que j'allasse le consoler. Elle ne savait pas combien, sans y songer, elle plaidait contre elle-même. Outre que ma résolution était prise, comme je crois l'avoir dit, plus je la trouvais éloquente, persuasive, plus ses discours m'allaient au cœur, et moins je pouvais me résoudre à me détacher d'elle. Je sentais que retourner à Genève était mettre entre elle et moi une barrière presque insurmontable, à moins de revenir à la démarche que j'avais faite, et à laquelle mieux valait me tenir tout d'un coup. Je m'y tins donc. Mme de Warens voyant ses efforts inutiles ne les poussa pas jusqu'à se compromettre ; mais elle me dit avec un regard de commisération[2] : « Pauvre petit, tu dois aller où Dieu t'appelle ; mais quand tu seras grand, tu te souviendras de moi. » Je crois qu'elle ne pensait pas elle-même que cette prédiction s'accomplirait si cruellement.

La difficulté restait tout entière. Comment subsister si jeune hors de mon pays ? À peine à la moitié de mon apprentissage, j'étais bien loin de savoir mon métier. Quand je l'aurais su, je n'en aurais pu vivre en Savoie, pays trop pauvre pour avoir des arts[3]. Le manant qui dînait pour nous, forcé de faire une pause pour reposer sa mâchoire, ouvrit un avis[4] qu'il disait venir du Ciel, et qui, à juger par les suites, venait bien plutôt du côté contraire ; c'était que j'allasse à Turin, où, dans un hospice

1. **Affliction :** état d'abattement lié à une profonde tristesse.
2. **Commisération :** compassion, pitié.
3. **Arts :** ici, ensemble des métiers reposant sur une maîtrise technique ou artisanale.
4. **Ouvrit un avis :** fit une suggestion, proposa quelque chose.

établi pour l'instruction des catéchumènes[1], j'aurais, dit-il, la vie temporelle et spirituelle, jusqu'à ce qu'entré dans le sein de l'Église je trouvasse, par la charité des bonnes
370 âmes, une place qui me convînt. À l'égard des frais du voyage, continua mon homme, Sa Grandeur Monseigneur l'Évêque ne manquera pas, si Madame lui propose cette sainte œuvre, de vouloir charitablement y pourvoir, et Madame la Baronne, qui est si charitable, dit-il en s'incli-
375 nant sur son assiette, s'empressera sûrement d'y contribuer aussi.

Je trouvais toutes ces charités bien dures : j'avais le cœur serré, je ne disais rien, et Mme de Warens, sans saisir ce projet avec autant d'ardeur qu'il était offert, se contenta
380 de répondre que chacun devait contribuer au bien selon son pouvoir, et qu'elle en parlerait à Monseigneur : mais mon diable d'homme, qui craignit qu'elle n'en parlât à son gré, et qui avait son petit intérêt dans cette affaire, courut prévenir les aumôniers, et emboucha[2] si bien les bons prê-
385 tres, que quand Mme de Warens, qui craignait pour moi ce voyage, en voulut parler à l'Évêque, elle trouva que c'était une affaire arrangée, et il lui remit à l'instant l'argent destiné pour mon petit viatique[3]. Elle n'osa insister pour me faire rester : j'approchais d'un âge où une femme du sien
390 ne pouvait décemment vouloir retenir un jeune homme auprès d'elle.

Mon voyage étant ainsi réglé par ceux qui prenaient soin de moi, il fallut bien me soumettre et c'est même ce que je fis sans beaucoup de répugnance. Quoique Turin
395 fût plus loin que Genève, je jugeai qu'étant la capitale, elle

---

1. **Catéchumènes :** dans la religion chrétienne, personnes qu'on instruit pour les préparer à recevoir le baptême.
2. **Embouchа :** emboucher quelqu'un signifie lui dire ce qu'il doit faire (terme familier).
3. **Viatique :** provisions et argent que l'on remet à un religieux ou à tout voyageur pour le voyage.

avait avec Annecy des relations plus étroites qu'une ville étrangère d'état et de religion ; et puis, partant pour obéir à Mme de Warens, je me regardais comme vivant toujours sous sa direction ; c'était plus que de vivre à son voisinage. Enfin l'idée d'un grand voyage flattait ma manie ambulante, qui déjà commençait à se déclarer. Il me paraissait beau de passer les monts à mon âge, et de m'élever au-dessus de mes camarades de toute la hauteur des Alpes. Voir du pays est un appât auquel un Genevois ne résiste guère. Je donnai donc mon consentement. Mon manant devait partir dans deux jours avec sa femme. Je leur fus confié et recommandé. Ma bourse leur fut remise, renforcée par Mme de Warens qui de plus me donna secrètement un petit pécule, auquel elle joignit d'amples instructions, et nous partîmes le Mercredi Saint[1].

Le lendemain de mon départ d'Annecy, mon père y arriva courant à ma piste[2] avec un M. Rival, son ami, horloger comme lui, homme d'esprit, bel esprit même, qui faisait des vers mieux que La Motte[3], et parlait presque aussi bien que lui ; de plus, parfaitement honnête homme, mais dont la littérature déplacée[4] n'aboutit qu'à faire un de ses fils comédien[5].

Ces messieurs virent Mme de Warens et se contentèrent de pleurer mon sort avec elle, au lieu de me suivre et de m'atteindre, comme ils l'auraient pu facilement, étant à cheval et moi à pied. La même chose était arrivée à mon oncle Bernard. Il était venu à Confignon, et de là, sachant

---

1. **Mercredi Saint :** dans la religion chrétienne, mercredi de la semaine sainte, semaine qui précède le dimanche de Pâques.
2. **Courant à ma piste :** me suivant.
3. **La Motte :** Houdar de La Motte est un poète français du début du XVIIIe siècle.
4. **Déplacée :** mal employée.
4. **Comédien :** les comédiens souffrent d'une très mauvaise réputation et sont excommuniés par l'Église.

que j'étais à Annecy, il s'en retourna à Genève. Il semblait que mes proches conspirassent avec mon étoile pour me
425 livrer au destin qui m'attendait. Mon frère s'était perdu par une semblable négligence, et si bien perdu qu'on n'a jamais su ce qu'il était devenu.

Mon père n'était pas seulement un homme d'honneur, c'était un homme d'une probité[1] sûre, et il avait une de
430 ces âmes fortes qui font les grandes vertus ; de plus, il était bon père, surtout pour moi. Il m'aimait très tendrement ; mais il aimait aussi ses plaisirs, et d'autres goûts avaient un peu attiédi l'affection paternelle depuis que je vivais loin de lui. Il s'était remarié à Nyon, et quoique sa
435 femme ne fût plus en âge de me donner des frères, elle avait des parents ; cela faisait une autre famille, d'autres objets, un nouveau ménage, qui ne rappelait plus si souvent mon souvenir. Mon père vieillissait et n'avait aucun bien pour soutenir sa vieillesse. Nous avions, mon frère et
440 moi, quelque bien de ma mère, dont le revenu devait appartenir à mon père durant notre éloignement. Cette idée ne s'offrait pas à lui directement, et ne l'empêchait pas de faire son devoir ; mais elle agissait sourdement sans qu'il s'en aperçût lui-même, et ralentissait quelque-
445 fois son zèle qu'il eût poussé plus loin sans cela. Voilà, je crois, pourquoi, venu d'abord à Annecy sur mes traces, il ne me suivit pas jusqu'à Chambéry, où il était moralement sûr de m'atteindre. Voilà pourquoi encore l'étant allé voir souvent depuis ma fuite, je reçus toujours de lui des
450 caresses de père, mais sans grands efforts pour me retenir.

Cette conduite d'un père dont j'ai si bien connu la tendresse et la vertu m'a fait faire des réflexions sur moi-même qui n'ont pas peu contribué à me maintenir le cœur sain. J'en ai tiré cette grande maxime de morale, la seule
455 peut-être d'usage dans la pratique, d'éviter les situations

---

1. **Probité :** honnêteté, droiture.

qui mettent nos devoirs en opposition avec nos intérêts, et qui nous montrent notre bien dans le mal d'autrui : sûr que, dans de telles situations, quelque sincère amour de la vertu qu'on y porte, on faiblit tôt ou tard sans s'en apercevoir, et l'on devient injuste et méchant dans le fait, sans avoir cessé d'être juste et bon dans l'âme. 460

Cette maxime fortement imprimée au fond de mon cœur, et mise en pratique, quoiqu'un peu tard, dans toute ma conduite, est une de celles qui m'ont donné l'air le plus bizarre et le plus fou dans le public, et surtout parmi mes connaissances. On m'a imputé de vouloir être original et faire autrement que les autres. En vérité, je ne songeais guère à faire ni comme les autres ni autrement qu'eux. Je désirais sincèrement de faire ce qui était bien. Je me dérobais de toute ma force à des situations qui me donnassent un intérêt contraire à l'intérêt d'un autre homme, et par conséquent un désir secret, quoique involontaire, du mal de cet homme-là. 465 470

Il y a deux ans que Milord Maréchal[1] me voulut mettre dans son testament. Je m'y opposai de toute ma force. Je lui marquai que je ne voudrais pour rien au monde me savoir dans le testament de qui que [ce] fût, et beaucoup moins dans le sien. Il se rendit : maintenant il veut me faire une pension viagère[2], et je ne m'y oppose pas. On dira que je trouve mon compte à ce changement, cela peut être. Mais, ô mon bienfaiteur et mon père, si j'ai le malheur de vous survivre, je sais qu'en vous perdant j'ai tout à perdre, et que je n'ai rien à gagner. 475 480

C'est là, selon moi, la bonne philosophie, la seule vraiment assortie au cœur humain. Je me pénètre chaque jour 485

---

1. **Milord Maréchal :** George Keith, comte Marishall, fut un ami précieux pour Rousseau après la condamnation de l'*Émile* et le mandat d'arrêt lancé contre son auteur : alors qu'il était gouverneur de Neuchâtel, il le prit sous sa protection et lui offrit ainsi un lieu d'asile.
2. **Pension viagère :** pension versée durant toute la vie du bénéficiaire.

davantage de sa profonde solidité, et je l'ai retournée de différentes manières dans tous mes derniers écrits : mais le public, qui est frivole, ne l'y a pas su remarquer. Si je survis assez à cette entreprise consommée pour en reprendre
490 une autre, je me propose de donner dans la suite de l'*Émile*[1] un exemple si charmant et si frappant de cette même maxime, que mon lecteur soit forcé d'y faire attention. Mais c'est assez de réflexions pour un voyageur ; il est temps de reprendre ma route.

495 Je la fis plus agréablement que je n'aurais dû m'y attendre, et mon manant ne fut pas si bourru[2] qu'il en avait l'air. C'était un homme entre deux âges, portant en queue ses cheveux noirs grisonnants, l'air grenadier[3], la voix forte, assez gai, marchant bien, mangeant mieux, et qui
500 faisait toute sorte de métiers, faute d'en savoir aucun. Il avait proposé, je crois, d'établir à Annecy je ne sais quelle manufacture[4]. Mme de Warens n'avait pas manqué de donner dans le projet, et c'était pour tâcher de le faire agréer au ministre qu'il faisait, bien défrayé[5], le voyage de
505 Turin. Notre homme avait le talent d'intriguer en se fourrant toujours avec les prêtres, et faisant l'empressé pour les servir ; il avait pris à leur école un certain jargon dévot[6] dont il usait sans cesse, se piquant d'être un grand prédicateur[7]. Il savait même un passage latin de la

---

1. ***Émile* :** cette suite, intitulée *Émile et Sophie ou Les Solitaires,* est restée inachevée.
2. **Bourru :** peu aimable, renfrogné et brusque.
3. **L'air grenadier :** les grenadiers, soldats spécialisés dans le lancement des grenades, étaient souvent choisis parmi des hommes de haute taille.
4. **Manufacture :** usine.
5. **Défrayé :** indemnisé, payé.
6. **Jargon dévot :** langage qui ne veut rien dire et qui imite la façon de s'exprimer propre aux croyants.
7. **Prédicateur :** homme d'Église qui prêche, c'est-à-dire qui prononce des sermons.

Bible, et c'était comme s'il en avait su mille, parce qu'il le répétait mille fois le jour : du reste, manquant rarement d'argent quand il en savait dans la bourse des autres ; plus adroit pourtant que fripon, et qui, débitant d'un ton de racoleur[1] ses capucinades[2], ressemblait à l'ermite Pierre[3] prêchant la croisade le sabre au côté. 510 515

Pour Mme Sabran, son épouse, c'était une assez bonne femme, plus tranquille le jour que la nuit. Comme je couchais toujours dans leur chambre, ses bruyantes insomnies m'éveillaient souvent et m'auraient éveillé bien davantage si j'en avais compris le sujet. Mais je ne m'en doutais pas même, et j'étais sur ce chapitre d'une bêtise qui a laissé à la seule nature tout le soin de mon instruction. 520

Je m'acheminais gaiement avec mon dévot guide et sa sémillante[4] compagne. Nul accident ne troubla mon voyage ; j'étais dans la plus heureuse situation de corps et d'esprit où j'aie été de mes jours. Jeune, vigoureux, plein de santé, de sécurité, de confiance en moi et aux autres, j'étais dans ce court, mais précieux moment de la vie, où sa plénitude expansive étend pour ainsi dire notre être par toutes nos sensations, et embellit à nos yeux la nature entière du charme de notre existence. Ma douce inquiétude avait un objet qui la rendait moins errante et fixait mon imagination. Je me regardais comme l'ouvrage, l'élève, l'ami, presque l'amant de Mme de Warens. Les choses obligeantes qu'elle m'avait dites, les petites caresses qu'elle m'avait faites, l'intérêt si tendre qu'elle avait paru prendre à moi, ses regards charmants, qui me semblaient pleins d'amour parce qu'ils m'en inspiraient ; tout cela nourrissait mes idées durant la marche, et me faisait rêver déli- 525 530 535

---

1. **Racoleur :** homme dont la charge consiste à recruter des soldats en les enrôlant par force ou par ruse.
2. **Capucinades :** discours moralisateurs pleins de banalité.
3. **L'ermite Pierre :** prédicateur de la première croisade.
4. **Sémillante :** fringante, vive et d'humeur joyeuse.

540 cieusement. Nulle crainte, nul doute sur mon sort ne troublait ces rêveries. M'envoyer à Turin, c'était selon moi, s'engager à m'y faire vivre, à m'y placer convenablement. Je n'avais plus de souci sur moi-même ; d'autres s'étaient chargés de ce soin. Ainsi je marchais légèrement, allégé de 545 ce poids ; les jeunes désirs, l'espoir enchanteur, les brillants projets remplissaient mon âme. Tous les objets que je voyais me semblaient les garants de ma prochaine félicité[1]. Dans les maisons j'imaginais des festins rustiques[2]; dans les prés, de folâtres jeux ; le long des eaux, les bains, 550 des promenades, la pêche ; sur les arbres, des fruits délicieux ; sous leur ombre, de voluptueux tête-à-tête ; sur les montagnes, des cuves de lait et de crème, une oisiveté charmante, la paix, la simplicité, le plaisir d'aller sans savoir où. Enfin rien ne frappait mes yeux sans porter à 555 mon cœur quelque attrait de jouissance. La grandeur, la variété, la beauté réelle du spectacle, rendaient cet attrait digne de la raison ; la vanité même y mêlait sa pointe. Si jeune, aller en Italie, avoir déjà vu tant de pays, suivre Annibal[3] à travers les monts, me paraissait une gloire au-560 dessus de mon âge. Joignez à tout cela des stations fréquentes et bonnes, un grand appétit et de quoi le contenter ; car en vérité ce n'était pas la peine de m'en faire faute, et sur le dîner de M. Sabran, le mien ne paraissait pas.

Je ne me souviens pas d'avoir eu, dans tout le cours de 565 ma vie, d'intervalle plus parfaitement exempt de soucis et de peine que celui des sept ou huit jours que nous mîmes à ce voyage ; car le pas de Mme Sabran, sur lequel il fallait régler le nôtre, n'en fit qu'une longue promenade. Ce souvenir m'a laissé le goût le plus vif pour tout ce qui s'y rap-570 porte, surtout pour les montagnes et pour les voyages

1. **Félicité :** bonheur intense.
2. **Rustiques :** champêtres.
3. **Annibal :** ou Hannibal, général carthaginois qui franchit les Alpes pour combattre les Romains.

pédestres. Je n'ai voyagé à pied que dans mes beaux jours, et toujours avec délices. Bientôt les devoirs, les affaires, un bagage à porter, m'ont forcé de faire le monsieur et de prendre des voitures ; les soucis rongeants, les embarras, la gêne, y sont montés avec moi, et dès lors, au lieu 575 qu'auparavant dans mes voyages je ne sentais que le plaisir d'aller, je n'ai plus senti que le besoin d'arriver. J'ai cherché longtemps, à Paris, deux camarades du même goût que moi qui voulussent consacrer chacun cinquante louis de sa bourse et un an de son temps à faire ensemble, à 580 pied, le tour de l'Italie, sans autre équipage qu'un garçon qui portât avec nous un sac de nuit. Beaucoup de gens se sont présentés, enchantés de ce projet en apparence, mais au fond le prenant tous pour un pur château en Espagne[1] dont on cause en conversation sans vouloir 585 l'exécuter en effet. Je me souviens que, parlant avec passion de ce projet avec Diderot et Grimm, je leur en donnai enfin la fantaisie. Je crus une fois l'affaire faite ; mais le tout se réduisit à vouloir faire un voyage par écrit, dans lequel Grimm ne trouvait rien de si plaisant que de faire 590 faire à Diderot beaucoup d'impiétés, et de me faire fourrer à l'Inquisition[2] à sa place.

Mon regret d'arriver si vite à Turin fut tempéré par le plaisir de voir une grande ville, et par l'espoir d'y faire bientôt une figure digne de moi, car déjà les fumées de 595 l'ambition me montaient à la tête ; déjà je me regardais comme infiniment au-dessus de mon ancien état d'apprenti ; j'étais bien loin de prévoir que dans peu j'allais être fort au-dessous.

Avant que d'aller plus loin, je dois au lecteur mon 600 excuse ou ma justification, tant sur les menus détails où je

---

1. **Un pur château en Espagne :** un rêve irréalisable.
2. **L'Inquisition :** tribunal de l'Église catholique chargé de condamner les hérétiques.

viens d'entrer que sur ceux où j'entrerai dans la suite, et qui n'ont rien d'intéressant à ses yeux. Dans l'entreprise que j'ai faite de me montrer tout entier au public, il faut
605 que rien de moi ne lui reste obscur ou caché ; il faut que je me tienne incessamment sous ses yeux ; qu'il me suive dans tous les égarements de mon cœur, dans tous les recoins de ma vie ; qu'il ne me perde pas de vue un seul instant, de peur que, trouvant dans mon récit la moindre
610 lacune, le moindre vide, et se demandant : Qu'a-t-il fait durant ce temps-là ? il ne m'accuse de n'avoir pas voulu tout dire. Je donne assez de prise à la malignité des hommes par mes récits, sans lui en donner encore par mon silence.

615 Mon petit pécule était parti : j'avais jasé, et mon indiscrétion[1] ne fut pas pour mes conducteurs à pure perte. Mme Sabran trouva le moyen de m'arracher jusqu'à un petit ruban glacé d'argent que Mme de Warens m'avait donné pour ma petite épée, et que je regrettai plus que
620 tout le reste ; l'épée même eût resté dans leurs mains si je m'étais moins obstiné. Ils m'avaient fidèlement défrayé dans la route, mais ils ne m'avaient rien laissé. J'arrive à Turin sans habits, sans argent, sans linge, et laissant très exactement à mon seul mérite tout l'honneur de la for-
625 tune que j'allais faire.

J'avais des lettres, je les portai ; et tout de suite je fus mené à l'Hospice des catéchumènes[2] pour y être instruit dans la religion pour laquelle on me vendait ma subsistance. En entrant je vis une grosse porte à barreaux de fer,
630 qui dès que je fus passé fut fermée à double tour sur mes talons. Ce début me parut plus imposant qu'agréable, et commençait à me donner à penser, quand on me fit entrer

---

1. **Mon indiscrétion :** mon imprudence.
2. **Hospice des catéchumènes :** établissement religieux chargé d'accueillir et d'instruire ceux qui se préparent à recevoir le baptême catholique.

dans une grande pièce. J'y vis pour tout meuble un autel de bois surmonté d'un grand crucifix au fond de la chambre, et autour quatre ou cinq chaises aussi de bois, qui paraissaient avoir été cirées, mais qui seulement étaient luisantes à force de s'en servir et de les frotter. Dans cette salle d'assemblée étaient quatre ou cinq affreux bandits, mes camarades d'instruction, et qui semblaient plutôt des archers du diable que des aspirants à se faire enfants de Dieu. Deux de ces coquins étaient des Esclavons[1], qui se disaient Juifs et Maures, et qui, comme ils me l'avouèrent, passaient leur vie à courir l'Espagne et l'Italie, embrassant le christianisme et se faisant baptiser partout où le produit en valait la peine. On ouvrit une autre porte de fer qui partageait en deux un grand balcon régnant sur la cour[2]. Par cette porte entrèrent nos sœurs les catéchumènes, qui comme moi s'allaient régénérer[3], non par le baptême, mais par une solennelle abjuration[4]. C'étaient bien les plus grandes salopes et les plus vilaines coureuses qui jamais aient empuanti le bercail[5] du Seigneur. Une seule me parut jolie et assez intéressante. Elle était à peu près de mon âge, peut-être un an ou deux de plus. Elle avait des yeux fripons qui rencontraient quelquefois les miens. Cela m'inspira quelque désir de faire connaissance avec elle ; mais, pendant près de deux mois qu'elle demeura encore dans cette maison, où elle était depuis trois, il me fut absolument impossible de l'accoster, tant elle était recommandée à notre vieille geôlière, et obsédée par le saint mission-

635 640 645 650 655

---

1. **Esclavons :** habitants de Slavonie, ou Esclavonie.
2. **Régnant sur la cour :** ouvrant, donnant sur la cour.
3. **Régénérer :** terme pris ici dans son sens religieux. Renaître à la pureté, au bien et à la vérité.
4. **Abjuration :** acte qui consiste à abjurer, c'est-à-dire à renoncer solennellement à la foi qu'on professait jusque-là.
5. **Bercail :** terme religieux désignant le sein de l'Église et passé dans le langage familier pour désigner le lieu où l'on habite.

660 naire, qui travaillait à sa conversion avec plus de zèle que de diligence. Il fallait qu'elle fût extrêmement stupide, quoiqu'elle n'en eût pas l'air, car jamais instruction ne fut plus longue. Le saint homme ne la trouvait toujours point en état d'abjurer. Mais elle s'ennuya de sa clôture, et dit 665 qu'elle voulait sortir, chrétienne ou non. Il fallut la prendre au mot tandis qu'elle consentait encore à l'être, de peur qu'elle ne se mutinât et qu'elle ne le voulût plus.

La petite communauté fut assemblée en l'honneur du nouveau venu. On nous fit une courte exhortation[1] ; à 670 moi, pour m'engager à répondre à la grâce que Dieu me faisait ; aux autres, pour les inviter à m'accorder leurs prières et à m'édifier par leurs exemples. Après quoi, nos vierges étant rentrées dans leur clôture, j'eus le temps de m'étonner tout à mon aise de celle où je me trouvais.

675 Le lendemain matin on nous assembla de nouveau pour l'instruction, et ce fut alors que je commençai à réfléchir pour la première fois sur le pas que j'allais faire et sur les démarches qui m'y avaient entraîné.

J'ai dit, je répète et je répéterai peut-être une chose dont 680 je suis tous les jours plus pénétré[2] ; c'est que si jamais enfant reçut une éducation raisonnable et saine, ç'a été moi. Né dans une famille que ses mœurs distinguaient du peuple, je n'avais reçu que des leçons de sagesse et des exemples d'honneur de tous mes parents. Mon père, quoi-685 que homme de plaisir, avait non seulement une probité sûre, mais beaucoup de religion. Galant homme dans le monde, et chrétien dans l'intérieur, il m'avait inspiré de bonne heure les sentiments dont il était pénétré. De mes trois tantes, toutes sages et vertueuses, les deux aînées 690 étaient dévotes, et la troisième, fille à la fois pleine de grâces, d'esprit et de sens, l'était peut-être encore plus qu'elles,

1. **Exhortation :** harangue.
2. **Pénétré :** profondément convaincu.

quoique avec moins d'ostentation. Du sein de cette estimable famille, je passai chez M. Lambercier, qui, bien qu'homme d'Église et prédicateur, était croyant en dedans et faisait presque aussi bien qu'il disait. Sa sœur et lui cultivèrent, par des instructions douces et judicieuses, les principes de piété qu'ils trouvèrent dans mon cœur. Ces dignes gens employèrent pour cela des moyens si vrais, si discrets, si raisonnables, que, loin de m'ennuyer au sermon[1], je n'en sortais jamais sans être intérieurement touché et sans faire des résolutions de bien vivre, auxquelles je manquais rarement en y pensant. Chez ma tante Bernard la dévotion m'ennuyait un peu plus, parce qu'elle en faisait un métier. Chez mon maître je n'y pensais plus guère, sans pourtant penser différemment. Je ne trouvai point de jeunes gens qui me pervertissent. Je devins polisson, mais non libertin[2].

J'avais donc de la religion tout ce qu'un enfant à l'âge où j'étais en pouvait avoir. J'en avais même davantage, car pourquoi déguiser ici ma pensée ? Mon enfance ne fut point d'un enfant ; je sentis, je pensai toujours en homme. Ce n'est qu'en grandissant que je suis rentré dans la classe ordinaire ; en naissant, j'en étais sorti. L'on rira de me voir me donner modestement pour un prodige. Soit : mais quand on aura bien ri, qu'on trouve un enfant qu'à six ans les romans attachent, intéressent, transportent au point d'en pleurer à chaudes larmes ; alors je sentirai ma vanité ridicule, et je conviendrai que j'ai tort.

Ainsi, quand j'ai dit qu'il ne fallait point parler aux enfants de religion si l'on voulait qu'un jour ils en eussent, et qu'ils étaient incapables de connaître Dieu, même à notre manière, j'ai tiré mon sentiment de mes observations, non de ma propre expérience : je savais qu'elle ne concluait rien pour les autres. Trouvez des J.-J. Rousseau à

1. **Sermon :** discours prononcé en chaire par le prédicateur.
2. **Libertin :** le terme a ici le sens de « incroyant, athée ».

six ans, et parlez-leur de Dieu à sept, je vous réponds que
725 vous ne courez aucun risque.

On sent, je crois, qu'avoir de la religion, pour un enfant, et même pour un homme, c'est suivre celle où il est né. Quelquefois on en ôte ; rarement on y ajoute ; la foi dogmatique[1] est un fruit de l'éducation. Outre ce principe
730 commun qui m'attachait au culte de mes pères, j'avais l'aversion[2] particulière à notre ville[3] pour le catholicisme, qu'on nous donnait pour une affreuse idolâtrie, et dont on nous peignait le clergé sous les plus noires couleurs. Ce sentiment allait si loin chez moi qu'au commencement je
735 n'entrevoyais jamais le dedans d'une église, je ne rencontrais jamais un prêtre en surplis[4], je n'entendais jamais la sonnette d'une procession sans un frémissement de terreur et d'effroi, qui me quitta bientôt dans les villes mais qui souvent m'a repris dans les paroisses de campagne,
740 plus semblables à celles où je l'avais d'abord éprouvé. Il est vrai que cette impression était singulièrement contrastée par le souvenir des caresses que les curés des environs de Genève font volontiers aux enfants de la ville. En même temps que la sonnette du viatique me faisait peur,
745 la cloche de la messe ou de vêpres[5] me rappelait un déjeuner, un goûter, du beurre frais, des fruits, du laitage. Le bon dîner de M. de Pontverre avait produit encore un grand effet. Ainsi je m'étais aisément étourdi sur tout cela. N'envisageant le papisme[6] que par ses liaisons avec

1. **Dogmatique :** qui s'appuie sur des dogmes, c'est-à-dire sur des points de doctrine établis comme vérités fondamentales et incontestables.
2. **Aversion :** répugnance, répulsion, horreur.
3. **Particulière à notre ville :** Genève était le bastion du protestantisme et du calvinisme en particulier.
4. **Surplis :** vêtement de lin à larges manches et qui descend à mi-jambe que portent les prêtres.
5. **Vêpres :** office religieux qui a lieu en fin d'après-midi.
6. **Papisme :** terme ironique employé pour désigner le catholicisme (caractérisé par sa soumission au pape, contrairement au protestantisme).

les amusements et la gourmandise, je m'étais apprivoisé sans peine avec l'idée d'y vivre ; mais celle d'y entrer solennellement ne s'était présentée à moi qu'en fuyant, et dans un avenir éloigné. Dans ce moment il n'y eut plus moyen de prendre le change : je vis avec l'horreur la plus vive l'espèce d'engagement que j'avais pris et sa suite inévitable. Les futurs néophytes[1] que j'avais autour de moi n'étaient pas propres à y soutenir mon courage par leur exemple, et je ne pus me dissimuler que la sainte œuvre que j'allais faire n'était au fond que l'action d'un bandit. Tout jeune encore, je sentis que, quelque religion qui fût la vraie, j'allais vendre la mienne, et que, quand même je choisirais bien, j'allais au fond de mon cœur mentir au Saint-Esprit et mériter le mépris des hommes. Plus j'y pensais, plus je m'indignais contre moi-même ; et je gémissais du sort qui m'avait amené là, comme si ce sort n'eût pas été mon ouvrage. Il y eut des moments où ces réflexions devinrent si fortes, que si j'avais un instant trouvé la porte ouverte, je me serais certainement évadé ; mais il ne me fut pas possible, et cette résolution ne tint pas non plus bien fortement.

Trop de désirs secrets la combattaient pour ne la pas vaincre. D'ailleurs, l'obstination du dessein formé de ne pas retourner à Genève, la honte, la difficulté même de repasser les monts, l'embarras de me voir loin de mon pays, sans amis, sans ressources ; tout cela concourait à me faire regarder comme un repentir tardif les remords de ma conscience ; j'affectais de me reprocher ce que j'avais fait, pour excuser ce que j'allais faire. En aggravant les torts du passé, j'en regardais l'avenir comme une suite nécessaire. Je ne me disais pas : rien n'est fait encore et tu peux être innocent si tu veux ; mais je me disais : gémis

1. **Néophytes :** termes religieux désignant ceux qui ont été récemment convertis.

du crime dont tu t'es rendu coupable et que tu t'es mis dans la nécessité d'achever.

En effet, quelle rare force d'âme ne me fallait-il point à 785 mon âge pour révoquer tout ce que jusque-là j'avais pu promettre ou laissé espérer, pour rompre les chaînes que je m'étais données, pour déclarer avec intrépidité[1] que je voulais rester dans la religion de mes pères, au risque de tout ce qui en pouvait arriver ! Cette vigueur n'était pas 790 de mon âge, et il est peu probable qu'elle eût eu un heureux succès. Les choses étaient trop avancées pour qu'on voulût en avoir le démenti, et plus ma résistance eût été grande, plus de manière ou d'autre, on se fût fait une loi de la surmonter.

795 Le sophisme[2] qui me perdit est celui de la plupart des hommes, qui se plaignent de manquer de force quand il est déjà trop tard pour en user. La vertu ne nous coûte que par notre faute, et si nous voulions être toujours sages, rarement aurions-nous besoin d'être vertueux. Mais 800 des penchants faciles à surmonter nous entraînent sans résistance ; nous cédons à des tentations légères dont nous méprisons le danger. Insensiblement nous tombons dans des situations périlleuses, dont nous pouvions aisément nous garantir, mais dont nous ne pouvons plus nous 805 tirer sans des efforts héroïques qui nous effrayent, et nous tombons enfin dans l'abîme en disant à Dieu : « Pourquoi m'as-tu fait si faible ? » Mais malgré nous il répond à nos consciences : « Je t'ai fait trop faible pour sortir du gouffre, parce que je t'ai fait assez fort pour n'y pas tomber. »

810 Je ne pris pas précisément la résolution de me faire catholique ; mais, voyant le terme encore éloigné, je pris le temps de m'apprivoiser à cette idée, et en attendant je me figurais quelque événement imprévu qui me tirerait

---

1. **Intrépidité :** caractère de celui qui ne se laisse pas rebuter par les obstacles, qui persévère et reste ferme dans sa conduite.
2. **Sophisme :** raisonnement faux malgré son apparence de vérité.

d'embarras. Je résolus, pour gagner du temps, de faire la plus belle défense qu'il me serait possible. Bientôt ma vanité me dispensa de songer à ma résolution, et dès que je m'aperçus que j'embarrassais quelquefois ceux qui voulaient m'instruire, il ne m'en fallut pas davantage pour chercher à les terrasser tout à fait. Je mis même à cette entreprise un zèle bien ridicule ; car tandis qu'ils travaillaient sur moi, je voulus travailler sur eux. Je croyais bonnement qu'il ne fallait que les convaincre pour les engager à se faire protestants.

Ils ne trouvèrent donc pas en moi tout à fait autant de facilité qu'ils en attendaient, ni du côté des lumières ni du côté de la volonté. Les Protestants sont généralement mieux instruits que les Catholiques. Cela doit être : la doctrine des uns exige la discussion, celle des autres la soumission. Le Catholique doit adopter la décision qu'on lui donne ; le Protestant doit apprendre à se décider. On savait cela ; mais on n'attendait ni de mon état ni de mon âge de grandes difficultés pour des gens exercés. D'ailleurs je n'avais point fait encore ma première communion ni reçu les instructions qui s'y rapportent : on le savait encore, mais on ne savait pas qu'en revanche j'avais été bien instruit chez M. Lambercier, et que de plus j'avais par-devers moi un petit magasin[1] fort incommode à ces messieurs dans l'*Histoire de l'Église et de l'Empire*[2], que j'avais apprise presque par cœur chez mon père, et depuis à peu près oubliée, mais qui me revint à mesure que la dispute s'échauffait.

Un vieux prêtre, petit, mais assez vénérable, nous fit en commun la première conférence. Cette conférence était pour mes camarades un catéchisme plutôt qu'une contro-

1. **Un petit magasin :** image pour désigner la réserve, la provision de connaissances accumulées.
2. ***Histoire de l'Église et de l'Empire* :** ouvrage d'un pasteur protestant du XVIIe siècle, Jean Le Sueur.

845 verse, et il avait plus à faire à les instruire qu'à résoudre leurs objections. Il n'en fut pas de même avec moi. Quand mon tour vint, je l'arrêtai sur tout ; je ne lui sauvai pas une des difficultés que je pus lui faire. Cela rendit la conférence fort longue et fort ennuyeuse pour les assis-
850 tants. Mon vieux prêtre parlait beaucoup, s'échauffait, battait la campagne[1], et se tirait d'affaire en disant qu'il n'entendait pas[2] bien le français. Le lendemain, de peur que mes indiscrètes objections ne scandalisassent mes camarades, on me mit à part dans une autre chambre avec
855 un autre prêtre, plus jeune, beau parleur, c'est-à-dire faiseur de longues phrases, et content de lui si jamais Docteur le fut. Je ne me laissai pourtant pas trop subjuguer à sa mine imposante, et, sentant qu'après tout je faisais ma tâche[3], je me mis à lui répondre avec assez
860 d'assurance et à le bourrer[4] par-ci par-là du mieux que je pus. Il croyait m'assommer avec saint Augustin[5], saint Grégoire[6] et les autres Pères[7], et il trouvait, avec une surprise incroyable, que je maniais tous ces Pères-là presque aussi légèrement que lui : ce n'était pas que je les eusse
865 jamais lus, ni lui peut-être ; mais j'en avais retenu beaucoup de passages tirés de mon Le Sueur ; et sitôt qu'il m'en citait un, sans disputer[8] sur sa citation, je lui ripostais

---

1. **Battait la campagne :** tentait d'éluder la question par toutes sortes de propos hors sujet.
2. **Il n'entendait pas :** il ne comprenait pas.
3. **Je faisais ma tâche :** je remplissais mon rôle.
4. **Bourrer :** ici, *bourrer* non de coups mais d'arguments.
5. **Saint Augustin :** évêque africain, docteur et Père de l'Église (354-430 après J.-C.), dont les écrits alimentèrent tous les débats théologiques du XVIIe siècle notamment.
6. **Saint Grégoire :** saint Grégoire de Nazianze, docteur de l'Église du IVe siècle après J.-C., auteur de nombreux sermons et discours.
7. **Pères :** anciens écrivains chrétiens qui, par leurs œuvres, la valeur de leur doctrine et la sainteté de leur vie, font autorité en matière de foi.
8. **Disputer :** discuter.

par une autre du même Père, et qui souvent l'embarrassait beaucoup. Il l'emportait pourtant à la fin par deux raisons : l'une, qu'il était le plus fort, et que, me sentant pour ainsi dire à sa merci, je jugeais très bien, quelque jeune que je fusse, qu'il ne fallait pas le pousser à bout ; car je voyais assez que le vieux petit prêtre n'avait pris en amitié ni mon érudition ni moi ; l'autre raison était que le jeune avait de l'étude et que je n'en avais point. Cela faisait qu'il mettait dans sa manière d'argumenter une méthode que je ne pouvais pas suivre, et que, sitôt qu'il se sentait pressé d'une objection imprévue, il la remettait au lendemain, disant que je sortais du sujet présent. Il rejetait même quelquefois toutes mes citations, soutenant qu'elles étaient fausses, et, s'offrant à m'aller chercher le livre, me défiait de les y trouver. Il sentait qu'il ne risquait pas grand'chose, et qu'avec toute mon érudition d'emprunt[1], j'étais trop peu exercé à manier les livres, et trop peu latiniste pour trouver un passage dans un gros volume, quand même je serais assuré qu'il y est. Je le soupçonne même d'avoir usé de l'infidélité dont il accusait les Ministres, et d'avoir fabriqué quelquefois des passages pour se tirer d'une objection qui l'incommodait.

Tandis que duraient ces petites ergoteries[2], et que les jours se passaient à disputer, à marmotter des prières et à faire le vaurien, il m'arriva une petite vilaine aventure assez dégoûtante, et qui faillit même à finir fort mal pour moi.

Il n'y a point d'âme si vile et de cœur si barbare qui ne soit susceptible de quelque sorte d'attachement. L'un de ces deux bandits qui se disaient Maures me prit en affection. Il m'accostait volontiers, causait avec moi dans

1. **Érudition d'emprunt :** culture qui n'est pas fondée sur l'étude des sources historiques et la lecture approfondie des ouvrages mais acquise grâce à des anthologies, des compilations et des commentaires.
2. **Ergoteries :** discussions sans intérêt ; ergoter signifie trouver à redire sur des détails, tergiverser au moyen d'arguments fallacieux.

son baragouin[1] franc, me rendait de petits services, me faisait part quelquefois de sa portion à table, et me donnait
900 surtout de fréquents baisers avec une ardeur qui m'était fort incommode. Quelque effroi que j'eusse naturellement de ce visage de pain d'épice, orné d'une longue balafre, et de ce regard allumé qui semblait plutôt furieux que tendre, j'endurais ces baisers en me disant en moi-même : le pauvre
905 homme a conçu pour moi une amitié bien vive ; j'aurais tort de le rebuter. Il passait par degrés à des manières plus libres, et tenait de si singuliers propos, que je croyais quelquefois que la tête lui avait tourné. Un soir, il voulut venir coucher avec moi ; je m'y opposai, disant que mon lit était
910 trop petit. Il me pressa d'aller dans le sien ; je le refusai encore ; car ce misérable était si malpropre et puait si fort le tabac mâché, qu'il me faisait mal au cœur.

Le lendemain, d'assez bon matin, nous étions tous deux seuls dans la salle d'assemblée : il recommença ses caresses,
915 mais avec des mouvements si violents qu'il en était effrayant. Enfin, il voulut passer par degrés aux privautés les plus malpropres et me forcer, en disposant de ma main, d'en faire autant. Je me dégageai impétueusement en poussant un cri et faisant un saut en arrière, et, sans mar-
920 quer ni indignation ni colère, car je n'avais pas la moindre idée de ce dont il s'agissait, j'exprimai ma surprise et mon dégoût avec tant d'énergie, qu'il me laissa là : mais tandis qu'il achevait de se démener, je vis partir vers la cheminée et tomber à terre je ne sais quoi de gluant et de blanchâtre
925 qui me fit soulever le cœur. Je m'élançai sur le balcon, plus ému, plus troublé, plus effrayé même que je ne l'avais été de ma vie, et prêt à me trouver mal.

Je ne pouvais comprendre ce qu'avait ce malheureux ; je le crus saisi du haut mal[2], ou de quelque frénésie[3]

1. **Baragouin :** langue incompréhensible.
2. **Haut mal :** désigne l'épilepsie.
3. **Frénésie :** égarement d'esprit, crise de folie.

encore plus terrible, et véritablement je ne sache rien de plus hideux à voir pour quelqu'un de sang-froid que cet obscène et sale maintien, et ce visage affreux enflammé de la plus brutale concupiscence[1]. Je n'ai jamais vu d'autre homme en pareil état ; mais si nous sommes ainsi dans nos transports près des femmes, il faut qu'elles aient les yeux bien fascinés pour ne pas nous prendre en horreur.

Je n'eus rien de plus pressé que d'aller conter à tout le monde ce qui venait de m'arriver. Notre vieille intendante me dit de me taire, mais je vis que cette histoire l'avait fort affectée, et je l'entendais grommeler entre ses dents : *Can maledet ! bruta bestia !*[2] Comme je ne comprenais pas pourquoi je devais me taire, j'allai toujours mon train, malgré la défense, et je bavardai si bien que le lendemain un des administrateurs vint de bon matin m'adresser une assez vive mercuriale[3], m'accusant de faire beaucoup de bruit pour peu de mal et de commettre[4] l'honneur d'une maison sainte.

Il prolongea sa censure[5] en m'expliquant beaucoup de choses que j'ignorais, mais qu'il ne croyait pas m'apprendre, persuadé que je m'étais défendu sachant ce qu'on me voulait, et n'y voulant pas consentir. Il me dit gravement que c'était une œuvre défendue, ainsi que la paillardise[6], mais dont au reste l'intention n'était pas plus offensante pour la personne qui en était l'objet, et qu'il n'y avait pas de quoi s'irriter si fort pour avoir été trouvé aimable. Il me dit sans détour que lui-même, dans sa jeunesse, avait eu le même honneur, et qu'ayant été surpris hors d'état de faire résis-

---

1. **Concupiscence :** désir sexuel ardent.
2. ***Can maledet ! bruta bestia !*** **:** « Maudit chien ! La sale bête ! » en patois piémontais.
3. **Mercuriale :** réprimande, remontrance.
4. **Commettre :** compromettre.
5. **Censure :** ici, réprimande, leçon de morale.
6. **Paillardise :** luxure, vie de débauche.

tance, il n'avait rien trouvé là de si cruel. Il poussa l'impudence jusqu'à se servir des propres termes, et s'imaginant
960 que la cause de ma résistance était la crainte de la douleur, il m'assura que cette crainte était vaine, et qu'il ne fallait pas s'alarmer de rien.

J'écoutais cet infâme avec un étonnement d'autant plus grand qu'il ne parlait point pour lui-même ; il semblait ne
965 m'instruire que pour mon bien. Son discours lui paraissait si simple qu'il n'avait pas même cherché le secret du tête-à-tête ; et nous avions en tiers un ecclésiastique que tout cela n'effarouchait pas plus que lui. Cet air naturel m'en imposa tellement, que j'en vins à croire que c'était sans
970 doute un usage admis dans le monde, et dont je n'avais pas eu plus tôt occasion d'être instruit. Cela fit que je l'écoutai sans colère, mais non sans dégoût. L'image de ce qui m'était arrivé, mais surtout de ce que j'avais vu, restait si fortement empreinte dans ma mémoire, qu'en y pen-
975 sant, le cœur me soulevait encore. Sans que j'en susse davantage, l'aversion de la chose s'étendit à l'apologiste[1], et je ne pus me contraindre assez pour qu'il ne vît pas le mauvais effet de ses leçons. Il me lança un regard peu caressant, et dès lors il n'épargna rien pour me rendre le
980 séjour de l'hospice désagréable. Il y parvint si bien que, n'apercevant pour en sortir qu'une seule voie, je m'empressai de la prendre, autant que jusque-là je m'étais efforcé de l'éloigner.

Cette aventure me mit pour l'avenir à couvert des entre-
985 prises des Chevaliers de la manchette[2], et la vue des gens qui passaient pour en être, me rappelant l'air et les gestes de mon effroyable Maure, m'a toujours inspiré tant d'horreur, que j'avais peine à la cacher. Au contraire, les femmes gagnèrent beaucoup dans mon esprit à cette

---

1. **Apologiste :** défenseur de la religion chrétienne.
2. **Chevaliers de la manchette :** expression d'origine obscure qui désigne les homosexuels.

comparaison : il me semblait que je leur devais en tendresse de sentiments, en hommage de ma personne, la réparation des offenses de mon sexe, et la plus laide guenon devenait à mes yeux un objet adorable, par le souvenir de ce faux Africain. 990

Pour lui, je ne sais ce qu'on put lui dire ; il ne me parut pas que, excepté la dame Lorenza, personne le vît de plus mauvais œil qu'auparavant. Cependant il ne m'accosta ni ne me parla plus. Huit jours après ; il fut baptisé en grande cérémonie, et habillé de blanc de la tête aux pieds, pour représenter la candeur de son âme régénérée. Le lendemain il sortit de l'hospice et je ne l'ai jamais revu. 995 1000

Mon tour vint un mois après ; car il fallut tout ce temps-là pour donner à mes directeurs l'honneur d'une conversion difficile, et l'on me fit passer en revue tous les dogmes pour triompher de ma nouvelle docilité. 1005

Enfin, suffisamment instruit et suffisamment disposé au gré de mes maîtres, je fus mené processionnellement à l'église métropolitaine de Saint-Jean pour y faire une abjuration solennelle et recevoir les accessoires du baptême, quoiqu'on ne me baptisât pas réellement : mais comme ce sont à peu près les mêmes cérémonies, cela sert à persuader au peuple que les protestants ne sont pas chrétiens. J'étais revêtu d'une certaine robe grise, garnie de brandebourgs[1] blancs, et destinée pour ces sortes d'occasions. Deux hommes portaient, devant et derrière moi, des bassins de cuivre, sur lesquels ils frappaient avec une clef, et où chacun mettait son aumône, au gré de sa dévotion ou de l'intérêt qu'il prenait au nouveau converti. Enfin, rien du faste catholique ne fut omis pour rendre la solennité plus édifiante pour le public, et plus humiliante pour moi. Il n'y eut que l'habit blanc, qui m'eût été fort utile, et 1010 1015 1020

1. **Brandebourgs :** passementerie ressemblant à un galon brodé ornant les boutonnières.

qu'on ne me donna pas comme au Maure, attendu que je n'avais pas l'honneur d'être Juif.

Ce ne fut pas tout. Il fallut ensuite aller à l'Inquisition[1]
1025 recevoir l'absolution du crime d'hérésie[2], et rentrer dans le sein de l'Église avec la même cérémonie à laquelle Henri IV[3] fut soumis par son ambassadeur. L'air et les manières du très Révérend Père Inquisiteur n'étaient pas propres à dissiper la terreur secrète qui m'avait saisi en entrant dans
1030 cette maison. Après plusieurs questions sur ma foi, sur mon état, sur ma famille, il me demanda brusquement si ma mère était damnée. L'effroi me fit réprimer le premier mouvement de mon indignation ; je me contentai de répondre que je voulais espérer qu'elle ne l'était pas, et
1035 que Dieu avait pu l'éclairer à sa dernière heure. Le moine se tut, mais il fit une grimace qui ne me parut point du tout un signe d'approbation.

Tout cela fait, au moment où je pensais être enfin placé selon mes espérances, on me mit à la porte avec un peu
1040 plus de vingt francs en petite monnaie qu'avait produit ma quête. On me recommanda de vivre en bon chrétien, d'être fidèle à la grâce ; on me souhaita bonne fortune, on ferma sur moi la porte, et tout disparut.

Ainsi s'éclipsèrent en un instant toutes mes grandes
1045 espérances, et il ne me resta de la démarche intéressée que je venais de faire que le souvenir d'avoir été apostat[4] et dupe tout à la fois. Il est aisé de juger quelle brusque révolution dut se faire dans mes idées, lorsque de mes brillants projets de fortune je me vis tomber dans la plus

---

1. **Inquisition :** tribunal de l'Église catholique chargé de condamner les hérétiques.
2. **Hérésie :** doctrine ou opinion condamnée par l'Église car contraire aux dogmes.
3. **Henri IV :** pour devenir roi de France, Henri IV avait abjuré le protestantisme et s'était converti au catholicisme.
4. **Apostat :** qui renonce à sa foi.

complète misère, et qu'après avoir délibéré le matin sur le choix du palais que j'habiterais, je me vis le soir réduit à coucher dans la rue. On croira que je commençai par me livrer à un désespoir d'autant plus cruel que le regret de mes fautes devait s'irriter, en me reprochant que tout mon malheur était mon ouvrage. Rien de tout cela. Je venais pour la première fois de ma vie d'être enfermé pendant plus de deux mois ; le premier sentiment que je goûtai fut celui de la liberté que j'avais recouvrée. Après un long esclavage, redevenu maître de moi-même et de mes actions, je me voyais au milieu d'une grande ville abondante en ressources, pleine de gens de condition[1] dont mes talents et mon mérite ne pouvaient manquer de me faire accueillir sitôt que j'en serais connu. J'avais de plus tout le temps d'attendre, et vingt francs que j'avais dans ma poche me semblaient un trésor qui ne pouvait s'épuiser. J'en pouvais disposer à mon gré, sans rendre compte à personne. C'était la première fois que je m'étais vu si riche. Loin de me livrer au découragement et aux larmes, je ne fis que changer d'espérances, et l'amour-propre n'y perdit rien. Jamais je ne me sentis tant de confiance et de sécurité ; je croyais déjà ma fortune faite, et je trouvais beau de n'en avoir l'obligation qu'à moi seul.

La première chose que je fis fut de satisfaire ma curiosité en parcourant toute la ville, quand ce n'eût été que pour faire un acte de ma liberté. J'allai voir monter la garde ; les instruments militaires me plaisaient beaucoup. Je suivis des processions ; j'aimais le faux bourdon[2] des prêtres : j'allai voir le Palais du Roi ; j'en approchais avec crainte ; mais voyant d'autres gens entrer, je fis comme eux ; on me laissa faire. Peut-être dus-je cette grâce au petit paquet que j'avais sous le bras. Quoi qu'il en soit, je

1. **Gens de condition :** gens de qualité, nobles.
2. **Faux bourdon :** pièce de musique.

conçus une grande opinion de moi-même, en me trouvant dans ce palais ; déjà je m'en regardais presque comme un habitant. Enfin, à force d'aller et venir, je me lassai ; j'avais faim, il faisait chaud : j'entrai chez une marchande de laitage ; on me donna de la giuncà[1], du lait caillé, et avec deux grisses[2] de cet excellent pain de Piémont que j'aime plus qu'aucun autre, je fis pour mes cinq ou six sols un des bons dîners que j'aie faits de mes jours.

Il fallut chercher un gîte. Comme je savais déjà assez de piémontais pour me faire entendre, il ne me fut pas difficile à trouver, et j'eus la prudence de le choisir plus selon ma bourse que selon mon goût. On m'enseigna dans la rue du Pô la femme d'un soldat qui retirait[3] à un sol par nuit des domestiques hors de service. Je trouvai chez elle un grabat[4] vide, et je m'y établis. Elle était jeune et nouvellement mariée, quoiqu'elle eût déjà cinq ou six enfants. Nous couchâmes tous dans la même chambre, la mère, les enfants, les hôtes ; et cela dura de cette façon tant que je restai chez elle. Au demeurant c'était une bonne femme, jurant comme un charretier, toujours débraillée et décoiffée, mais douce de cœur, officieuse, qui me prit en amitié, et qui même me fut utile.

Je passai plusieurs jours à me livrer uniquement au plaisir de l'indépendance et de la curiosité. J'allais errant dedans et dehors la ville, furetant, visitant tout ce qui me paraissait curieux et nouveau ; et tout l'était pour un jeune homme sortant de sa niche, qui n'avait jamais vu de capitale. J'étais surtout fort exact à faire ma cour, et j'assistais régulièrement tous les matins à la messe du Roi. Je trouvais beau de me voir dans la même chapelle avec ce

1. **Giuncà :** lait caillé.
2. **Grisses :** mot savoyard pour désigner ce que les Italiens nomment *gressini*, des gressins (petits bâtons de pain dur).
3. **Qui retirait :** qui logeait, offrait un abri.
4. **Grabat :** lit d'aspect misérable.

Prince et sa suite : mais ma passion pour la musique, qui commençait à se déclarer, avait plus de part à mon assiduité que la pompe de la Cour, qui, bientôt vue et toujours la même, ne frappe pas longtemps. Le roi de Sardaigne avait alors la meilleure symphonie de l'Europe. Somis, Desjardins, les Bezozzi[1] y brillaient alternativement. Il n'en fallait pas tant pour attirer un jeune homme que le jeu du moindre instrument, pourvu qu'il fût juste, transportait d'aise. Du reste, je n'avais pour la magnificence qui frappait mes yeux qu'une admiration stupide et sans convoitise. La seule chose qui m'intéressât dans tout l'éclat de la Cour était de voir s'il n'y aurait point là quelque jeune Princesse qui méritât mon hommage, et avec laquelle je pusse faire un roman.

Je faillis en commencer un dans un état moins brillant, mais où, si je l'eusse mis à fin, j'aurais trouvé des plaisirs mille fois plus délicieux.

Quoique je vécusse avec beaucoup d'économie, ma bourse insensiblement s'épuisait. Cette économie, au reste, était moins l'effet de la prudence que d'une simplicité de goût que même aujourd'hui l'usage des grandes tables n'a point altéré. Je ne connaissais pas et je ne connais pas encore de meilleure chère que celle d'un repas rustique. Avec du laitage, des œufs, des herbes, du fromage, du pain bis et du vin passable, on est toujours sûr de me bien régaler ; mon bon appétit fera le reste, quand un maître d'hôtel et des laquais autour de moi ne me rassasieront pas de leur importun aspect. Je faisais alors de beaucoup meilleurs repas[2], avec six ou sept sols de dépense, que je ne les ai faits depuis à six ou sept francs. J'étais donc sobre, faute d'être tenté de ne pas l'être : encore ai-je tort d'appeler tout cela sobriété, car j'y

1. **Somis, Desjardins, les Bezozzi :** musiciens du roi de Sardaigne.
2. **De beaucoup meilleurs repas :** de bien meilleurs repas.

mettais toute la sensualité possible. Mes poires, ma giuncà, mon fromage, mes grisses, et quelques verres d'un gros vin de Montferrat[1] à couper par tranches[2], me rendaient le plus heureux des gourmands. Mais encore avec tout cela pouvait-on voir la fin de vingt livres. C'était ce que j'apercevais plus sensiblement de jour en jour, et malgré l'étourderie de mon âge, mon inquiétude sur l'avenir alla bientôt jusqu'à l'effroi. De tous mes châteaux en Espagne, il ne me resta que celui de chercher une occupation qui me fît vivre, encore n'était-il pas facile à réaliser. Je songeai à mon ancien métier ; mais je ne le savais pas assez pour aller travailler chez un maître, et les maîtres même n'abondaient pas à Turin. Je pris donc, en attendant mieux, le parti d'aller m'offrir de boutique en boutique pour graver un chiffre ou des armes sur de la vaisselle, espérant tenter les gens par le bon marché, en me mettant à leur discrétion. Cet expédient[3] ne fut pas fort heureux. Je fus presque partout éconduit, et ce que je trouvais à faire était si peu de chose, qu'à peine y gagnai-je quelques repas. Un jour, cependant, passant d'assez bon matin dans la Contrà Nova[4], je vis, à travers les vitres d'un comptoir, une jeune marchande de si bonne grâce et d'un air si attirant, que, malgré ma timidité près des dames, je n'hésitai pas d'entrer et de lui offrir mon petit talent. Elle ne me rebuta point, me fit asseoir, conter ma petite histoire, me plaignit, me dit d'avoir bon courage, et que les bons chrétiens ne m'abandonneraient pas ; puis, tandis qu'elle envoyait chercher, chez un orfèvre du voisinage, les outils dont j'avais dit avoir besoin, elle monta dans sa cuisine, et m'apporta elle-même à déjeuner. Ce début me parut de bon augure ; la suite ne le démentit pas. Elle parut contente

1. **Vin de Montferrat :** vin du nord de l'Italie.
2. **À couper par tranches :** très épais.
3. **Cet expédient :** ce moyen, cette solution.
4. **Contrà Nova :** principale rue de Turin.

de mon petit travail, encore plus de mon petit babil[1] quand je me fus un peu rassuré ; car elle était brillante et parée, et, malgré son air gracieux, cet éclat m'en avait imposé. Mais son accueil plein de bonté, son ton compatissant, ses manières douces et caressantes, me mirent bientôt à mon aise. Je vis que je réussissais, et cela me fit réussir davantage. Mais quoique Italienne, et trop jolie pour n'être pas un peu coquette, elle était pourtant si modeste, et moi si timide, qu'il était difficile que cela vînt sitôt à bien. On ne nous laissa pas le temps d'achever l'aventure. Je ne m'en rappelle qu'avec plus de charmes les courts moments que j'ai passés auprès d'elle, et je puis dire y avoir goûté dans leurs prémices les plus doux ainsi que les plus purs plaisirs de l'amour.

C'était une brune extrêmement piquante, mais dont le bon naturel peint sur son joli visage rendait la vivacité touchante. Elle s'appelait Madame Basile. Son mari, plus âgé qu'elle et passablement jaloux, la laissait, durant ses voyages, sous la garde d'un commis[2] trop maussade pour être séduisant, et qui ne laissait pas d'avoir des prétentions pour son compte, qu'il ne montrait guère que par sa mauvaise humeur. Il en prit beaucoup contre moi, quoique j'aimasse à l'entendre jouer de la flûte, dont il jouait assez bien. Ce nouvel Égisthe[3] grognait toujours quand il me voyait entrer chez sa dame : il me traitait avec un dédain qu'elle lui rendait bien. Il semblait même qu'elle se plût, pour le tourmenter, à me caresser en sa présence, et cette sorte de vengeance, quoique fort de mon goût, l'eût été bien plus dans le tête-à-tête. Mais elle ne la poussait pas jusque-là, ou du moins ce n'était pas de la même manière. Soit qu'elle me trouvât trop jeune, soit

---

1. **Babil :** discours rapide.
2. **Commis :** employé.
3. **Égisthe :** personnage mythologique ; Agamemnon, en partant pour le siège de Troie, lui avait confié son épouse, Clytemnestre.

qu'elle ne sût point faire les avances, soit qu'elle voulût sérieusement être sage, elle avait alors une sorte de réserve qui n'était pas repoussante, mais qui m'intimidait sans que je susse pourquoi. Quoique je ne me sentisse pas pour elle ce respect aussi vrai que tendre que j'avais pour Mme de Warens, je me sentais plus de crainte et bien moins de familiarité. J'étais embarrassé, tremblant ; je n'osais la regarder, je n'osais respirer auprès d'elle ; cependant je craignais plus que la mort de m'en éloigner. Je dévorais d'un œil avide tout ce que je pouvais regarder sans être aperçu : les fleurs de sa robe, le bout de son joli pied, l'intervalle d'un bras ferme et blanc qui paraissait entre son gant et sa manchette, et celui qui se faisait quelquefois entre son tour de gorge et son mouchoir. Chaque objet ajoutait à l'impression des autres. À force de regarder ce que je pouvais voir, et même au-delà, mes yeux se troublaient, ma poitrine s'oppressait, ma respiration, d'instant en instant plus embarrassée, me donnait beaucoup de peine à gouverner[1], et tout ce que je pouvais faire était de filer sans bruit des soupirs fort incommodes dans le silence où nous étions assez souvent. Heureusement Mme Basile occupée à son ouvrage, ne s'en apercevait pas, à ce qu'il me semblait. Cependant je voyais quelquefois, par une sorte de sympathie, son fichu[2] se renfler assez fréquemment. Ce dangereux spectacle achevait de me perdre, et quand j'étais prêt à céder à mon transport, elle m'adressait quelque mot d'un ton tranquille qui me faisait rentrer en moi-même à l'instant.

Je la vis plusieurs fois seule de cette manière, sans que jamais un mot, un geste, un regard même trop expressif marquât entre nous la moindre intelligence. Cet état, très tourmentant pour moi, faisait cependant mes délices, et à

1. **Beaucoup de peine à gouverner :** beaucoup de peine à me contenir.
2. **Fichu :** mouchoir brodé que les femmes portaient autour du cou et sur la gorge.

peine dans la simplicité de mon cœur pouvais-je imaginer pourquoi j'étais si tourmenté. Il paraissait que ces petits tête-à-tête ne lui déplaisaient pas non plus, du moins elle en rendait les occasions assez fréquentes ; soin bien gratuit assurément de sa part pour l'usage qu'elle en faisait et qu'elle m'en laissait faire. 1240

Un jour qu'ennuyée des sots colloques du commis elle avait monté dans sa chambre, je me hâtai, dans l'arrière-boutique où j'étais, d'achever ma petite tâche et je la suivis. Sa chambre était entr'ouverte ; j'y entrai sans être aperçu. Elle brodait près d'une fenêtre, ayant, en face, le côté de la chambre opposé à la porte. Elle ne pouvait me voir entrer, ni m'entendre, à cause du bruit que des chariots faisaient dans la rue. Elle se mettait toujours bien : ce jour-là sa parure approchait de la coquetterie. Son attitude était gracieuse, sa tête un peu baissée laissait voir la blancheur de son cou ; ses cheveux relevés avec élégance étaient ornés de fleurs. Il régnait dans toute sa figure un charme que j'eus le temps de considérer, et qui me mit hors de moi. Je me jetai à genoux à l'entrée de la chambre, en tendant les bras vers elle d'un mouvement passionné, bien sûr qu'elle ne pouvait m'entendre, et ne pensant pas qu'elle pût me voir : mais il y avait à la cheminée une glace qui me trahit. Je ne sais quel effet ce transport fit sur elle ; elle ne me regarda point, ne me parla point ; mais tournant à demi la tête, d'un simple mouvement de doigt, elle me montra la natte[1] à ses pieds. Tressaillir, pousser un cri, m'élancer à la place qu'elle m'avait marquée, ne fut pour moi qu'une même chose ; mais ce qu'on aurait peine à croire est que dans cet état je n'osai rien entreprendre au-delà, ni dire un seul mot, ni lever les yeux sur elle, ni la toucher même, dans une attitude aussi contrainte, pour m'appuyer un instant sur ses genoux. J'étais muet, immo- 1245 1250 1255 1260 1265 1270

1. **Natte :** tissu de paille ou de jonc posé par terre en guise de tapis.

bile : mais non pas tranquille assurément : tout marquait en moi l'agitation, la joie, la reconnaissance, les ardents désirs incertains dans leur objet, et contenus par la frayeur de déplaire sur laquelle mon jeune cœur ne pouvait se 1275 rassurer.

Elle ne paraissait ni plus tranquille ni moins timide que moi. Troublée de me voir là, interdite de m'y avoir attiré, et commençant à sentir toute la conséquence d'un signe parti sans doute avant la réflexion, elle ne m'accueillait ni 1280 me repoussait, elle n'ôtait pas les yeux de dessus son ouvrage, elle tâchait de faire comme si elle ne m'eût pas vu à ses pieds : mais toute ma bêtise ne m'empêchait pas de juger qu'elle partageait mon embarras, peut-être mes désirs, et qu'elle était retenue par une honte semblable à 1285 la mienne, sans que cela me donnât la force de la surmonter. Cinq ou six ans qu'elle avait de plus que moi devaient, selon moi, mettre de son côté toute la hardiesse, et je me disais que, puisqu'elle ne faisait rien pour exciter la mienne, elle ne voulait pas que j'en eusse. Même encore 1290 aujourd'hui je trouve que je pensais juste, et sûrement elle avait trop d'esprit pour ne pas voir qu'un novice tel que moi avait besoin non seulement d'être encouragé, mais d'être instruit.

Je ne sais comment eût fini cette scène vive et muette, 1295 ni combien de temps j'aurais demeuré immobile dans cet état ridicule et délicieux, si nous n'eussions été interrompus. Au plus fort de mes agitations, j'entendis ouvrir la porte de la cuisine, qui touchait la chambre où nous étions, et Mme Basile alarmée me dit vivement de la voix 1300 et du geste : « Levez-vous, voici Rosina ». En me levant en hâte, je saisis une main qu'elle me tendait, et j'y appliquai deux baisers brûlants, au second desquels je sentis cette charmante main se presser un peu contre mes lèvres. De mes jours je n'eus un si doux moment : mais l'occasion 1305 que j'avais perdue ne revint plus, et nos jeunes amours en restèrent là.

C'est peut-être pour cela même que l'image de cette aimable femme est restée empreinte au fond de mon cœur en traits si charmants. Elle s'y est même embellie à mesure que j'ai mieux connu le monde et les femmes. 1310

Pour peu qu'elle eût eu d'expérience, elle s'y fût prise autrement pour animer un petit garçon ; mais si son cœur était faible, il était honnête ; elle cédait involontairement au penchant qui l'entraînait : c'était, selon toute apparence, sa première infidélité, et j'aurais peut-être eu plus à 1315 faire à vaincre sa honte que la mienne. Sans être venu là, j'ai goûté près d'elle des douceurs inexprimables. Rien de tout ce que m'a fait sentir la possession des femmes ne vaut les deux minutes que j'ai passées à ses pieds sans même oser toucher à sa robe. Non, il n'y a point de jouis- 1320 sances pareilles à celles que peut donner une honnête femme qu'on aime ; tout est faveur auprès d'elle. Un petit signe du doigt, une main légèrement pressée contre ma bouche, sont les seules faveurs que je reçus jamais de Mme Basile, et le souvenir de ces faveurs si légères me 1325 transporte encore en y pensant.

Les deux jours suivants, j'eus beau guetter un nouveau tête-à-tête, il me fut impossible d'en trouver le moment, et je n'aperçus de sa part aucun soin pour le ménager. Elle eut même le maintien[1] non plus froid, mais plus retenu 1330 qu'à l'ordinaire, et je crois qu'elle évitait mes regards, de peur de ne pouvoir assez gouverner les siens. Son maudit commis fut plus désolant que jamais : il devint même railleur, goguenard[2] ; il me dit que je ferais mon chemin près des dames. Je tremblais d'avoir commis quelque indiscré- 1335 tion, et, me regardant déjà comme d'intelligence avec elle, je voulus couvrir du mystère un goût qui jusqu'alors n'en avait pas grand besoin. Cela me rendit plus circonspect à

1. **Le maintien :** la contenance, la façon de se comporter.
2. **Goguenard :** narquois, railleur.

saisir les occasions de le satisfaire, et à force de les vouloir
1340 sûres, je n'en trouvai plus du tout.

Voici encore une autre folie romanesque dont jamais je n'ai pu me guérir, et qui, jointe à ma timidité naturelle, a beaucoup démenti les prédictions du commis. J'aimais trop sincèrement, trop parfaitement, j'ose dire, pour pou-
1345 voir aisément être heureux. Jamais passions ne furent en même temps plus vives et plus pures que les miennes, jamais amour ne fut plus tendre, plus vrai, plus désintéressé. J'aurais mille fois sacrifié mon bonheur à celui de la personne que j'aimais ; sa réputation m'était plus chère
1350 que ma vie, et jamais pour tous les plaisirs de la jouissance je n'aurais voulu compromettre un moment son repos. Cela m'a fait apporter tant de soins, tant de secret, tant de précaution dans mes entreprises, que jamais aucune n'a pu réussir. Mon peu de succès près des femmes est tou-
1355 jours venu de les trop aimer.

Pour revenir au flûteur Égisthe, ce qu'il y avait de singulier, était qu'en devenant plus insupportable, le traître semblait devenir plus complaisant. Dès le premier jour que sa dame m'avait pris en affection, elle avait songé à
1360 me rendre utile dans le magasin. Je savais passablement l'arithmétique ; elle lui avait proposé de m'apprendre à tenir les livres ; mais mon bourru reçut très mal la proposition, craignant peut-être d'être supplanté. Ainsi tout mon travail après mon burin était de transcrire quelques comptes
1365 et mémoires, de mettre au net quelques livres, et de traduire quelques lettres de commerce d'italien en français. Tout d'un coup mon homme s'avisa de revenir à la proposition faite et rejetée, et dit qu'il m'apprendrait les comptes à parties doubles[1] ; et qu'il voulait me mettre en état
1370 d'offrir mes services à M. Basile, quand il serait de retour.

1. **Comptes à parties doubles :** comptes des marchandises reçues et des marchandises livrées.

Il y avait dans son ton, dans son air, je ne sais quoi de faux, de malin[1], d'ironique, qui ne me donnait pas de la confiance. Mme Basile, sans attendre ma réponse, lui dit sèchement que je lui étais obligé de ses offres, qu'elle espérait que la fortune favoriserait enfin mon mérite, et que ce serait grand dommage qu'avec tant d'esprit je ne fusse qu'un commis. 1375

Elle m'avait dit plusieurs fois qu'elle voulait me faire faire une connaissance qui pourrait m'être utile. Elle pensait assez sagement pour sentir qu'il était temps de me détacher d'elle. Nos muettes déclarations s'étaient faites le jeudi. Le dimanche elle donna un dîner, où je me trouvai et où se trouva aussi un Jacobin[2] de bonne mine auquel elle me présenta. Le moine me traita très affectueusement, me félicita sur ma conversion, et me dit plusieurs choses sur mon histoire qui m'apprirent qu'elle la lui avait détaillée ; puis, me donnant deux petits coups d'un revers de main sur la joue, il me dit d'être sage, d'avoir bon courage, et de l'aller voir, que nous causerions plus à loisir ensemble. Je jugeai, par les égards que tout le monde avait pour lui, que c'était un homme de considération, et par le ton paternel qu'il prenait avec Mme Basile, qu'il était son confesseur. Je me rappelle bien aussi que sa décente familiarité était mêlée de marques d'estime et même de respect pour sa pénitente, qui me firent alors moins d'impression qu'elles ne m'en font aujourd'hui. Si j'avais eu plus d'intelligence, combien j'eusse été touché d'avoir pu rendre sensible une jeune femme respectée par son confesseur ! 1380 1385 1390 1395

La table ne se trouva pas assez grande pour le nombre que nous étions ; il en fallut une petite, où j'eus l'agréable tête-à-tête de Monsieur le Commis. Je n'y perdis rien du côté des attentions et de la bonne chère ; il y eut bien des assiettes envoyées à la petite table dont l'intention n'était 1400

---

1. **Malin :** malfaisant.
2. **Un Jacobin :** un religieux de l'ordre des Dominicains.

sûrement pas pour lui. Tout allait très bien jusque-là : les
1405 femmes étaient fort gaies, les hommes fort galants ;
Mme Basile faisait ses honneurs avec une grâce charmante. Au milieu du dîner, l'on entend arrêter une chaise[1] à la porte ; quelqu'un monte, c'est M. Basile. Je le vois comme s'il entrait actuellement, en habit d'écarlate[2] à
1410 boutons d'or, couleur que j'ai prise en aversion depuis ce jour-là. M. Basile était un grand et bel homme qui se présentait très bien. Il entre avec fracas, et de l'air de quelqu'un qui surprend son monde, quoiqu'il n'y eût là que de ses amis. Sa femme lui saute au cou, lui prend les
1415 mains, lui fait mille caresses qu'il reçoit sans les lui rendre. Il salue la compagnie, on lui donne un couvert, il mange. À peine avait-on commencé de parler de son voyage, que, jetant les yeux sur la petite table, il demande d'un ton sévère ce que c'est que ce petit garçon qu'il aperçoit là.
1420 Mme Basile le lui dit tout naïvement. Il demande si je loge dans la maison. On lui dit que non. Pourquoi non ? reprend-il grossièrement : puisqu'il s'y tient le jour, il peut bien y rester la nuit. Le moine prit la parole, et après un éloge grave et vrai de Mme Basile, il fit le mien en peu de
1425 mots ; ajoutant que, loin de blâmer la pieuse charité de sa femme, il devait s'empresser d'y prendre part, puisque rien n'y passait les bornes de la discrétion. Le mari répliqua d'un ton d'humeur, dont il cachait la moitié, contenu par la présence du moine, mais qui suffit pour me faire sentir
1430 qu'il avait des instructions sur mon compte, et que le commis m'avait servi de sa façon.

À peine était-on hors de table, que celui-ci, dépêché par[3] son bourgeois, vint en triomphe me signifier de sa part de sortir à l'instant de chez lui, et de n'y remettre les
1435 pieds de ma vie. Il assaisonna sa commission de tout ce

1. **Une chaise :** petit véhicule.
2. **D'écarlate :** rouge très vif.
3. **Dépêché par :** envoyé par, sur l'ordre de.

qui pouvait la rendre insultante et cruelle. Je partis sans rien dire, mais le cœur navré, moins de quitter cette aimable femme que de la laisser en proie à la brutalité de son mari. Il avait raison, sans doute, de ne vouloir pas qu'elle fût infidèle ; mais, quoique sage et bien née, elle était Italienne, c'est-à-dire sensible et vindicative[1], et il avait tort, ce me semble, de prendre avec elle les moyens les plus propres à s'attirer le malheur qu'il craignait. 1440

Tel fut le succès de ma première aventure. Je voulus essayer de repasser deux ou trois fois dans la rue, pour revoir au moins celle que mon cœur regrettait sans cesse ; mais au lieu d'elle je ne vis que son mari et le vigilant commis, qui, m'ayant aperçu, me fit, avec l'aune[2] de la boutique, un geste plus expressif qu'attirant. Me voyant si bien guetté, je perdis courage et n'y passai plus. Je voulus aller voir au moins le patron qu'elle m'avait ménagé. Malheureusement je ne savais pas son nom. Je rôdai plusieurs fois inutilement autour du couvent, pour tâcher de le rencontrer. Enfin d'autres événements m'ôtèrent les charmants souvenirs de Mme Basile, et dans peu je l'oubliai si bien, qu'aussi simple et aussi novice[3] qu'auparavant je ne restai pas même affriandé[4] de jolies femmes. 1445 1450 1455

Cependant ses libéralités[5] avaient un peu remonté mon petit équipage, très modestement toutefois, et avec la précaution d'une femme prudente, qui regardait plus à la propreté[6] qu'à la parure, et qui voulait m'empêcher de souffrir, et non pas me faire briller. Mon habit, que j'avais apporté de Genève, était bon et portable encore ; elle y 1460

1. **Vindicative :** qui cherche à se venger de l'offense qui lui a été faite.
2. **L'aune :** bâton dont on se sert pour mesurer le tissu.
3. **Novice :** débutant.
4. **Affriandé :** attiré.
5. **Ses libéralités :** ses dons, sa générosité.
6. **La propreté :** caractère de ce qui est convenable, arrangé conformément aux bienséances.

ajouta seulement un chapeau et quelque linge. Je n'avais
1465 point de manchettes[1] ; elle ne voulut point m'en donner, quoique j'en eusse bonne envie. Elle se contenta de me mettre en état de me tenir propre, et c'est un soin qu'il ne fallut pas me recommander tant que je parus devant elle.

Peu de jours après ma catastrophe, mon hôtesse, qui,
1470 comme je l'ai dit, m'avait pris en amitié, me dit qu'elle m'avait peut-être trouvé une place, et qu'une dame de condition voulait me voir. À ce mot, je me crus tout de bon dans les hautes aventures : car j'en revenais toujours là. Celle-ci ne se trouva pas aussi brillante que je me l'étais
1475 figuré. Je fus chez cette dame avec le domestique qui lui avait parlé de moi. Elle m'interrogea, m'examina : je ne lui déplus pas ; et tout de suite j'entrai à son service, non pas tout à fait en qualité de favori, mais en qualité de laquais. Je fus vêtu de la couleur de ses gens ; la seule distinction fut
1480 qu'ils portaient l'aiguillette[2], et qu'on ne me la donna pas ; comme il n'y avait point de galons à sa livrée[3], cela faisait à peu près un habit bourgeois. Voilà le terme inattendu auquel aboutirent enfin toutes mes grandes espérances.

Madame la comtesse de Vercellis, chez qui j'entrai, était
1485 veuve et sans enfants : son mari était piémontais ; pour elle, je l'ai toujours crue savoyarde, ne pouvant imaginer qu'une Piémontaise parlât si bien français, et eût un accent si pur. Elle était entre deux âges, d'une figure fort noble, d'un esprit orné, aimant la littérature française, et
1490 s'y connaissant. Elle écrivait beaucoup, et toujours en français. Ses lettres avaient le tour et presque la grâce de celles de Mme de Sévigné[4] ; on aurait pu s'y tromper à

---

1. **Manchettes :** ornements qui s'attachent aux manches de la chemise.
2. **Aiguillette :** cordon servant d'ornement ; sur la livrée des domestiques, l'aiguillette servait à indiquer leur état.
3. **Livrée :** vêtement des domestiques.
4. **Mme de Sévigné :** les lettres de la marquise de Sévigné à sa fille, Mme de Grignan, écrites au XVIIe siècle, constituent la correspondance la plus lue de l'époque.

quelques-unes. Mon principal emploi, et qui ne me déplaisait pas, était de les écrire sous sa dictée, un cancer au sein, qui la faisait beaucoup souffrir, ne lui permettant plus d'écrire elle-même. 1495

Mme de Vercellis avait non seulement beaucoup d'esprit, mais une âme élevée et forte. J'ai suivi sa dernière maladie ; je l'ai vu[e] souffrir et mourir sans jamais marquer un instant de faiblesse, sans faire le moindre effort pour se contraindre, sans sortir de son rôle de femme, et sans se douter qu'il y eût à cela de la philosophie, mot qui n'était pas encore à la mode, et qu'elle ne connaissait même pas dans le sens qu'il porte aujourd'hui. Cette force de caractère allait quelquefois jusqu'à la sécheresse. Elle m'a toujours paru aussi peu sensible pour autrui que pour elle-même : et quand elle faisait du bien aux malheureux, c'était pour faire ce qui était bien en soi, plutôt que par une véritable commisération. J'ai un peu éprouvé de cette insensibilité pendant les trois mois que j'ai passés auprès d'elle. Il était naturel qu'elle prît en affection un jeune homme de quelque espérance, qu'elle avait incessamment sous les yeux, et qu'elle songeât, se sentant mourir, qu'après elle il aurait besoin de secours et d'appui : cependant, soit qu'elle ne me jugeât pas digne d'une attention particulière, soit que les gens qui l'obsédaient ne lui aient permis de songer qu'à eux, elle ne fit rien pour moi. 1500 1505 1510 1515

Je me rappelle pourtant fort bien qu'elle avait marqué quelque curiosité de me connaître. Elle m'interrogeait quelquefois : elle était bien aise que je lui montrasse les lettres que j'écrivais à Mme de Warens, que je lui rendisse compte de mes sentiments. Mais elle ne s'y prenait assurément pas bien pour les connaître, en ne me montrant jamais les siens. Mon cœur aimait à s'épancher, pourvu qu'il sentît que c'était dans un autre. Des interrogations sèches et froides, sans aucun signe d'approbation ni de blâme sur mes réponses, ne me donnaient aucune 1520 1525

confiance. Quand rien ne m'apprenait si mon babil[1] plai-
1530 sait ou déplaisait, j'étais toujours en crainte, et je cherchais moins à montrer ce que je pensais qu'à ne rien dire qui pût me nuire. J'ai remarqué depuis que cette manière sèche d'interroger les gens pour les connaître est un tic assez commun chez les femmes qui se piquent d'esprit.
1535 Elles s'imaginent qu'en ne laissant point paraître leur sentiment, elles parviendront à mieux pénétrer le vôtre : mais elles ne voient pas qu'elles ôtent par là le courage de le montrer. Un homme qu'on interroge commence par cela seul à se mettre en garde, et s'il croit que, sans prendre à
1540 lui un véritable intérêt, on ne veut que le faire jaser[2], il ment, ou se tait, ou redouble d'attention sur lui-même, et aime encore mieux passer pour un sot que d'être dupe de votre curiosité. Enfin c'est toujours un mauvais moyen de lire dans le cœur des autres que d'affecter de cacher le sien.
1545 Mme de Vercellis ne m'a jamais dit un mot qui sentît l'affection, la pitié, la bienveillance. Elle m'interrogeait froidement ; je répondais avec réserve. Mes réponses étaient si timides qu'elle dut les trouver basses et s'en ennuya. Sur la fin elle ne me questionnait plus, ne me parlait plus que
1550 pour son service. Elle me jugea moins sur ce que j'étais que sur ce qu'elle m'avait fait, et à force de ne voir en moi qu'un laquais, elle m'empêcha de lui paraître autre chose.

Je crois que j'éprouvai dès lors ce jeu malin des intérêts cachés qui m'a traversé toute ma vie[3], et qui m'a donné
1555 une aversion bien naturelle pour l'ordre apparent qui les produit. Mme de Vercellis, n'ayant point d'enfants, avait pour héritier son neveu le comte de la Roque, qui lui faisait assidûment sa cour. Outre cela, ses principaux domestiques, qui la voyaient tirer à sa fin, ne s'oubliaient pas, et

1. **Babil :** abondance de paroles futiles.
2. **Le faire jaser :** lui faire révéler un secret.
3. **Qui m'a traversé toute ma vie :** qui toute ma vie a constitué pour moi un obstacle, une source de contrariété.

il y avait tant d'empressés autour d'elle, qu'il était difficile qu'elle eût du temps pour penser à moi. À la tête de sa maison, était un nommé M. Lorenzi[ni], homme adroit, dont la femme, encore plus adroite, s'était tellement insinuée dans les bonnes grâces de sa maîtresse, qu'elle était plutôt chez elle sur le pied d'une amie que d'une femme à gages. Elle lui avait donné pour femme de chambre une nièce à elle appelée Mlle Pontal, fine mouche[1], qui se donnait des airs de demoiselle suivante, et aidait sa tante à obséder si bien leur maîtresse qu'elle ne voyait que par leurs yeux et n'agissait que par leurs mains. Je n'eus pas le bonheur d'agréer à ces trois personnes : je leur obéissais, mais je ne les servais pas ; je n'imaginais pas qu'outre le service de notre commune maîtresse, je dusse être encore le valet de ses valets. J'étais d'ailleurs une espèce de personnage inquiétant pour eux. Ils voyaient bien que je n'étais pas à ma place ; ils craignaient que Madame ne le vît aussi, et que ce qu'elle ferait pour m'y mettre ne diminuât leurs portions : car ces sortes de gens, trop avides pour être justes, regardent tous les legs qui sont pour d'autres comme pris sur leur propre bien. Ils se réunirent donc pour m'écarter de ses yeux. Elle aimait à écrire des lettres ; c'était un amusement pour elle dans son état : ils l'en dégoûtèrent et l'en firent détourner par le médecin, en la persuadant que cela la fatiguait. Sous prétexte que je n'entendais pas le service, on employait au lieu de moi deux gros manants de porteurs de chaise autour d'elle ; enfin l'on fit si bien, que, quand elle fit son testament, il y avait huit jours que je n'étais entré dans sa chambre. Il est vrai qu'après cela j'y entrai comme auparavant, et j'y fus même plus assidu que personne, car les douleurs de cette pauvre femme me déchiraient ; la constance avec laquelle elle les souffrait me la rendait extrêmement respectable et

1560 1565 1570 1575 1580 1585 1590

1. **Fine mouche :** personne sournoise et rusée.

chère, et j'ai bien versé dans sa chambre des larmes sincères, sans qu'elle ni personne s'en aperçût.

1595 Nous la perdîmes enfin. Je la vis expirer. Sa vie avait été celle d'une femme d'esprit et de sens ; sa mort fut celle d'un sage. Je puis dire qu'elle me rendit la religion catholique aimable par la sérénité d'âme avec laquelle elle en remplit les devoirs sans négligence et sans affectation. Elle 1600 était naturellement sérieuse. Sur la fin de sa maladie, elle prit une sorte de gaieté trop égale pour être jouée, et qui n'était qu'un contrepoids donné par la raison même contre la tristesse de son état. Elle ne garda le lit que les deux derniers jours, et ne cessa de s'entretenir paisible- 1605 ment avec tout le monde. Enfin, ne parlant plus, et déjà dans les combats de l'agonie, elle fit un gros pet. Bon ! dit-elle en se retournant, femme qui pète n'est pas morte. Ce furent les derniers mots qu'elle prononça.

Elle avait légué un an de leurs gages à ses bas domes- 1610 tiques[1] ; mais n'étant point couché sur l'état de sa maison, je n'eus rien. Cependant le comte de la Roque me fit donner trente livres, et me laissa l'habit neuf que j'avais sur le corps, et que M. Lorenzi[ni] voulait m'ôter. Il promit même de chercher à me placer et me permit de l'aller voir. J'y fus 1615 deux ou trois fois sans pouvoir lui parler. J'étais facile à rebuter, je n'y retournai plus. On verra bientôt que j'eus tort.

Que n'ai-je achevé tout ce que j'avais à dire de mon séjour chez Mme de Vercellis ! Mais bien que mon appa- 1620 rente situation demeurât la même, je ne sortis pas de sa maison comme j'y étais entré. J'en emportai les longs souvenirs du crime et l'insupportable poids des remords dont au bout de quarante ans ma conscience est encore chargée, et dont l'amer sentiment, loin de s'affaiblir, s'irrite à 1625 mesure que je vieillis. Qui croirait que la faute d'un enfant

---

1. **À ses bas domestiques :** aux domestiques subalternes.

pût avoir des suites aussi cruelles ? C'est de ces suites plus que probables que mon cœur ne saurait se consoler. J'ai peut-être fait périr dans l'opprobre et dans la misère une fille aimable, honnête, estimable, et qui sûrement valait beaucoup mieux que moi. 1630

Il est bien difficile que la dissolution d'un ménage n'entraîne un peu de confusion dans la maison, et qu'il ne s'égare bien des choses ; cependant, telle était la fidélité des domestiques et la vigilance de M. et Mme Lorenzi[ni], que rien ne se trouva de manque[1] sur l'inventaire. La 1635 seule Mlle Pontal perdit un petit ruban couleur de rose et argent, déjà vieux. Beaucoup d'autres meilleures choses étaient à ma portée ; ce ruban seul me tenta, je le volai, et comme je ne le cachais guère, on me le trouva bientôt. On voulut savoir où je l'avais pris. Je me trouble, je balbutie, 1640 et enfin je dis, en rougissant, que c'est Marion qui me l'a donné. Marion était une jeune Mauriennoise dont Mme de Vercellis avait fait sa cuisinière, quand, cessant de donner à manger, elle avait renvoyé la sienne, ayant plus besoin de bons bouillons que de ragoûts fins. Non seule- 1645 ment Marion était jolie, mais elle avait une fraîcheur de coloris qu'on ne trouve que dans les montagnes, et surtout un air de modestie et de douceur qui faisait qu'on ne pouvait la voir sans l'aimer ; d'ailleurs bonne fille, sage, et d'une fidélité à toute épreuve. C'est ce qui surprit quand je 1650 la nommai. L'on n'avait guère moins de confiance en moi qu'en elle, et l'on jugea qu'il importait de vérifier lequel était le fripon des deux. On la fit venir ; l'assemblée était nombreuse, le comte de la Roque y était. Elle arrive, on lui montre le ruban, je la charge effrontément ; elle reste 1655 interdite, se tait, me jette un regard qui aurait désarmé les démons, et auquel mon barbare cœur résiste. Elle nie enfin avec assurance, mais sans emportement, m'apostrophe,

1. **Rien ne se trouva de manque :** il ne manqua rien.

m'exhorte à rentrer en moi-même, à ne pas déshonorer
1660 une fille innocente qui ne m'a jamais fait de mal ; et moi, avec une impudence infernale, je confirme ma déclaration, et lui soutiens en face qu'elle m'a donné le ruban. La pauvre fille se mit à pleurer, et ne me dit que ces mots : « Ah ! Rousseau, je vous croyais un bon caractère. Vous me ren-
1665 dez bien malheureuse ; mais je ne voudrais pas être à votre place. Voilà tout. » Elle continua de se défendre avec autant de simplicité que de fermeté, mais sans se permettre jamais contre moi la moindre invective. Cette modération, comparée à mon ton décidé, lui fit tort. Il ne semblait pas
1670 naturel de supposer d'un côté une audace aussi diabolique, et de l'autre une aussi angélique douceur. On ne parut pas se décider absolument, mais les préjugés étaient pour moi. Dans le tracas où l'on était, on ne se donna pas le temps d'approfondir la chose ; et le comte de la Roque, en nous
1675 renvoyant tous deux, se contenta de dire que la conscience du coupable vengerait assez l'innocent. Sa prédiction n'a pas été vaine ; elle ne cesse pas un seul jour de s'accomplir.

J'ignore ce que devint cette victime de ma calomnie ;
1680 mais il n'y a pas d'apparence qu'elle ait après cela trouvé facilement à se bien placer. Elle emportait une imputation[1] cruelle à son honneur de toutes manières. Le vol n'était qu'une bagatelle, mais enfin c'était un vol, et, qui pis est, employé à séduire un jeune garçon : enfin le mensonge et
1685 l'obstination ne laissaient rien à espérer de celle en qui tant de vices étaient réunis. Je ne regarde pas même la misère et l'abandon comme le plus grand danger auquel je l'aie exposée. Qui sait, à son âge, où le découragement de l'innocence avilie a pu la porter ? Eh ! si le remords d'avoir
1690 pu la rendre malheureuse est insupportable, qu'on juge de celui d'avoir pu la rendre pire que moi !

---

1. **Imputation** : accusation qui ne repose que sur un soupçon.

Ce souvenir cruel me trouble quelquefois et me bouleverse au point de voir dans mes insomnies cette pauvre fille venir me reprocher mon crime, comme s'il n'était commis que d'hier. Tant que j'ai vécu tranquille, il m'a moins tourmenté ; mais au milieu d'une vie orageuse il m'ôte la plus douce consolation des innocents persécutés : il me fait bien sentir ce que je crois avoir dit dans quelque ouvrage, que le remords s'endort durant un destin prospère, et s'aigrit dans l'adversité. Cependant je n'ai jamais pu prendre sur moi de décharger mon cœur de cet aveu dans le sein d'un ami. La plus étroite intimité ne me l'a jamais fait faire à personne, pas même à Mme de Warens. Tout ce que j'ai pu faire a été d'avouer que j'avais à me reprocher une action atroce, mais jamais je n'ai dit en quoi elle consistait. Ce poids est donc resté jusqu'à ce jour sans allégement sur ma conscience, et je puis dire que le désir de m'en délivrer en quelque sorte a beaucoup contribué à la résolution que j'ai prise d'écrire mes confessions.

J'ai procédé rondement dans celle que je viens de faire, et l'on ne trouvera sûrement pas que j'aie ici pallié[1] la noirceur de mon forfait. Mais je ne remplirais pas le but de ce livre, si je n'exposais en même temps mes dispositions intérieures, et que je craignisse de m'excuser en ce qui est conforme à la vérité. Jamais la méchanceté ne fut plus loin de moi que dans ce cruel moment, et lorsque je chargeai cette malheureuse fille, il est bizarre, mais il est vrai que mon amitié pour elle en fut la cause. Elle était présente à ma pensée, je m'excusai sur le premier objet qui s'offrit. Je l'accusai d'avoir fait ce que je voulais faire, et de m'avoir donné le ruban, parce que mon intention était de le lui donner. Quand je la vis paraître ensuite, mon cœur fut déchiré, mais la présence de tant de monde fut plus forte que mon repentir. Je craignais peu la punition, je ne craignais que la honte ; mais je craignais plus que la mort,

---

1. **Pallié :** dissimulé, caché, déguisé.

plus que le crime, plus que tout au monde. J'aurais voulu m'enfoncer, m'étouffer dans le centre de la terre ; l'invincible honte l'emporta sur tout, la honte seule fit mon impudence ; et plus je devenais criminel, plus l'effroi d'en
1730 convenir me rendait intrépide. Je ne voyais que l'horreur d'être reconnu, déclaré publiquement, moi présent, voleur, menteur, calomniateur. Un trouble universel m'ôtait tout autre sentiment. Si l'on m'eût laissé revenir à moi-même, j'aurais infailliblement tout déclaré. Si M. de la Roque
1735 m'eût pris à part, qu'il m'eût dit : Ne perdez pas cette pauvre fille ; si vous êtes coupable, avouez-le-moi ; je me serais jeté à ses pieds dans l'instant, j'en suis parfaitement sûr. Mais on ne fit que m'intimider quand il fallait me donner du courage. L'âge est encore une attention qu'il est juste
1740 de faire ; à peine étais-je sorti de l'enfance, ou plutôt j'y étais encore. Dans la jeunesse, les véritables noirceurs sont plus criminelles encore que dans l'âge mûr : mais ce qui n'est que faiblesse l'est beaucoup moins, et ma faute au fond n'était guère autre chose. Aussi son souvenir m'afflige-
1745 t-il moins à cause du mal en lui-même qu'à cause de celui qu'il a dû causer. Il m'a même fait ce bien de me garantir pour le reste de ma vie de tout acte tendant au crime, par l'impression terrible qui m'est restée du seul que j'aie jamais commis ; et je crois sentir que mon aversion pour
1750 le mensonge me vient en grande partie du regret d'en avoir pu faire un aussi noir. Si c'est un crime qui puisse être expié, comme j'ose le croire, il doit l'être par tant de malheurs dont la fin de ma vie est accablée, par quarante ans de droiture et d'honneur dans des occasions difficiles,
1755 et la pauvre Marion trouve tant de vengeurs en ce monde, que, quelque grande qu'ait été mon offense envers elle, je crains peu d'en emporter la coulpe[1] avec moi. Voilà ce que j'avais à dire sur cet article. Qu'il me soit permis de n'en reparler jamais.

---

1. **La coulpe :** la faute, la culpabilité.

Clefs d'analyse

La rencontre de Mme de Warens (Livre II, l. 144-182)

Compréhension

Un récit vivant et alerte

- Relever et commenter les données spatio-temporelles.
- Observer les quatre moments de cette scène.

La théâtralisation d'une première rencontre

- Chercher l'effet produit par le présent de narration.
- Expliquer en quoi la lecture de la lettre contribue à la théâtralité du passage.
- Relever les termes appartenant au champ lexical de la vue et du regard ; noter l'effet produit par : « Que devins-je à cette vue ! » (l. 164).

Réflexion

Le contraste entre la bienveillance maternelle de Mme de Warens et le choc émotionnel de Jean-Jacques

- Analyser la succession des sentiments du jeune Jean-Jacques.
- Montrer que l'émotion sensuelle et amoureuse n'est pas réciproque.

Émotion de l'adolescent et émotion de l'adulte

- Analyser comment l'émotion du jeune Jean-Jacques est rendue sensible par le lyrisme de ce passage.
- Interpréter l'intervention du narrateur qui superpose à l'émotion du protagoniste Jean-Jacques celle du narrateur Rousseau (l. 154-159).

À retenir :

Pour raconter ses souvenirs, le narrateur emploie généralement le passé simple et l'imparfait ; mais pour rendre certains épisodes plus vivants, il utilise aussi le présent de narration. Lorsqu'il cherche à décrypter le sens et les conséquences des événements racontés, l'autobiographe a recours au présent d'énonciation et au passé composé.

Clefs d'analyse

Le ruban volé (Livre II, l. 1618-1759)

Compréhension

De l'anecdote dramatisée à la scène de tribunal

- Observer ce qui fait de cette anecdote une scène de tribunal.
- Déterminer les rôles des personnages de ce « procès » et l'effet produit par le discours direct.

Une jeune fille « angélique » et un adolescent « diabolique »

- Chercher sur quelles qualités se fonde l'éloge de Marion.
- Observer comment le narrateur blâme le protagoniste (champ lexical de l'ignominie).

Réflexion

Un « forfait » qui multiplie les circonstances atténuantes

- Analyser comment sont présentés et le vol et l'objet du vol (l. 1635-1639).
- Analyser comment Rousseau semble rendre la société aussi coupable que lui.

Les fonctions de l'aveu

- Expliquer les fonctions que Rousseau assigne à l'écriture des *Confessions* (l. 1700-1715).
- Montrer comment l'analyse que fait Rousseau de ses « dispositions intérieures » puis de l'attitude de M. de La Roque et de son entourage constitue un plaidoyer en sa faveur (l. 1712-1744).

À *retenir* :

Les aveux des Confessions *sont autant d'occasions de se justifier. Parmi les stratégies argumentatives déployées par Rousseau pour transformer son aveu en plaidoyer, citons l'évocation de ses remords, la façon dont il présente les faits (faisant mention de circonstances atténuantes) ou encore la mise en scène d'une faute qu'il a malgré tout le courage d'avouer.*

Synthèse Livre II

Jean-Jacques à seize ans

Personnages

Les premiers émois amoureux de Jean-Jacques

Le livre II retrace une période de huit mois, qui se déroule à Annecy puis à Turin, durant laquelle le jeune Jean-Jacques (il a alors seize ans) découvre à la fois les maux de la vie sociale et les émois du cœur amoureux. Certes, le mouvement général de ce livre comme du précédent est celui d'une chute : à l'ivresse de la liberté éprouvée lors du voyage à pied d'Annecy à Turin s'oppose l'humiliation d'une place de domestique ; quant au « crime » de Jean-Jacques qui clôt le livre, il contraste avec l'innocente euphorie du début du livre. Pourtant, cette même période est comme illuminée par la rencontre de deux protectrices attentives et bienveillantes : Mme de Warens, appelée à jouer un rôle décisif dans la vie de Jean-Jacques, et Mme Basile, qui n'y joue qu'un rôle secondaire. Ces deux figures maternelles douces et vertueuses sont à l'origine des premiers élans amoureux d'un adolescent qui préfère la tendresse et ses émois sensuels à la relation charnelle et dont l'imaginaire amoureux est enclin à l'exaltation, à la rêverie et à l'idéalisation.

Langage

La mise en relation du moi d'autrefois et du moi d'aujourd'hui

Dans l'écriture autobiographique, le *je* renvoie tantôt au jeune protagoniste Jean-Jacques (ce qui permet de faire partager au lecteur ses émotions, ses sentiments et ses illusions d'alors) tantôt au narrateur Rousseau, homme mûr en train d'écrire son autobiographie. *Les Confessions* permettent ainsi de mettre en relation le moi d'autrefois, qui a vécu les faits racontés, et le moi d'aujourd'hui, qui les rapporte. Cette mise en relation dépend donc du regard que l'autobiographe porte sur l'adolescent qu'il a été. D'une part, elle peut, en rapprochant des époques éloignées, mêler les sentiments ressentis par le jeune Jean-Jacques au moment des faits et ceux que le narrateur est en train de (re)vivre – une telle surimpression permettant de souligner à quel point Rousseau se sent proche de celui qu'il a été autrefois : c'est ainsi que l'évocation de sa rencontre avec Mme de Warens superpose le choc émotionnel de jadis et l'émotion qu'éprouve le scripteur au moment où il écrit. À l'opposé, elle peut consister en une mise à distance, la non-coïncidence entre le temps de l'événement et le temps de la rédaction permettant au scripteur d'instaurer un décalage ironique entre l'homme mûr et l'adolescent qu'il a été, ce qui permet à Rousseau de tourner en dérision sa naïveté et ses illusions de jeunesse (voir le début du livre II).

Société

La dénonciation des pratiques religieuses au siècle des Lumières

La critique de la religion est l'un des thèmes favoris des philosophes du XVIIIe siècle, qui combattent la superstition, l'autorité des hommes d'Église ou encore les dogmes et les rites admis sans esprit critique. Les nombreuses attaques que l'on trouve contre le catholicisme dans *Les Confessions* sont nuancées, puisque d'une part elles ne visent pas tous les croyants (Mme de Warens, Mme Basile ou Mme de Vercellis étant des chrétiennes exemplaires) et d'autre part elles ne remettent pas en cause les croyances religieuses, Rousseau restant très attaché au protestantisme de son enfance. Pourtant, elles n'en sont pas moins extrêmement virulentes lorsque Rousseau se livre à une satire féroce de l'hospice des catéchumènes de Turin. Ainsi se trouvent stigmatisés le zèle à convertir à tout prix – qui entraîne l'oppression des plus faibles par les plus forts –, l'intolérance – qui pousse à enfermer et à persécuter les catéchumènes récalcitrants –, l'hypocrisie révoltante de condisciples et d'hommes d'Église débauchés, l'utilisation de la rhétorique pour dissimuler l'ignorance et la faiblesse intellectuelle de maîtres ignares ou l'absurdité de rites pompeux et vides de sens.

LIVRE III

Sorti de chez Mme de Vercellis à peu près comme j'y étais entré, je retournai chez mon ancienne hôtesse, et j'y restai cinq ou six semaines, durant lesquelles la santé, la jeunesse et l'oisiveté me rendirent souvent mon tempérament importun. J'étais inquiet, distrait, rêveur ; je pleurais, je soupirais, je désirais un bonheur dont je n'avais pas l'idée, et dont je sentais pourtant la privation. Cet état ne peut se décrire, et peu d'hommes même le peuvent imaginer, parce que la plupart ont prévenu cette plénitude de vie, à la fois tourmentante et délicieuse, qui, dans l'ivresse du désir, donne un avant-goût de la jouissance. Mon sang allumé remplissait incessamment mon cerveau de filles et de femmes : mais, n'en sentant pas le véritable usage, je les occupais bizarrement en idée à mes fantaisies sans en savoir rien faire de plus ; et ces idées tenaient mes sens dans une activité très incommode, dont, par bonheur, elles ne m'apprenaient point à me délivrer. J'aurais donné ma vie pour retrouver un quart d'heure une demoiselle Goton. Mais ce n'était plus le temps où les jeux de l'enfance allaient là comme d'eux-mêmes. La honte, compagne de la conscience du mal, était venue avec les années ; elle avait accru ma timidité naturelle au point de la rendre invincible ; et jamais, ni dans ce temps-là ni depuis, je n'ai pu parvenir à faire une proposition lascive[1], que celle à qui je la faisais ne m'y ait en quelque sorte contraint par ses avances, quoique sachant qu'elle n'était pas scrupuleuse, et presque assuré d'être pris au mot.

Mon agitation crût au point que, ne pouvant contenter mes désirs, je les attisais par les plus extravagantes manœuvres.

---

1. **Lascive :** qui invite aux rapports intimes.

30 J'allais chercher des allées sombres, des réduits cachés, où je pusse m'exposer de loin aux personnes du sexe dans l'état où j'aurais voulu pouvoir être auprès d'elles. Ce qu'elles voyaient n'était pas l'objet obscène, je n'y songeais même pas ; c'était l'objet ridicule[1]. Le sot plaisir 35 que j'avais de l'étaler à leurs yeux ne peut se décrire. Il n'y avait de là plus qu'un pas à faire pour sentir le traitement désiré, et je ne doute pas que quelque résolue, en passant, ne m'en eût donné l'amusement, si j'eusse eu l'audace d'attendre. Cette folie eut une catastrophe à peu près aussi 40 comique, mais un peu moins plaisante pour moi.

Un jour j'allai m'établir au fond d'une cour dans laquelle était un puits où les filles de la maison venaient souvent chercher de l'eau. Dans ce fond il y avait une petite descente qui menait à des caves par plusieurs communica- 45 tions. Je sondai[2] dans l'obscurité ces allées souterraines, et, les trouvant longues et obscures, je jugeai qu'elles ne finissaient point, et que, si j'étais vu et surpris, j'y trouverais un refuge assuré. Dans cette confiance, j'offrais aux filles qui venaient au puits un spectacle plus risible que séducteur. 50 Les plus sages feignirent de ne rien voir ; d'autres se mirent à rire ; d'autres se crurent insultées et firent du bruit. Je me sauvai dans ma retraite : j'y fus suivi. J'entendis une voix d'homme sur laquelle je n'avais pas compté, et qui m'alarma. Je m'enfonçai dans les souterrains, au risque de 55 m'y perdre : le bruit, les voix, la voix d'homme, me suivaient toujours. J'avais compté sur l'obscurité, je vis de la lumière. Je frémis, je m'enfonçai davantage. Un mur m'arrêta, et, ne pouvant aller plus loin, il fallut attendre là ma destinée. En un moment je fus atteint et saisi par un 60 grand homme portant une grande moustache, un grand

---

1. **Objet ridicule :** plusieurs interprétations restent envisageables quant à « l'objet obscène » et « l'objet ridicule » ; Jean-Jacques ne montre sans doute pas son sexe mais son derrière.
2. **Sondai :** visitai avec attention.

chapeau, un grand sabre, escorté de quatre ou cinq vieilles femmes armées chacune d'un manche à balai, parmi lesquelles j'aperçus la petite coquine qui m'avait décelé, et qui voulait sans doute me voir au visage[1].

L'homme au sabre, en me prenant par le bras, me demanda rudement ce que je faisais là. On conçoit que ma réponse n'était pas prête. Je me remis cependant ; et, m'évertuant dans ce moment critique, je tirai de ma tête un expédient romanesque qui me réussit. Je lui dis, d'un ton suppliant, d'avoir pitié de mon âge et de mon état ; que j'étais un jeune étranger de grande naissance, dont le cerveau s'était dérangé ; que je m'étais échappé de la maison paternelle parce qu'on voulait m'enfermer ; que j'étais perdu s'il me faisait connaître ; mais que, s'il voulait bien me laisser aller, je pourrais peut-être un jour reconnaître cette grâce. Contre toute attente, mon discours et mon air firent effet : l'homme terrible en fut touché ; et après une réprimande assez courte, il me laissa doucement aller sans me questionner davantage. À l'air dont la jeune et les vieilles me virent partir, je jugeai que l'homme que j'avais tant craint m'était fort utile, et qu'avec elles seules je n'en aurais pas été quitte à si bon marché. Je les entendis murmurer je ne sais quoi dont je ne me souciais guère ; car, pourvu que le sabre et l'homme ne s'en mêlassent pas, j'étais bien sûr, leste et vigoureux comme j'étais, de me délivrer bientôt et de leurs tricots[2] et d'elles.

Quelques jours après, passant dans une rue avec un jeune abbé, mon voisin, j'allai donner du nez[3] contre l'homme au sabre. Il me reconnut, et me contrefaisant d'un ton railleur : « Je suis prince, me dit-il, je suis prince ; et moi je suis un coyon[4] : mais que Son Altesse n'y revienne pas. »

---

1. **Me voir au visage :** voir mon visage.
2. **Tricots :** diminutif de *trique*, gros bâton employé pour frapper.
3. **Donner du nez :** rencontrer par hasard.
4. **Coyon :** couillon (forme italianisée).

Il n'ajouta rien de plus, et je m'esquivai en baissant la tête et le remerciant, dans mon cœur, de sa discrétion. J'ai jugé que ces maudites vieilles lui avaient fait honte de sa crédulité. 95 Quoi qu'il en soit, tout piémontais qu'il était, c'était un bon homme, et jamais je ne pense à lui sans un mouvement de reconnaissance : car l'histoire était si plaisante, que, par le seul désir de faire rire, tout autre à sa place m'eût déshonoré. Cette aventure, sans avoir les suites que j'en pouvais 100 craindre, ne laissa pas de me rendre sage pour longtemps.

Mon séjour chez Mme de Vercellis m'avait procuré quelques connaissances, que j'entretenais dans l'espoir qu'elles pourraient m'être utiles. J'allai voir quelquefois entre autres un abbé savoyard appelé M. Gaime, précepteur des 105 enfants du comte de Mellarède. Il était jeune encore et peu répandu[1], mais plein de bon sens, de probité[2], de lumières, et l'un des plus honnêtes hommes que j'aie connus. Il ne me fut d'aucune ressource pour l'objet qui m'attirait chez lui : il n'avait pas assez de crédit pour me placer ; mais je trouvai 110 près de lui des avantages plus précieux qui m'ont profité toute ma vie, les leçons de la saine morale et les maximes de la droite raison. Dans l'ordre successif de mes goûts et de mes idées, j'avais toujours été trop haut ou trop bas ; Achille ou Thersite[3], tantôt héros et tantôt vaurien. M. Gaime prit le 115 soin de me mettre à ma place et de me montrer à moi-même, sans m'épargner ni me décourager. Il me parla très honorablement de mon naturel et de mes talents : mais il ajouta qu'il en voyait naître les obstacles qui m'empêcheraient d'en tirer parti ; de sorte qu'ils devaient, selon lui, bien 120 moins me servir de degrés pour monter à la fortune que de ressources pour m'en passer. Il me fit un tableau vrai de la

---

1. **Peu répandu :** qui ne voyait pas beaucoup de monde.
2. **Probité :** honnêteté, droiture.
3. **Achille ou Thersite :** ce sont deux personnages mythologiques de *L'Iliade* ; tandis que Thersite incarne le combattant lâche et insolent, Achille symbolise le noble et valeureux guerrier.

vie humaine, dont je n'avais que de fausses idées ; il me montra comment, dans un destin contraire, l'homme sage peut toujours tendre au bonheur et courir au plus près du vent pour y parvenir ; comment il n'y a point de vrai bonheur sans sagesse, et comment la sagesse est de tous les états. Il amortit beaucoup mon admiration pour la grandeur, en me prouvant que ceux qui dominaient les autres n'étaient ni plus sages ni plus heureux qu'eux. Il me dit une chose qui m'est souvent revenue à la mémoire, c'est que si chaque homme pouvait lire dans les cœurs de tous les autres, il y aurait plus de gens qui voudraient descendre que de ceux qui voudraient monter. Cette réflexion, dont la vérité frappe, et qui n'a rien d'outré, m'a été d'un grand usage dans le cours de ma vie pour me faire tenir à ma place paisiblement. Il me donna les premières vraies idées de l'honnête, que mon génie ampoulé[1] n'avait saisi que dans ses excès. Il me fit sentir que l'enthousiasme des vertus sublimes était peu d'usage dans la société, qu'en s'élançant trop haut on était sujet aux chutes ; que la continuité des petits devoirs toujours bien remplis ne demandait pas moins de force que les actions héroïques ; qu'on en tirait meilleur parti pour l'honneur et pour le bonheur ; et qu'il valait infiniment mieux avoir toujours l'estime des hommes que quelquefois leur admiration.

Pour établir les devoirs de l'homme il fallait bien remonter à leur principe. D'ailleurs, le pas que je venais de faire, et dont mon état présent était la suite, nous conduisait à parler de religion. L'on conçoit déjà que l'honnête M. Gaime est, du moins en grande partie, l'original du Vicaire savoyard[2].

---

1. **Mon génie ampoulé :** mon intelligence exercée avec prétention (à l'opposé d'un raisonnement simple, logique et lucide).
2. **Vicaire savoyard :** personnage du livre IV de l'*Émile*, publié en 1762. Dans le célèbre passage intitulé la « Profession de foi du vicaire savoyard », Rousseau place dans la bouche du vicaire (prêtre auxiliaire) la définition d'une religion naturelle fondée sur la sensibilité et sur une relation personnelle du croyant avec la divinité.

Seulement, la prudence l'obligeant à parler avec le plus de réserve, il s'expliqua moins ouvertement sur certains points ; mais au reste ses maximes, ses sentiments, ses avis, furent les mêmes, et, jusqu'au conseil de retourner dans ma patrie, tout fut comme je l'ai rendu depuis au public. Ainsi, sans m'étendre sur des entretiens dont chacun peut avoir la substance, je dirai que ses leçons, sages, mais d'abord sans effet, furent dans mon cœur un germe de vertu et de religion qui ne s'y étouffa jamais, et qui n'attendait, pour fructifier, que les soins d'une main plus chérie.

Quoique alors ma conversion fût peu solide, je ne laissais pas d'être ému. Loin de m'ennuyer de ses entretiens, j'y pris goût à cause de leur clarté, de leur simplicité, et surtout d'un certain intérêt de cœur dont je sentais qu'ils étaient pleins. J'ai l'âme aimante, et je me suis toujours attaché aux gens moins à proportion du bien qu'ils m'ont fait que de celui qu'ils m'ont voulu, et c'est sur quoi mon tact[1] ne me trompe guère. Aussi je m'affectionnais[2] véritablement à M. Gaime ; j'étais pour ainsi dire son second disciple ; et cela me fit pour le moment même l'inestimable bien de me détourner de la pente du vice où m'entraînait mon oisiveté.

Un jour que je ne pensais à rien moins, on vint me chercher de la part du comte de la Roque. À force d'y aller et de ne pouvoir lui parler, je m'étais ennuyé, je n'y allais plus : je crus qu'il m'avait oublié, ou qu'il lui était resté de mauvaises impressions de moi. Je me trompais. Il avait été témoin plus d'une fois du plaisir avec lequel je remplissais mon devoir auprès de sa tante ; il le lui avait même dit, et il m'en reparla quand moi-même je n'y songeais plus. Il me reçut bien, me dit que, sans m'amuser de promesses vagues, il avait cherché à me placer, qu'il avait réussi, qu'il

1. **Mon tact :** mon intuition.
2. **Je m'affectionnais :** je m'attachais.

me mettait en chemin de devenir quelque chose, que c'était à moi de faire le reste ; que la maison où il me faisait entrer était puissante et considérée, que je n'avais pas besoin d'autres protecteurs pour m'avancer, et que quoique traité d'abord en simple domestique, comme je venais de l'être, je pouvais être assuré que si l'on me jugeait par mes sentiments et par ma conduite au-dessus de cet état, on était disposé à ne m'y pas laisser. La fin de ce discours démentit cruellement les brillantes espérances que le commencement m'avait données. Quoi ! toujours laquais ? me dis-je en moi-même avec un dépit amer que la confiance effaça bientôt. Je me sentais trop peu fait pour cette place pour craindre qu'on m'y laissât.

Il me mena chez le comte de Gouvon, premier écuyer de la Reine[1], et chef de l'illustre maison de Solar.

L'air de dignité de ce respectable vieillard me rendit plus touchante l'affabilité[2] de son accueil. Il m'interrogea avec intérêt, et je lui répondis avec sincérité. Il dit au comte de la Roque que j'avais une physionomie agréable et qui promettait de l'esprit[3] ; qu'il lui paraissait qu'en effet je n'en manquais pas, mais que ce n'était pas là tout, et qu'il fallait voir le reste ; puis, se tournant vers moi : « Mon enfant, me dit-il, presque en toutes choses les commencements sont rudes ; les vôtres ne le seront pourtant pas beaucoup. Soyez sage, et cherchez à plaire ici à tout le monde ; voilà, quant à présent, votre unique emploi : du reste, ayez bon courage ; on veut prendre soin de vous. Tout de suite il passa chez la marquise de Breil, sa belle-fille, et me présenta à elle, puis à l'abbé de Gouvon, son fils. Ce début me parut de bon augure. J'en savais assez déjà pour juger qu'on ne fait pas tant de façon à la réception d'un laquais. En effet, on ne me traita pas comme tel.

---

1. **Écuyer de la reine :** qualité liée à la condition aristocratique.
2. **Affabilité :** amabilité, bonté.
3. **Qui promettait de l'esprit :** qui semblait annoncer un esprit intelligent.

J'eus la table de l'office ; on ne me donna point d'habit de livrée[1], et le comte de Favria, jeune étourdi, m'ayant voulu faire monter derrière son carrosse, son grand-père défendit que je montasse derrière aucun carrosse, et que je suivisse personne hors de la maison. Cependant je servais à table, et je faisais à peu près au-dedans le service d'un laquais[2] ; mais je le faisais en quelque façon librement, sans être attaché nommément à personne. Hors quelques lettres qu'on me dictait, et des images que le comte de Favria me faisait découper, j'étais presque le maître de tout mon temps dans la journée. Cette épreuve dont je ne m'apercevais pas, était assurément très dangereuse ; elle n'était pas même fort humaine ; car cette grande oisiveté pouvait me faire contracter des vices que je n'aurais pas eus sans cela.

Mais c'est ce qui très heureusement n'arriva point. Les leçons de M. Gaime avaient fait impression sur mon cœur, et j'y pris tant de goût que je m'échappais quelquefois pour aller les entendre encore. Je crois que ceux qui me voyaient sortir ainsi furtivement ne devinaient guère où j'allais. Il ne se peut rien de plus sensé que les avis qu'il me donna sur ma conduite. Mes commencements furent admirables ; j'étais d'une assiduité, d'une attention, d'un zèle, qui charmaient tout le monde. L'abbé Gaime m'avait sagement averti de modérer cette première ferveur, de peur qu'elle ne vînt à se relâcher et qu'on n'y prît garde. Votre début, me dit-il, est la règle de ce qu'on exigera de vous : tâchez de vous ménager de quoi faire plus dans la suite, mais gardez-vous de faire jamais moins. Comme on ne m'avait guère examiné sur mes petits talents et qu'on ne me supposait que ceux que m'avait donné[s] la nature, il ne paraissait pas, malgré ce que le comte de Gouvon

---

1. **Habit de livrée :** tenue réservée aux laquais.
2. **Laquais :** valet portant la livrée, dans une maison aristocratique.

m'avait pu dire, qu'on songeât à tirer parti de moi. Des affaires vinrent à la traverse[1], et je fus à peu près oublié. Le marquis de Breil, fils du comte de Gouvon, était alors ambassadeur à Vienne. Il survint des mouvements à la cour qui se firent sentir dans la famille, et l'on y fut quelques semaines dans une agitation qui ne laissait guère le temps de penser à moi. Cependant jusque-là je m'étais peu relâché. Une chose me fit du bien et du mal, en m'éloignant de toute dissipation extérieure, mais en me rendant un peu plus distrait sur mes devoirs.

Mademoiselle de Breil était une jeune personne à peu près de mon âge, bien faite, assez belle, très blanche, avec des cheveux très noirs, et, quoique brune, portant sur son visage cet air de douceur des blondes auquel mon cœur n'a jamais résisté. L'habit de cour, si favorable aux jeunes personnes, marquait sa jolie taille, dégageait sa poitrine et ses épaules, et rendait son teint encore plus éblouissant par le deuil qu'on portait alors[2]. On dira que ce n'est pas à un domestique de s'apercevoir de ces choses-là. J'avais tort, sans doute ; mais je m'en apercevais toutefois, et même je n'étais pas le seul. Le maître d'hôtel et les valets de chambre en parlaient quelquefois à table avec une grossièreté qui me faisait cruellement souffrir. La tête ne me tournait pourtant pas au point d'être amoureux tout de bon. Je ne m'oubliais point ; je me tenais à ma place, et mes désirs même ne s'émancipaient pas. J'aimais à voir Mlle de Breil, à lui entendre dire quelques mots qui marquaient de l'esprit, du sens, de l'honnêteté : mon ambition, bornée au plaisir de la servir, n'allait point au-delà de mes droits. À table j'étais attentif à chercher l'occasion de les faire valoir. Si son laquais quittait un moment sa chaise, à l'instant on m'y voyait établi : hors de là je me tenais vis-à-

1. **Vinrent à la traverse** : survinrent inopinément.
2. **Le deuil qu'on portait alors** : celui d'Anne-Marie d'Orléans, épouse du roi Victor-Amédée II.

vis d'elle ; je cherchais dans ses yeux ce qu'elle allait
280 demander, j'épiais le moment de changer son assiette. Que n'aurais-je point fait pour qu'elle daignât m'ordonner quelque chose, me regarder, me dire un seul mot ; mais point ; j'avais la mortification[1] d'être nul pour elle ; elle ne s'apercevait pas même que j'étais là. Cependant, son frère,
285 qui m'adressait quelquefois la parole à table, m'ayant dit je ne sais quoi de peu obligeant, je lui fis une réponse si fine et si bien tournée, qu'elle y fit attention, et jeta les yeux sur moi. Ce coup d'œil, qui fut court, ne laissa pas de me transporter. Le lendemain, l'occasion se présenta d'en obte-
290 nir un second, et j'en profitai.

On donnait ce jour-là un grand dîner, où, pour la première fois, je vis avec beaucoup d'étonnement le maître d'hôtel servir l'épée au côté et le chapeau sur la tête.

Par hasard on vint à parler de la devise de la maison de
295 Solar, qui était sur la tapisserie avec les armoiries : *Tel fiert qui ne tue pas.* Comme les Piémontais ne sont pas pour l'ordinaire consommés dans la langue française, quelqu'un trouva dans cette devise une faute d'orthographe, et dit qu'au mot *fiert* il ne fallait point de *t.*

300 Le vieux comte de Gouvon allait répondre ; mais ayant jeté les yeux sur moi, il vit que je souriais sans oser rien dire : il m'ordonna de parler. Alors je dis que je ne croyais pas que le *t* fût de trop, que *fiert* était un vieux mot français qui ne venait pas du nom *ferus,* fier, menaçant, mais
305 du verbe *ferit,* il frappe, il blesse ; qu'ainsi la devise ne me paraissait pas dire : Tel menace, mais *tel frappe qui ne tue pas.*

Tout le monde me regardait et se regardait sans rien dire. On ne vit de la vie un pareil étonnement. Mais ce qui me flatta davantage fut de voir clairement sur le visage de
310 Mlle de Breil un air de satisfaction. Cette personne si dédaigneuse daigna me jeter un second regard qui valait

1. **Mortification :** souffrance d'amour-propre, humiliation.

tout au moins le premier ; puis, tournant les yeux vers son grand-papa, elle semblait attendre avec une sorte d'impatience la louange qu'il me devait, et qu'il me donna en effet si pleine et entière et d'un air si content, que toute la table s'empressa de faire chorus[1]. Ce moment fut court, mais délicieux à tous égards. Ce fut un de ces moments trop rares qui replacent les choses dans leur ordre naturel, et vengent le mérite avili des[2] outrages de la fortune. Quelques minutes après, Mlle de Breil, levant derechef les yeux sur moi, me pria, d'un ton de voix aussi timide qu'affable[3], de lui donner à boire. On juge que je ne la fis pas attendre ; mais en approchant je fus saisi d'un tel tremblement, qu'ayant trop rempli le verre, je répandis une partie de l'eau sur l'assiette et même sur elle. Son frère me demanda étourdiment pourquoi je tremblais si fort. Cette question ne servit pas à me rassurer, et Mlle de Breil rougit jusqu'au blanc des yeux.

Ici finit le roman où l'on remarquera, comme avec Mme Basile, et dans toute la suite de ma vie, que je ne suis pas heureux dans la conclusion de mes amours. Je m'affectionnai[4] inutilement à l'antichambre[5] de Madame de Breil : je n'obtins plus une seule marque d'attention de la part de sa fille. Elle sortait et rentrait sans me regarder, et moi, j'osais à peine jeter les yeux sur elle. J'étais même si bête et si maladroit, qu'un jour qu'elle avait en passant laissé tomber son gant, au lieu de m'élancer sur ce gant que j'aurais voulu couvrir de baisers, je n'osai sortir de ma place, et je laissai ramasser le gant par un gros butor[6] de

1. **Faire chorus :** parler à l'unisson, d'une seule et même voix.
2. **Avili des :** rendu méprisable par.
3. **Affable :** aimable.
4. **Je m'affectionnai :** je m'appliquai à rester.
5. **Antichambre :** pièce située avant la chambre, et dans laquelle attendent les visiteurs.
6. **Butor :** rustre, grossier personnage.

valet que j'aurais volontiers écrasé. Pour achever de m'intimider, je m'aperçus que je n'avais pas le bonheur d'agréer à Mme de Breil. Non seulement elle ne m'ordonnait rien, mais elle n'acceptait jamais mon service ; et deux fois, me trouvant dans son antichambre, elle me demanda d'un ton fort sec si je n'avais rien à faire. Il fallut renoncer à cette chère antichambre. J'en eus d'abord du regret, mais les distractions vinrent à la traverse[1] et bientôt je n'y pensai plus.

J'eus de quoi me consoler du dédain de Mme de Breil par les bontés de son beau-père, qui s'aperçut enfin que j'étais là. Le soir du dîner dont j'ai parlé, il eut avec moi un entretien d'une demi-heure, dont il parut content et dont je fus enchanté. Ce bon vieillard, quoique homme d'esprit, en avait moins que Mme de Vercellis, mais il avait plus d'entrailles[2], et je réussis mieux auprès de lui. Il me dit de m'attacher à l'abbé de Gouvon son fils, qui m'avait pris en affection ; que cette affection, si j'en profitais, pouvait m'être utile, et me faire acquérir ce qui me manquait pour les vues qu'on avait sur moi. Dès le lendemain matin je volai chez M. l'abbé. Il ne me reçut point en domestique ; il me fit asseoir au coin de son feu ; m'interrogeant avec la plus grande douceur, il vit bientôt que mon éducation, commencée sur tant de choses, n'était achevée sur aucune. Trouvant surtout que j'avais peu de latin, il entreprit de m'en enseigner davantage. Nous convînmes que je me rendrais chez lui tous les matins, et je commençai dès le lendemain. Ainsi, par une de ces bizarreries qu'on trouvera souvent dans le cours de ma vie, en même temps au-dessus et au-dessous de mon état, j'étais disciple et valet dans la même maison, et dans ma servitude j'avais cependant un précepteur d'une naissance à ne l'être que des enfants des rois.

1. **Vinrent à la traverse :** survinrent inopinément.
2. **Plus d'entrailles :** plus de tendresse, d'affection (les entrailles symbolisant la partie profonde de l'être sensible, le siège des émotions).

M. l'Abbé de Gouvon était un cadet destiné par sa famille à l'épiscopat[1], et dont par cette raison l'on avait poussé les études plus qu'il n'est ordinaire aux enfants de qualité. On l'avait envoyé à l'Université de Sienne, où il avait resté plusieurs années et dont il avait rapporté une assez forte dose de cruscantisme[2] pour être à peu près à Turin ce qu'était jadis à Paris l'abbé de Dangeau[3]. Le dégoût de la théologie l'avait jeté dans les belles-lettres, ce qui est très ordinaire en Italie à ceux qui courent la carrière de la prélature[4]. Il avait bien lu les poètes ; il faisait passablement des vers latins et italiens. En un mot il avait le goût qu'il fallait pour former le mien et mettre quelque choix dans le fatras[5] dont je m'étais farci la tête. Mais, soit que mon babil lui eût fait quelque illusion sur mon savoir, soit qu'il ne pût supporter l'ennui du latin élémentaire, il me mit d'abord beaucoup trop haut ; et à peine m'eut-il fait traduire quelques fables de Phèdre[6], qu'il me jeta dans Virgile[7], où je n'entendais presque rien. J'étais destiné, comme on verra dans la suite, à rapprendre souvent le latin et à ne le savoir jamais. Cependant je travaillais avec assez de zèle, et M. l'Abbé me prodiguait ses soins avec une bonté dont le souvenir m'attendrit encore. Je passais avec lui une bonne partie de la matinée, tant pour mon instruction que pour son service ; non pour

375 380 385 390 395

1. **Destiné [...] à l'épiscopat :** destiné à devenir évêque.
2. **Cruscantisme :** courant linguistique revendiquant une attitude puriste au nom de la défense et de l'illustration de la langue italienne, hérité de l'*Académie della Crusca.*
3. **L'abbé de Dangeau :** académicien, célèbre auteur de traités de grammaire.
4. **Prélature :** distinction honorifique accordée aux prélats, hauts dignitaires de l'Église catholique.
5. **Fatras :** fouillis, amas confus.
6. **Phèdre :** auteur latin célèbre pour ses fables.
7. **Virgile :** poète latin (auteur notamment de *L'Énéide*, des *Bucoliques* et des *Géorgiques*), abondamment traduit au XVIIIe siècle.

celui de sa personne, car il ne souffrit jamais que je lui en rendisse aucun, mais pour écrire sous sa dictée et pour copier ; et ma fonction de secrétaire me fut plus utile que celle d'écolier. Non seulement j'appris ainsi l'italien dans
400 sa pureté, mais je pris du goût pour la littérature et quelque discernement des bons livres qui ne s'acquérait pas chez la Tribu, et qui me servit beaucoup dans la suite, quand je me mis à travailler seul.

Ce temps fut celui de ma vie, où sans projets romanesques,
405 je pouvais le plus raisonnablement me livrer à l'espoir de parvenir. M. l'Abbé, très content de moi, le disait à tout le monde, et son père m'avait pris dans une affection si singulière, que le comte de Favria m'apprit qu'il avait parlé de moi au Roi. Mme de Breil elle-même avait quitté pour moi
410 son air méprisant. Enfin je devins une espèce de favori dans la maison, à la grande jalousie des autres domestiques, qui, me voyant honoré des instructions du fils de leur maître, sentaient bien que ce n'était pas pour rester longtemps leur égal.

415 Autant que j'ai pu en juger des vues qu'on avait sur moi par quelques mots lâchés à la volée, et auxquels je n'ai réfléchi qu'après coup, il m'a paru que la maison de Solar, voulant courir la carrière des ambassades, et peut-être s'ouvrir de loin celle du ministère, aurait été bien aise de
420 se former d'avance un sujet qui eût du mérite et des talents, et qui, dépendant uniquement d'elle, eût pu dans la suite obtenir sa confiance et la servir utilement. Ce projet du comte de Gouvon était noble, judicieux, magnanime, et vraiment digne d'un grand seigneur bienfaisant
425 et prévoyant : mais, outre que je n'en voyais pas alors toute l'étendue, il était trop sensé pour ma tête, et demandait un trop long assujettissement. Ma folle ambition ne cherchait la fortune qu'à travers les aventures, et ne voyant point de femme à tout cela, cette manière de par-
430 venir me paraissait lente, pénible et triste ; tandis que j'aurais dû la trouver d'autant plus honorable et sûre que les femmes

ne s'en mêlaient pas, l'espèce de mérite qu'elles protègent ne valant assurément pas celui qu'on me supposait.

Tout allait à merveille. J'avais obtenu, presque arraché l'estime de tout le monde : les épreuves étaient finies ; et l'on me regardait généralement dans la maison comme un jeune homme de la plus grande espérance, qui n'était pas à sa place et qu'on s'attendait d'y voir arriver. Mais ma place n'était pas celle qui m'était assignée par les hommes, et j'y devais parvenir par des chemins bien différents. Je touche à un de ces traits caractéristiques qui me sont propres, et qu'il suffit de présenter au lecteur sans y ajouter de réflexion.

Quoiqu'il y eût à Turin beaucoup de nouveaux convertis de mon espèce, je ne les aimais pas et n'en avais jamais voulu voir aucun. Mais j'avais vu quelques Genevois qui ne l'étaient pas, entre autres un M. Mussard, surnommé Tord-Gueule, peintre en miniature, et un peu mon parent. Ce M. Mussard déterra ma demeure chez le comte de Gouvon, et vint m'y voir avec un autre Genevois appelé Bâcle, dont j'avais été camarade durant mon apprentissage. Ce Bâcle était un garçon très amusant, très gai, plein de saillies[1] bouffonnes que son âge rendait agréables. Me voilà tout d'un coup engoué de[2] M. Bâcle, mais engoué au point de ne pouvoir le quitter. Il allait partir bientôt pour s'en retourner à Genève. Quelle perte j'allais faire ! J'en sentais bien toute la grandeur. Pour mettre du moins à profit le temps qui m'était laissé, je ne le quittais plus, où plutôt il ne me quittait pas lui-même ; car la tête ne me tourna pas d'abord au point d'aller hors de l'hôtel passer la journée avec lui sans congé ; mais bientôt, voyant qu'il m'obsédait entièrement, on lui défendit la porte, et je m'échauffai si bien, qu'oubliant tout, hors mon

1. **Saillies :** traits d'esprit, plaisanteries, boutades.
2. **Engoué de :** entiché de.

ami Bâcle, je n'allais ni chez M. l'Abbé, ni chez M. le
465 Comte, et l'on ne me voyait plus dans la maison. On me fit des réprimandes que je n'écoutai pas. On me menaça de me congédier. Cette menace fut ma perte : elle me fit entrevoir qu'il était possible que Bâcle ne s'en allât pas seul. Dès lors, je ne vis plus d'autre plaisir, d'autre sort,
470 d'autre bonheur, que celui de faire un pareil voyage, et je ne voyais à cela que l'ineffable[1] félicité du voyage, au bout duquel, pour surcroît[2], j'entrevoyais Mme de Warens, mais dans un éloignement immense ; car pour retourner à Genève, c'est à quoi je ne pensai jamais. Les monts, les
475 prés, les bois, les ruisseaux, les villages, se succédaient sans fin et sans cesse avec de nouveaux charmes ; ce bienheureux trajet semblait devoir absorber ma vie entière. Je me rappelais avec délices combien ce même voyage m'avait paru charmant en venant. Que devait-ce être
480 lorsqu'à tout l'attrait de l'indépendance se joindrait celui de faire route avec un camarade de mon âge, de mon goût et de bonne humeur, sans gêne, sans devoir, sans contrainte, sans obligation d'aller ou rester que comme il nous plairait ? Il fallait être fou pour sacrifier une pareille
485 fortune à des projets d'ambition d'une exécution lente, difficile, incertaine, et qui, les supposant réalisés un jour, ne valaient pas dans tout leur éclat un quart d'heure de vrai plaisir et de liberté dans la jeunesse.

Plein de cette sage fantaisie, je me conduisis si bien que
490 je vins à bout de me faire chasser[3], et en vérité ce ne fut pas sans peine. Un soir, comme je rentrais, le maître d'hôtel me signifia mon congé de la part de M. le Comte. C'était précisément ce que je demandais ; car, sentant malgré moi l'extravagance de ma conduite, j'y ajoutais, pour m'excuser,
495 l'injustice et l'ingratitude, croyant mettre ainsi les gens

---

1. **Ineffable :** impossible à exprimer tant cette félicité est intense.
2. **Pour surcroît :** de surcroît, en outre.
3. **Je vins à bout de me faire chasser :** je parvins à me faire chasser.

dans leur tort, et me justifier à moi-même un parti pris par nécessité. On me dit de la part du comte de Favria d'aller lui parler le lendemain matin avant mon départ ; et comme on voyait que, la tête m'ayant tourné, j'étais capable de n'en rien faire, le maître d'hôtel remit après cette visite à me donner quelque argent qu'on m'avait destiné, et qu'assurément j'avais fort mal gagné ; car ne voulant pas me laisser dans l'état de valet, on ne m'avait pas fixé de gages.

Le comte de Favria, tout jeune et tout étourdi qu'il était[1], me tint en cette occasion les discours les plus sensés, et j'oserais presque dire les plus tendres, tant il m'exposa d'une manière flatteuse et touchante les soins de son oncle et les intentions de son grand-père. Enfin, après m'avoir mis vivement devant les yeux tout ce que je sacrifiais pour courir à ma perte, il m'offrit de faire ma paix, exigeant pour toute condition que je ne visse plus ce petit malheureux qui m'avait séduit.

Il était si clair qu'il ne disait pas tout cela de lui-même, que, malgré mon stupide aveuglement, je sentis toute la bonté de mon vieux maître, et j'en fus touché : mais ce cher voyage était trop empreint dans mon imagination pour que rien pût en balancer[2] le charme. J'étais tout à fait hors de sens[3] : je me raffermis, je m'endurcis, je fis le fier, et je répondis arrogamment que, puisqu'on m'avait donné mon congé, je l'avais pris, qu'il n'était plus temps de s'en dédire, et que quoi qu'il pût m'arriver en ma vie, j'étais bien résolu de ne jamais me faire chasser deux fois d'une maison. Alors ce jeune homme, justement irrité, me donna les noms que je méritais, me mit hors de sa chambre par les épaules, et me ferma la porte aux talons. Moi, je sortis triomphant, comme si je venais d'emporter la plus

---

1. **Tout jeune et tout étourdi qu'il était :** bien qu'il fût très jeune et très étourdi.
2. **Balancer :** contrebalancer.
3. **J'étais tout à fait hors de sens :** je n'avais plus toute ma raison.

grande victoire et de peur d'avoir un second combat à soutenir, j'eus l'indignité de partir sans aller remercier M. l'Abbé de ses bontés.

530 Pour concevoir jusqu'où mon délire allait dans ce moment, il faudrait connaître à quel point mon cœur est sujet à s'échauffer sur les moindres choses, et avec quelle force il se plonge dans l'imagination de l'objet qui l'attire, quelque vain que soit quelquefois cet objet. Les plans les 535 plus bizarres, les plus enfantins, les plus fous, viennent caresser mon idée favorite et me montrer de la vraisemblance à m'y livrer. Croirait-on qu'à près de dix-neuf ans on puisse fonder sur une fiole[1] vide la subsistance du reste de ses jours ? Or, écoutez.

540 L'abbé de Gouvon m'avait fait présent, il y avait quelques semaines, d'une petite fontaine de Héron[2] fort jolie, et dont j'étais transporté. À force de faire jouer cette fontaine et de parler de notre voyage, nous pensâmes, le sage Bâcle et moi, que l'une pourrait bien servir à l'autre et le 545 prolonger. Qu'y avait-il dans le monde d'aussi curieux qu'une fontaine de Héron ? Ce principe fut le fondement sur lequel nous bâtîmes l'édifice de notre fortune. Nous devions, dans chaque village, assembler les paysans autour de notre fontaine, et là les repas et la bonne chère 550 devaient nous tomber avec d'autant plus d'abondance que nous étions persuadés l'un et l'autre que les vivres ne coûtent rien à ceux qui les recueillent, et que quand ils n'en gorgent pas les passants, c'est pure mauvaise volonté de leur part. Nous n'imaginions partout que festins et noces, 555 comptant que, sans débourser que le vent de nos poumons, et l'eau de notre fontaine, elle pouvait nous

---

1. **Fiole :** petite bouteille en verre.
2. **Fontaine de Héron :** il s'agit d'une fontaine à deux bassins, où la compression fait jaillir l'eau ; elle porte le nom de son inventeur, le mathématicien grec Héron d'Alexandrie.

défrayer[1] en Piémont, en Savoie, en France, et par tout le monde. Nous faisions des projets, de voyage qui ne finissaient point, et nous dirigions d'abord notre course au nord, plutôt pour le plaisir de passer les Alpes que pour la nécessité supposée de nous arrêter enfin quelque part. 560

Tel fut le plan sur lequel je me mis en campagne[2], abandonnant sans regret mon protecteur, mon précepteur, mes études, mes espérances, et l'attente d'une fortune presque assurée, pour commencer la vie d'un vrai vagabond. Adieu la capitale ; adieu la cour, l'ambition, la vanité, l'amour, les belles, et toutes les grandes aventures dont l'espoir m'avait amené l'année précédente. Je pars avec ma fontaine et mon ami Bâcle, la bourse légèrement garnie, mais le cœur saturé de joie, et ne songeant qu'à jouir de cette ambulante félicité à laquelle j'avais tout à coup borné mes brillants projets. 565 570

Je fis cet extravagant voyage presque aussi agréablement toutefois que je m'y étais attendu, mais non pas tout à fait de la même manière ; car bien que notre fontaine amusât quelques moments dans les cabarets les hôtesses et leurs servantes, il n'en fallait pas moins payer en sortant. Mais cela ne nous troublait guère, et nous ne songions à tirer parti tout de bon de cette ressource que quand l'argent viendrait à nous manquer. Un accident nous en évita la peine : la fontaine se cassa près de Bramant[3] ; et il en était temps, car nous sentions, sans oser nous le dire, qu'elle commençait à nous ennuyer. Ce malheur nous rendit plus gais qu'auparavant, et nous rîmes beaucoup de notre étourderie, d'avoir oublié que nos habits et nos souliers s'useraient, ou d'avoir cru les renouveler avec le jeu de notre fontaine. Nous continuâmes 575 580 585

1. **Nous défrayer :** nous assurer de quoi subvenir à nos besoins.
2. **Je me mis en campagne :** je me mis à agir (expression militaire).
3. **Bramant :** village de Savoie.

notre voyage aussi allègrement que nous l'avions commencé, mais filant un peu plus droit vers le terme où
590 notre bourse tarissante nous faisait une nécessité d'arriver.

À Chambéry je devins pensif, non sur la sottise que je venais de faire : jamais homme ne prit sitôt ni si bien son parti sur le passé ; mais sur l'accueil qui m'attendait chez Mme de Warens : car j'envisageais exactement sa maison
595 comme ma maison paternelle. Je lui avais écrit mon entrée chez le comte de Gouvon ; elle savait sur quel pied j'y étais, et en m'en félicitant, elle m'avait donné des leçons très sages sur la manière dont je devais correspondre[1] aux bontés qu'on avait pour moi. Elle regardait ma fortune
600 comme assurée, si je ne la détruisais pas par ma faute. Qu'allait-elle dire en me voyant arriver ? Il ne me vint pas même à l'esprit qu'elle pût me fermer sa porte : mais je craignais le chagrin que j'allais lui donner ; je craignais ses reproches plus durs pour moi que la misère. Je résolus de
605 tout endurer en silence et de tout faire pour l'apaiser. Je ne voyais plus dans l'univers qu'elle seule : vivre dans sa disgrâce était une chose qui ne se pouvait pas. Ce qui m'inquiétait le plus était mon compagnon de voyage, dont je ne voulais pas lui donner le surcroît[2], et dont je crai-
610 gnais de ne pouvoir me débarrasser aisément. Je préparai cette séparation en vivant assez froidement avec lui la dernière journée. Le drôle me comprit ; il était plus fou que sot. Je crus qu'il s'affecterait de mon inconstance ; j'eus tort ; mon ami Bâcle ne s'affectait de rien. À peine, en
615 entrant à Annecy, avions-nous mis le pied dans la ville, qu'il me dit : « Te voilà chez toi », m'embrassa, me dit adieu, fit une pirouette et disparut. Je n'ai jamais plus entendu parler de lui. Notre connaissance et notre amitié durèrent en tout environ six semaines, mais les suites en
620 dureront autant que moi.

---

1. **Correspondre :** répondre.
2. **Le surcroît :** la charge supplémentaire.

Que le cœur me battit en approchant de la maison de Mme de Warens ! Mes jambes tremblaient sous moi, mes yeux se couvraient d'un voile, je ne voyais rien, je n'entendais rien, je n'aurais reconnu personne ; je fus contraint de m'arrêter plusieurs fois pour respirer et reprendre mes sens. Était-ce la crainte de ne pas obtenir les secours dont j'avais besoin qui me troublait à ce point ? À l'âge où j'étais, la peur de mourir de faim donne-t-elle de pareilles alarmes ? Non, non ; je le dis, avec autant de vérité que de fierté, jamais en aucun temps de ma vie il n'appartint à l'intérêt ni à l'indigence[1] de m'épanouir ou de me serrer le cœur. Dans le cours d'une vie inégale et mémorable par ses vicissitudes, souvent sans asile et sans pain, j'ai toujours vu du même œil l'opulence et la misère. Au besoin, j'aurais pu mendier ou voler comme un autre, mais non pas me troubler pour en être réduit là. Peu d'hommes ont autant gémi que moi, peu ont autant versé de pleurs dans leur vie ; mais jamais la pauvreté ni la crainte d'y tomber ne m'ont fait pousser un soupir ni répandre une larme. Mon âme à l'épreuve de la fortune n'a connu de vrais biens ni de vrais maux que ceux qui ne dépendent pas d'elle, et c'est quand rien ne m'a manqué pour le nécessaire que je me suis senti le plus malheureux des mortels.

À peine parus-je aux yeux de Mme de Warens que son air me rassura. Je tressaillis au premier son de sa voix ; je me précipite à ses pieds, et, dans les transports de la plus vive joie, je colle ma bouche sur sa main. Pour elle, j'ignore si elle avait su de mes nouvelles ; mais je vis peu de surprise sur son visage, et je n'y vis aucun chagrin. « Pauvre petit, me dit-elle d'un ton caressant, te revoilà donc ? Je savais bien que tu étais trop jeune pour ce voyage ; je suis bien aise[2] au moins qu'il n'ait pas aussi

1. **Indigence :** misère, pauvreté.
2. **Je suis bien aise :** je suis contente.

655 mal tourné que j'avais craint. » Ensuite elle me fit conter mon histoire, qui ne fut pas longue, et que je lui fis très fidèlement, en supprimant cependant quelques articles, mais au reste sans m'épargner ni m'excuser.

Il fut question de mon gîte. Elle consulta sa femme de 660 chambre. Je n'osais respirer durant cette délibération ; mais quand j'entendis que je coucherais dans la maison, j'eus peine à me contenir, et je vis porter mon petit paquet dans la chambre qui m'était destinée, à peu près comme Saint-Preux vit remiser sa chaise chez Mme 665 de Wolmar[1]. J'eus pour surcroît[2] le plaisir d'apprendre que cette faveur ne serait point passagère ; et dans un moment où l'on me croyait attentif à tout autre chose, j'entendis qu'elle disait : On dira ce qu'on voudra ; mais puisque la providence me le renvoie, je suis déterminée à ne pas 670 l'abandonner.

Me voilà donc enfin établi chez elle. Cet établissement ne fut pourtant pas encore celui dont je date les jours heureux de ma vie[3], mais il servit à le préparer. Quoique cette sensibilité de cœur, qui nous fait vraiment jouir de 675 nous, soit l'ouvrage de la nature et peut-être un produit de l'organisation, elle a besoin de situations qui la développent. Sans ces causes occasionnelles, un homme né très sensible ne sentirait rien, et mourrait sans avoir connu son être. Tel à peu près j'avais été jusqu'alors, et tel 680 j'aurais toujours été peut-être, si je n'avais jamais connu Mme de Warens, ou si même l'ayant connue, je n'avais pas vécu assez longtemps auprès d'elle pour contracter la

---

1. **Saint-Preux [...] Mme de Wolmar :** personnages de *La Nouvelle Héloïse* ; Julie et Saint-Preux s'aiment d'un amour impossible, puisque Julie est mariée à M. de Wolmar ; faisant confiance à leur vertu, Julie installe Saint-Preux, de retour de voyage, chez elle.
2. **Pour surcroît :** en outre.
3. **Les jours heureux de ma vie :** ceux-ci seront vécus avec Mme de Warens aux Charmettes (ils font l'objet du livre VI des *Confessions*).

douce habitude des sentiments affectueux qu'elle m'inspira. J'oserai le dire ; qui ne sent que l'amour ne sent pas ce qu'il y a de plus doux dans la vie. Je connais un autre sentiment, moins impétueux peut-être, mais plus délicieux mille fois, qui quelquefois est joint à l'amour et qui souvent en est séparé. Ce sentiment n'est pas non plus l'amitié seule ; il est plus voluptueux, plus tendre : je n'imagine pas qu'il puisse agir pour quelqu'un du même sexe : du moins je fus ami si jamais homme le fut, et je ne l'éprouvai jamais près d'aucun de mes amis. Ceci n'est pas clair, mais il le deviendra dans la suite : les sentiments ne se décrivent bien que par leurs effets.

Elle habitait une vieille maison mais assez grande pour avoir une belle pièce de réserve, dont elle fit sa chambre de parade[1], et qui fut celle où l'on me logea. Cette chambre était sur le passage dont j'ai parlé, où se fit notre première entrevue, et au-delà du ruisseau et des jardins, on découvrait la campagne. Cet aspect n'était pas pour le jeune habitant une chose indifférente. C'était, depuis Bossey, la première fois que j'avais du vert devant mes fenêtres. Toujours masqué par des murs, je n'avais eu sous les yeux que des toits ou le gris des rues. Combien cette nouveauté me fut sensible et douce ! Elle augmenta beaucoup mes dispositions à l'attendrissement. Je faisais de ce charmant paysage encore un des bienfaits de ma chère patronne : il me semblait qu'elle l'avait mis là tout exprès pour moi ; je m'y plaçais paisiblement auprès d'elle ; je la voyais partout entre les fleurs et la verdure ; ses charmes et ceux du printemps se confondaient à mes yeux. Mon cœur, jusqu'alors comprimé, se trouvait plus au large dans cet espace, et mes soupirs s'exhalaient plus librement parmi ces vergers.

On ne trouvait pas chez Mme de Warens la magnificence que j'avais vue à Turin ; mais on y trouvait la pro-

1. **Chambre de parade :** chambre peu utilisée, et qui est surtout remarquable pour sa décoration.

preté[1], la décence et une abondance patriarcale avec laquelle le faste[2] ne s'allie jamais. Elle avait peu de vaisselle d'argent, point de porcelaine, point de gibier dans sa cuisine, ni dans sa cave de vins étrangers ; mais l'une et 720 l'autre étaient bien garnies au service de tout le monde, et dans des tasses de faïence elle donnait d'excellent café. Quiconque la venait voir était invité à dîner avec elle ou chez elle ; et jamais ouvrier, messager ou passant ne sortait sans manger ou boire. Son domestique[3] était com- 725 posé d'une femme de chambre fribourgeoise assez jolie, appelée Merceret, d'un valet de son pays appelé Claude Anet, dont il sera question dans la suite, d'une cuisinière et de deux porteurs de louage[4] quand elle allait en visite, ce qu'elle faisait rarement. Voilà bien des choses pour 730 deux mille livres de rente ; cependant son petit revenu bien ménagé eût pu suffire à tout cela dans un pays où la terre est très bonne et l'argent très rare. Malheureusement l'économie ne fut jamais sa vertu favorite : elle s'endettait, elle payait ; l'argent faisait la navette, et tout allait.

735 La manière dont son ménage était monté était précisément celle que j'aurais choisie : on peut croire que j'en profitais avec plaisir. Ce qui m'en plaisait moins était qu'il fallait rester très longtemps à table. Elle supportait avec peine la première odeur du potage et des mets ; cette 740 odeur la faisait presque tomber en défaillance, et ce dégoût durait longtemps. Elle se remettait peu à peu, causait et ne mangeait point. Ce n'était qu'au bout d'une demi-heure qu'elle essayait le premier morceau. J'aurais dîné trois fois dans cet intervalle ; mon repas était fait 745 longtemps avant qu'elle eût commencé le sien. Je recom-

1. **Propreté :** ordre convenable.
2. **Faste :** luxe ostentatoire.
3. **Son domestique :** sa domesticité, l'ensemble de ses domestiques.
4. **Porteurs de louage :** porteurs engagés pour une durée déterminée, généralement, et en vue d'un travail précis.

mençais de compagnie ; ainsi je mangeais pour deux, et ne m'en trouvais pas plus mal. Enfin je me livrais d'autant plus au doux sentiment du bien-être que j'éprouvais auprès d'elle, que ce bien-être dont je jouissais n'était mêlé d'aucune inquiétude sur les moyens de le soutenir. N'étant 750 point encore dans l'étroite confidence de ses affaires, je les supposais en état d'aller toujours sur le même pied. J'ai retrouvé les mêmes agréments dans sa maison par la suite : mais, plus instruit de sa situation réelle, et voyant qu'ils anticipaient sur ses rentes, je ne les ai plus goûtés si 755 tranquillement. La prévoyance a toujours gâté chez moi la jouissance. J'ai vu l'avenir à pure perte : je n'ai jamais pu l'éviter.

Dès le premier jour, la familiarité la plus douce s'établit entre nous au même degré où elle a continué tout le reste 760 de sa vie. *Petit* fut mon nom, *Maman* fut le sien, et toujours nous demeurâmes *Petit* et *Maman*, même quand le nombre des années en eut presque effacé la différence entre nous. Je trouve que ces deux noms rendent à merveilles l'idée de notre ton, la simplicité de nos manières, et 765 surtout la relation de nos cœurs. Elle fut pour moi la plus tendre des mères, qui jamais ne chercha son plaisir, mais toujours mon bien ; et si les sens entrèrent dans mon attachement pour elle, ce n'était pas pour en changer la nature, mais pour le rendre seulement plus exquis, pour 770 m'enivrer du charme d'avoir une maman jeune et jolie qu'il m'était délicieux de caresser, je dis caresser au pied de la lettre car jamais elle n'imagina de m'épargner les baisers ni les plus tendres caresses maternelles, et jamais il n'entra dans mon cœur d'en abuser. On dira que nous 775 avons eu à la fin des relations d'une autre espèce ; j'en conviens ; mais il faut attendre, je ne puis tout dire à la fois.

Le coup d'œil de notre première entrevue fut le seul moment vraiment passionné qu'elle m'ait jamais fait sentir : encore ce moment fut-il l'ouvrage de la surprise. 780 Mes regards indiscrets n'allaient jamais fureter sous son mouchoir[1] quoiqu'un embonpoint mal caché dans cette place eût bien pu les y attirer. Je n'avais ni transports ni désirs auprès d'elle ; j'étais dans un calme ravissant, jouissant sans savoir de quoi. J'aurais ainsi passé ma vie et l'éternité même sans m'ennuyer un instant. Elle est la seule personne avec qui je n'ai jamais senti cette sécheresse de conversation qui me fait un supplice du devoir de la soutenir. Nos tête-à-tête étaient moins des entretiens qu'un babil intarissable, qui pour finir avait besoin d'être interrompu. Loin de me faire une loi de parler, il fallait plutôt m'en faire une de me taire. À force de méditer ses projets, elle tombait souvent dans la rêverie. Hé bien ! je la laissais rêver, je me taisais, je la contemplais, et j'étais le plus heureux des hommes. J'avais encore un tic fort singulier. Sans prétendre aux faveurs du tête-à-tête, je le recherchais sans cesse, et j'en jouissais avec une passion qui dégénérait en fureur quand des importuns venaient le troubler. Sitôt que quelqu'un arrivait, homme ou femme, il n'importait pas[2] je sortais en murmurant, ne pouvant souffrir de rester en tiers auprès d'elle. J'allais compter les minutes dans son antichambre, maudissant mille fois ces éternels visiteurs, et ne pouvant concevoir ce qu'ils avaient tant à dire, parce que j'avais à dire encore plus.

Je ne sentais toute la force de mon attachement pour elle que quand je ne la voyais pas. Quand je la voyais, je n'étais que content ; mais mon inquiétude en son absence allait au point d'être douloureuse. Le besoin de vivre avec elle me donnait des élans d'attendrissement qui souvent allaient jusqu'aux larmes. Je me souviendrai toujours qu'un jour de grande fête, tandis qu'elle était à vêpres[3], j'allai me promener hors de la ville, le cœur plein de son

1. **Mouchoir :** étoffe cachant la poitrine.
2. **Il n'importait pas :** peu importait.
3. **Vêpres :** office religieux célébré en fin d'après-midi.

image et du désir ardent de passer mes jours auprès d'elle. J'avais assez de sens pour voir que quant à présent[1] cela n'était pas possible, et qu'un bonheur que je goûtais si bien serait court. Cela donnait à ma rêverie une tristesse qui n'avait pourtant rien de sombre, et qu'un espoir flatteur tempérait. Le son des cloches, qui m'a toujours singulièrement affecté, le chant des oiseaux, la beauté du jour, la douceur du paysage, les maisons éparses et champêtres dans lesquelles je plaçais en idée notre commune demeure ; tout cela me frappait tellement d'une impression vive, tendre, triste et touchante, que je me vis comme en extase transporté dans cet heureux temps et dans cet heureux séjour où mon cœur, possédant toute la félicité qui pouvait lui plaire, la goûtait dans des ravissements inexprimables, sans songer même à la volupté des sens. Je ne me souviens pas de m'être élancé jamais dans l'avenir avec plus de force et d'illusion que je fis alors ; et ce qui m'a frappé le plus dans le souvenir de cette rêverie, quand elle s'est réalisée, c'est d'avoir retrouvé des objets tels exactement que je les avais imaginés. Si jamais rêve d'un homme éveillé eut l'air d'une vision prophétique, ce fut assurément celui-là. Je n'ai été déçu que dans sa durée imaginaire ; car les jours, et les ans, et la vie entière, s'y passaient dans une inaltérable tranquillité ; au lieu qu'en effet tout cela n'a duré qu'un moment. Hélas ! mon plus constant bonheur fut en songe. Son accomplissement fut presque à l'instant suivi du réveil.

Je ne finirais pas si j'entrais dans le détail de toutes les folies que le souvenir de cette chère Maman me faisait faire quand je n'étais plus sous ses yeux. Combien de fois j'ai baisé mon lit en songeant qu'elle y avait couché ; mes rideaux, tous les meubles de ma chambre, en songeant qu'ils étaient à elle, que sa belle main les avait touchés ; le

1. **Quant à présent :** pour le moment.

plancher même sur lequel je me prosternais en songeant qu'elle y avait marché ! Quelquefois même en sa présence il m'échappait des extravagances que le plus violent amour seul semblait pouvoir inspirer. Un jour, à table, au
850 moment qu'elle avait mis un morceau dans sa bouche, je m'écrie que j'y vois un cheveu : elle rejette le morceau sur son assiette ; je m'en saisis avidement et l'avale. En un mot, de moi à l'amant le plus passionné il n'y avait qu'une différence unique, mais essentielle, et qui rend mon état
855 presque inconcevable à la raison.

J'étais revenu d'Italie, non tout à fait comme j'y étais allé, mais comme peut-être jamais à mon âge on n'en est revenu. J'en avais rapporté non ma virginité, mais mon pucelage. J'avais senti le progrès des ans ; mon tempéra-
860 ment inquiet s'était enfin déclaré, et sa première éruption, très involontaire, m'avait donné sur ma santé des alarmes qui peignent mieux que toute autre chose l'innocence dans laquelle j'avais vécu jusqu'alors.

Bientôt rassuré, j'appris ce dangereux supplément qui
865 trompe la nature, et sauve aux jeunes gens de mon humeur beaucoup de désordres aux dépens de leur santé, de leur vigueur, et quelquefois de leur vie. Ce vice que la honte et la timidité trouvent si commode a de plus un grand attrait pour les imaginations vives ; c'est de dispo-
870 ser, pour ainsi dire, à leur gré, de tout le sexe, et de faire servir à leurs plaisirs la beauté qui les tente, sans avoir besoin d'obtenir son aveu. Séduit par ce funeste avantage, je travaillais à détruire la bonne constitution[1] qu'avait rétablie en moi la nature, et à qui j'avais donné le
875 temps de se bien former. Qu'on ajoute à cette disposition le local[2] de ma situation présente ; logé chez une jolie femme, caressant son image au fond de mon cœur, la voyant sans cesse dans la journée ; le soir entouré d'objets

---

1. **La bonne constitution :** la bonne santé.
2. **Local :** lieu, endroit.

qui me la rappellent, couché dans un lit où je sais qu'elle a couché. Que de stimulants ! Tel lecteur qui se les représente me regarde déjà comme à demi mort. Tout au contraire ce qui devait me perdre fut précisément ce qui me sauva, du moins pour un temps. Enivré du charme de vivre auprès d'elle, du désir ardent d'y passer mes jours, absente ou présente, je voyais toujours en elle une tendre mère, une sœur chérie, une délicieuse amie, et rien de plus. Je la voyais toujours ainsi, toujours la même, et ne voyais jamais qu'elle. Son image, toujours présente à mon cœur, n'y laissait place à nulle autre ; elle était pour moi la seule femme qui fût au monde ; et l'extrême douceur des sentiments qu'elle m'inspirait, ne laissant pas à mes sens le temps de s'éveiller pour d'autres, me garantissait d'elle et de tout son sexe. En un mot, j'étais sage parce que je l'aimais. Sur ces effets, que je rends mal, dise qui pourra de quelle espèce était mon attachement pour elle. Pour moi, tout ce que j'en puis dire est que s'il paraît déjà fort extraordinaire, dans la suite il le paraîtra beaucoup plus.

Je passais mon temps le plus agréablement du monde, occupé des choses qui me plaisaient le moins. C'étaient des projets à rédiger, des mémoires[1] à mettre au net, des recettes à transcrire ; c'étaient des herbes à trier, des drogues à piler, des alambics à gouverner[2]. Tout à travers tout cela venaient des foules de passants, de mendiants, de visites de toute espèce. Il fallait entretenir tout à la fois un soldat, un apothicaire[3], un chanoine[4], une belle dame, un frère lai[5]. Je pestais, je grommelais, je jurais, je donnais

1. **Mémoires :** écrits concernant une affaire particulière.
2. **Des alambics à gouverner :** des appareils servant à la distillation dont il fallait surveiller le bon fonctionnement.
3. **Un apothicaire :** un pharmacien.
4. **Un chanoine :** dans la religion catholique, dignitaire ecclésiastique.
5. **Un frère lai :** personne qui, dans un monastère ou un couvent, se consacre aux travaux manuels.

au diable toute cette maudite cohue. Pour elle, qui prenait tout en gaieté, mes fureurs la faisaient rire aux larmes ; et ce qui la faisait rire encore plus était de me voir d'autant
910 plus furieux que je ne pouvais moi-même m'empêcher de rire. Ces petits intervalles où j'avais le plaisir de grogner étaient charmants ; et s'il survenait un nouvel importun durant la querelle, elle en savait encore tirer parti pour l'amusement en prolongeant malicieusement la visite, et
915 me jetant des coups d'œil pour lesquels je l'aurais volontiers battue. Elle avait peine à s'abstenir d'éclater en me voyant, contraint et retenu par la bienséance, lui faire des yeux de possédé, tandis qu'au fond de mon cœur, et même en dépit de moi, je trouvais tout cela très comique.

920 Tout cela, sans me plaire en soi, m'amusait pourtant parce qu'il faisait partie d'une manière d'être qui m'était charmante. Rien de ce qui se faisait autour de moi, rien de tout ce qu'on me faisait faire, n'était selon mon goût, mais tout était selon mon cœur. Je crois que je serais parvenu à
925 aimer la médecine, si mon dégoût pour elle n'eût fourni des scènes folâtres qui nous égayaient sans cesse : c'est peut-être la première fois que cet art a produit un pareil effet. Je prétendais connaître à l'odeur un livre de médecine, et ce qu'il y a de plaisant est que je m'y trompais
930 rarement. Elle me faisait goûter des plus détestables drogues. J'avais beau fuir ou vouloir me défendre ; malgré ma résistance et mes horribles grimaces, malgré moi et mes dents[1], quand je voyais ses jolis doigts barbouillés s'approcher de ma bouche, il fallait finir par l'ouvrir et sucer. Quand tout
935 son petit ménage était rassemblé dans la même chambre, à nous entendre courir et crier au milieu des éclats de rire, on eût cru qu'on y jouait quelque farce, et non pas qu'on y faisait de l'opiat[2] ou de l'élixir[3].

---

1. **Malgré moi et mes dents :** en dépit de ma volonté (expression déjà vieillie du temps de Rousseau).
2. **Opiat :** composition médicinale à base d'opium.
3. **Élixir :** préparation médicamenteuse liquide.

Mon temps ne se passait pourtant pas tout entier à ces polissonneries. J'avais trouvé quelques livres dans la chambre que j'occupais : *Le Spectateur*[1], Pufendorf[2], Saint-Évremond[3], *La Henriade*[4]. Quoique je n'eusse plus mon ancienne fureur de lecture, par désœuvrement je lisais un peu de tout cela. *Le Spectateur* surtout me plut beaucoup, et me fit du bien. M. l'abbé de Gouvon m'avait appris à lire moins avidement et avec plus de réflexion ; la lecture me profitait mieux. Je m'accoutumais à réfléchir sur l'élocution[5], sur les constructions élégantes ; je m'exerçais à discerner le français pur de mes idiomes provinciaux[6] Par exemple, je fus corrigé d'une faute d'orthographe, que je faisais avec tous nos Genevois, par ces deux vers de *La Henriade* :

Soit qu'un ancien respect pour le sang de leurs maîtres
Parlât encore pour lui dans le cœur de ces traîtres.

Ce mot *parlât*, qui me frappa, m'apprit qu'il fallait un *t* à la troisième personne du subjonctif, au lieu qu'auparavant je l'écrivais et prononçais *parla* comme le présent [*sic*] de l'indicatif.

Quelquefois je causais avec Maman de mes lectures ; quelquefois je lisais auprès d'elle ; j'y prenais grand plaisir ; je m'exerçais à bien lire, et cela me fut utile aussi. J'ai dit qu'elle avait l'esprit orné : il était alors dans toute sa fleur. Plusieurs gens de lettres s'étaient empressés à lui plaire, et lui avaient appris à juger des ouvrages d'esprit. Elle avait, si je puis parler ainsi, le goût un peu protestant ;

---

1. **Le Spectateur** : périodique anglais (traduit en français) qui connut un très grand succès.
2. **Pufendorf** : juriste allemand.
3. **Saint-Évremond** : écrivain français du XVIIe siècle.
4. **La Henriade** : épopée sur les guerres de Religion qui déchirèrent la France du XVIe siècle, écrite par Voltaire.
5. **L'élocution** : partie de la rhétorique qui traite du choix et de l'arrangement des mots.
6. **Idiomes provinciaux** : termes propres à une région.

elle ne parlait que de Bayle[1] et faisait grand cas de Saint-Èvremond, qui depuis longtemps était mort en France.

Mais cela n'empêchait pas qu'elle ne connût la bonne littérature et qu'elle n'en parlât fort bien. Elle avait été éle-
970 vée dans des sociétés choisies : et, venue en Savoie encore jeune, elle avait perdu dans le commerce charmant de la noblesse du pays ce ton maniéré du pays de Vaud, où les femmes prennent le bel esprit pour l'esprit du monde, et ne savent parler que par épigrammes[2].

975 Quoiqu'elle n'eût vu la Cour qu'en passant, elle y avait jeté un coup d'œil rapide qui lui avait suffi pour la connaître. Elle s'y conserva toujours des amis, et malgré de secrètes jalousies, malgré les murmures qu'excitaient sa conduite et ses dettes, elle n'a jamais perdu sa pension. Elle avait
980 l'expérience du monde et l'esprit de réflexion qui fait tirer parti de cette expérience. C'était le sujet favori de ses conversations, et c'était précisément, vu mes idées chimériques, la sorte d'instruction dont j'avais le plus grand besoin. Nous lisions ensemble La Bruyère[3] : il lui plaisait
985 plus que La Rochefoucauld[4], livre triste et désolant, principalement dans la jeunesse, où l'on n'aime pas à voir l'homme comme il est. Quand elle moralisait, elle se perdait quelquefois un peu dans les espaces ; mais, en lui baisant de temps en temps la bouche ou les mains, je prenais
990 patience, et ses longueurs ne m'ennuyaient pas.

Cette vie était trop douce pour pouvoir durer. Je le sentais, et l'inquiétude de la voir finir était la seule chose qui

---

1. **Bayle :** philosophe de la fin du XVIIe siècle qui favorisa le débat d'idées entre les esprits éclairés de l'époque et lutta en faveur de la tolérance, notamment grâce à son célèbre *Dictionnaire historique et critique.*
2. **Épigrammes :** courts poèmes satiriques.
3. **La Bruyère :** écrivain français du XVIIe siècle auteur des *Caractères.*
4. **La Rochefoucauld :** moraliste français du XVIIe siècle auteur des *Maximes.*

en troublait la jouissance. Tout en folâtrant, Maman m'étudiait, m'observait, m'interrogeait, et bâtissait pour ma fortune force projets dont je me serais bien passé. 995
Heureusement ce n'était pas le tout de connaître mes penchants, mes goûts, mes petits talents : il fallait trouver ou faire naître les occasions d'en tirer parti, et tout cela n'était pas l'affaire d'un jour. Les préjugés mêmes qu'avait conçus la pauvre femme en faveur de mon mérite reculaient les 1000
moments de le mettre en œuvre, en la rendant plus difficile sur le choix des moyens. Enfin, tout allait au gré de mes désirs, grâce à la bonne opinion qu'elle avait de moi : mais il en fallut rabattre, et dès lors adieu la tranquillité. Un de ses parents, appelé M. d'Aubonne, la vint voir. 1005
C'était un homme de beaucoup d'esprit, intrigant, génie à projets comme elle, mais qui ne s'y ruinait pas, une espèce d'aventurier. Il venait de proposer au cardinal de Fleury[1] un plan de loterie très composée, qui n'avait pas été goûté. Il allait le proposer à la cour de Turin, où il fut adopté et 1010
mis en exécution. Il s'arrêta quelque temps à Annecy, et devint amoureux de Mme l'Intendante, qui était une personne fort aimable, fort de mon goût, et la seule que je visse avec plaisir chez Maman. M. d'Aubonne me vit ; sa parente lui parla de moi : il se chargea de m'examiner, 1015
de voir à quoi j'étais propre, et, s'il me trouvait de l'étoffe[2], de chercher à me placer.

Mme de Warens m'envoya chez lui deux ou trois matins de suite, sous prétexte de quelque commission, et sans me prévenir de rien. Il s'y prit très bien pour me faire jaser, se 1020
familiarisa avec moi, me mit à mon aise autant qu'il était possible, me parla de niaiseries et de toutes sortes de sujets, le tout sans paraître m'observer, sans la moindre affectation, et comme si, se plaisant avec moi, il eût voulu

1. **Cardinal de Fleury :** premier ministre de Louis XV de 1726 à 1743.
2. **De l'étoffe :** des talents, d'heureuses dispositions.

1025 converser sans gêne. J'étais enchanté de lui. Le résultat de ses observations fut que, malgré ce que promettaient mon extérieur et ma physionomie animée, j'étais sinon tout à fait inepte, au moins un garçon de peu d'esprit, sans idées, presque sans acquis, très borné en un mot à tous égards, 1030 et que l'honneur de devenir quelque jour curé au village était la plus haute fortune à laquelle je dusse aspirer. Tel fut le compte qu'il rendit de moi à Mme de Warens. Ce fut la seconde ou troisième fois que je fus ainsi jugé : ce ne fut pas la dernière, et l'arrêt de M. Masseron a souvent été 1035 confirmé.

La cause de ces jugements tient trop à mon caractère pour n'avoir pas ici besoin d'explication ; car en conscience on sent bien que je ne puis sincèrement y souscrire, et qu'avec toute l'impartialité possible, quoi 1040 qu'aient pu dire MM. Masseron, d'Aubonne et beaucoup d'autres, je ne les saurais prendre au mot.

Deux choses presque inalliables[1] s'unissent en moi sans que j'en puisse concevoir la manière : un tempérament très ardent, des passions vives, impétueuses, et des idées 1045 lentes à naître, embarrassées et qui ne se présentent jamais qu'après coup. On dirait que mon cœur et mon esprit n'appartiennent pas au même individu. Le sentiment, plus prompt que l'éclair, vient remplir mon âme, mais au lieu de m'éclairer, il me brûle et m'éblouit. Je sens 1050 tout et je ne vois rien. Je suis emporté, mais stupide ; il faut que je sois de sang-froid pour penser. Ce qu'il y a d'étonnant est que j'ai cependant le tact[2] assez sûr, de la pénétration, de la finesse même, pourvu qu'on m'attende : je fais d'excellents impromptus[3] à loisir, mais sur le 1055 temps je n'ai jamais rien fait ni dit qui vaille. Je ferais une

1. **Inalliables :** incompatibles.
2. **Tact :** intuition.
3. **Impromptus :** bons mots qui lui viennent à l'esprit sur le champ.

fort jolie conversation par la poste, comme on dit que les Espagnols jouent aux échecs. Quand je lus le trait d'un duc de Savoie qui se retourna, faisant route, pour crier : *À votre gorge, marchand de Paris*, je dis : « Me voilà[1]. »

Cette lenteur de penser, jointe à cette vivacité de sentir, je ne l'ai pas seulement dans la conversation, je l'ai même seul et quand je travaille. Mes idées s'arrangent dans ma tête avec la plus incroyable difficulté : elles y circulent sourdement, elles y fermentent jusqu'à m'émouvoir, m'échauffer, me donner des palpitations ; et, au milieu de toute cette émotion, je ne vois rien nettement, je ne saurais écrire un seul mot, il faut que j'attende. Insensiblement ce grand mouvement s'apaise, ce chaos se débrouille, chaque chose vient se mettre à sa place, mais lentement, et après une longue et confuse agitation. N'avez-vous point vu quelquefois l'opéra en Italie ? Dans les changements de scènes il règne sur ces grands théâtres un désordre désagréable et qui dure assez longtemps ; toutes les décorations[2] sont entremêlées ; on voit de toutes parts un tiraillement qui fait peine, on croit que tout va renverser : cependant, peu à peu tout s'arrange, rien ne manque, et l'on est tout surpris de voir succéder à ce long tumulte un spectacle ravissant. Cette manœuvre est à peu près celle qui se fait dans mon cerveau quand je veux écrire. Si j'avais su premièrement attendre, et puis rendre dans leur beauté les choses qui s'y sont ainsi peintes, peu d'auteurs m'auraient surpassé.

De là vient l'extrême difficulté que je trouve à écrire. Mes manuscrits, raturés, barbouillés, mêlés, indéchiffrables, attestent la peine qu'ils m'ont coûtée. Il n'y en a pas un qu'il ne m'ait fallu transcrire quatre ou cinq fois avant de

1060 1065 1070 1075 1080 1085

---

1. **Me voilà :** allusion à l'anecdote selon laquelle ce duc de Savoie, insulté par un marchand, rumina longtemps l'injure avant de trouver sa réplique.
2. **Décorations :** décors.

le donner à la presse. Je n'ai jamais pu rien faire la plume à la main vis-à-vis d'une table et de mon papier : c'est à la promenade, au milieu des rochers et des bois, c'est la nuit
1090 dans mon lit, et durant mes insomnies, que j'écris dans mon cerveau ; l'on peut juger avec quelle lenteur, surtout pour un homme absolument dépourvu de mémoire verbale, et qui de la vie n'a pu retenir six vers par cœur. Il y a telle de mes périodes[1] que j'ai tournée et retournée cinq
1095 ou six nuits dans ma tête avant qu'elle fût en état d'être mise sur le papier. De là vient encore que je réussis mieux aux ouvrages qui demandent du travail qu'à ceux qui veulent être faits avec une certaine légèreté, comme les lettres, genre dont je n'ai jamais pu prendre le ton, et dont
1100 l'occupation me met au supplice. Je n'écris point de lettres sur les moindres sujets qui ne me coûtent des heures de fatigue, ou, si je veux écrire de suite ce qui me vient, je ne sais ni commencer ni finir ; ma lettre est un long et confus verbiage ; à peine m'entend-on[2] quand on la lit.

1105 Non seulement les idées me coûtent à rendre, elles me coûtent même à recevoir. J'ai étudié les hommes, et je me crois assez bon observateur : cependant je ne sais rien voir de ce que je vois ; je ne vois bien que ce que je me rappelle, et je n'ai de l'esprit que dans mes souvenirs. De tout
1110 ce qu'on dit, de tout ce qu'on fait, de tout ce qui se passe en ma présence, je ne sens rien, je ne pénètre rien. Le signe extérieur est tout ce qui me frappe. Mais ensuite tout cela me revient : je me rappelle le lieu, le temps, le ton, le regard, le geste, la circonstance ; rien ne m'échappe.
1115 Alors, sur ce qu'on a fait ou dit, je trouve ce qu'on a pensé, et il est rare que je me trompe.

Si peu maître de mon esprit seul avec moi-même, qu'on juge de ce que je dois être dans la conversation, où, pour

1. **Périodes :** longues phrases harmonieuses et très fortement structurées.
2. **À peine m'entend-on :** on me comprend à peine.

parler à propos, il faut penser à la fois et sur-le-champ à mille choses. La seule idée de tant de convenances, dont je suis sûr d'oublier au moins quelqu'une, suffit pour m'intimider. Je ne comprends pas même comment on ose parler dans un cercle : car à chaque mot il faudrait passer en revue tous les gens qui sont là ; il faudrait connaître tous leurs caractères, savoir leurs histoires, pour être sûr de ne rien dire qui puisse offenser quelqu'un. Là-dessus, ceux qui vivent dans le monde ont un grand avantage : sachant mieux ce qu'il faut taire, ils sont plus sûrs de ce qu'ils disent ; encore leur échappe-t-il souvent des balourdises. Qu'on juge de celui qui tombe là des nues : il lui est presque impossible de parler une minute impunément. Dans le tête-à-tête, il y a un autre inconvénient que je trouve pire, la nécessité de parler toujours : quand on vous parle il faut répondre, et si l'on ne dit mot il faut relever la conversation. Cette insupportable contrainte m'eût seule dégoûté de la société. Je ne trouve point de gêne plus terrible que l'obligation de parler sur-le-champ et toujours. Je ne sais si ceci tient à ma mortelle aversion[1] pour tout assujettissement ; mais c'est assez qu'il faille absolument que je parle pour que je dise une sottise infailliblement.

Ce qu'il y a de plus fatal est qu'au lieu de savoir me taire quand je n'ai rien à dire, c'est alors que pour payer plus tôt ma dette, j'ai la fureur de vouloir parler. Je me hâte de balbutier promptement des paroles sans idées, trop heureux quand elles ne signifient rien du tout. En voulant vaincre ou cacher mon ineptie[2], je manque rarement de la montrer. Entre mille exemples que j'en pourrais citer, j'en prends un qui n'est pas de ma jeunesse, mais d'un temps où, ayant vécu plusieurs années dans le monde, j'en aurais pris l'aisance et le ton, si la chose eût été possible. J'étais

1. **Aversion :** répugnance, répulsion.
2. **Ineptie :** stupidité.

un soir avec deux grandes dames et un homme qu'on peut nommer ; c'était M. le duc de Gontaut. Il n'y avait personne autre dans la chambre, et je m'efforçais de fournir quelques mots, Dieu sait quels ! à une conversation entre quatre personnes, dont trois n'avaient assurément pas besoin de mon supplément. La maîtresse de la maison se fit apporter un [sic] opiate[1] dont elle prenait tous les jours deux fois pour son estomac. L'autre dame, lui voyant faire la grimace, dit en riant : Est-ce de l'opiate de M. Tronchin[2] ? – Je ne crois pas, répondit sur le même ton la première. – Je crois qu'elle ne vaut guère mieux, ajouta galamment le spirituel Rousseau. Tout le monde resta interdit ; il n'échappa ni le moindre mot ni le moindre sourire, et, à l'instant d'après, la conversation prit un autre tour. Vis-à-vis d'une autre, la balourdise eût pu n'être que plaisante ; mais adressée à une femme trop aimable pour n'avoir pas un peu fait parler d'elle, et qu'assurément je n'avais pas dessein d'offenser, elle était terrible ; et je crois que les deux témoins, homme et femme, eurent bien de la peine à s'abstenir d'éclater[3]. Voilà de ces traits d'esprit qui m'échappent pour vouloir parler sans avoir rien à dire. J'oublierai difficilement celui-là ; car, outre qu'il est par lui-même très mémorable, j'ai dans la tête qu'il a eu des suites qui ne me le rappellent que trop souvent.

Je crois que voilà de quoi faire assez comprendre comment, n'étant pas un sot, j'ai cependant souvent passé pour l'être, même chez des gens en état de bien juger : d'autant plus malheureux que ma physionomie et mes yeux promettent davantage, et que cette attente frustrée rend plus choquante aux autres ma stupidité. Ce détail, qu'une occasion particulière a fait naître, n'est pas inutile à

1. **Opiate :** composition médicinale à base d'opium.
2. **M. Tronchin :** célèbre médecin genevois.
3. **S'abstenir d'éclater :** se retenir de s'emporter.

ce qui doit suivre. Il contient la clef de bien des choses extraordinaires qu'on m'a vu faire et qu'on attribue à une humeur sauvage que je n'ai point. J'aimerais la société comme un autre, si je n'étais sûr de m'y montrer non seulement à mon désavantage, mais tout autre que je ne suis. Le parti que j'ai pris d'écrire et de me cacher est précisément celui qui me convenait. Moi présent, on n'aurait jamais su ce que je valais, on ne l'aurait pas soupçonné même ; et c'est ce qui est arrivé à Mme Dupin, quoique femme d'esprit, et quoique j'aie vécu dans sa maison plusieurs années ; elle me l'a dit bien des fois elle-même depuis ce temps-là. Au reste, tout ceci souffre de certaines exceptions et j'y reviendrai dans la suite.

La mesure de mes talents ainsi fixée, l'état qui me convenait ainsi désigné, il ne fut plus question, pour la seconde fois, que de remplir ma vocation. La difficulté fut que je n'avais pas fait mes études, et que je ne savais pas même assez de latin pour être prêtre. Mme de Warens imagina de me faire instruire au séminaire[1] pendant quelque temps. Elle en parla au supérieur. C'était un lazariste[2] appelé M. Gros, bon petit homme, à moitié borgne, maigre, grison[3] le plus spirituel et le moins pédant lazariste que j'aie connu ; ce qui n'est pas beaucoup dire, à la vérité.

Il venait quelquefois chez Maman, qui l'accueillait, le caressait, l'agaçait même, et se faisait quelquefois lacer[4] par lui, emploi dont il se chargeait assez volontiers. Tandis qu'il était en fonction, elle courait par la chambre de côté et d'autre, faisant tantôt ceci, tantôt cela. Tiré par le lacet, Monsieur le Supérieur suivait en grondant, et disant à tout moment : « Mais, Madame, tenez-vous donc. » Cela faisait un sujet assez pittoresque.

1185 1190 1195 1200 1205 1210

---

1. **Séminaire :** lieu où sont formés les prêtres.
2. **Lazariste :** religieux de la congrégation fondée au XVIIe siècle par saint Vincent de Paul.
3. **Grison :** grisonnant.
4. **Lacer :** serrer une robe ou une jupe avec un lacet.

M. Gros se prêta de bon cœur au projet de Maman. Il se contenta d'une pension très modique, et se chargea de l'instruction. Il ne fut question que du consentement de l'évêque, qui non seulement l'accorda, mais qui voulut payer la pension. Il permit aussi que je restasse en habit laïque jusqu'à ce qu'on pût juger, par un essai, du succès qu'on devait espérer. Quel changement ! Il fallut m'y soumettre. J'allai au séminaire comme j'aurais été au supplice. La triste maison qu'un séminaire, surtout pour qui sort de celle d'une aimable femme ! J'y portai un seul livre, que j'avais prié Maman de me prêter, et qui me fut d'une grande ressource. On ne devinera pas quelle sorte de livre c'était : un livre de musique. Parmi les talents qu'elle avait cultivés, la musique n'avait pas été oubliée. Elle avait de la voix, chantait passablement, et jouait un peu du clavecin : elle avait eu la complaisance de me donner quelques leçons de chant, et il fallut commencer de loin, car à peine savais-je la musique de nos psaumes. Huit ou dix leçons de femme, et fort interrompues, loin de me mettre en état de solfier, ne m'apprirent pas le quart des signes de la musique. Cependant j'avais une telle passion pour cet art, que je voulus essayer de m'exercer seul. Le livre que j'emportai n'était pas même des plus faciles ; c'étaient les cantates de Clérambault[1]. On concevra quelle fut mon application et mon obstination, quand je dirai que, sans connaître ni transposition, ni quantité[2], je parvins à déchiffrer et chanter sans faute le premier récitatif et le premier air de la cantate d'*Alphée et Aréthuse*[3] ; et il est vrai que cet air est scandé[4] si juste, qu'il ne faut que réciter les vers avec leur mesure pour y mettre celle de l'air.

---

1. **Clérambault :** célèbre organiste et compositeur français du XVIIIe siècle.
2. **Ni transposition, ni quantité :** Rousseau fait allusion à des notions de solfège.
3. ***Alphée et Aréthuse* :** cantate évoquant la fuite de la nymphe Aréthuse poursuivie par le dieu-fleuve Alphée.
4. **Scandé :** rythmé.

Il y avait au séminaire un maudit lazariste qui m'entreprit, et qui me fit prendre en horreur le latin qu'il voulait m'enseigner. Il avait des cheveux plats, gras et noirs, un visage de pain d'épice, une voix de buffle, un regard de chat-huant[1], des crins de sanglier au lieu de barbe ; son sourire était sardonique[2] ; ses membres jouaient comme les poulies d'un mannequin : j'ai oublié son odieux nom ; mais sa figure effrayante et doucereuse m'est bien restée, et j'ai peine à me la rappeler sans frémir. Je crois le rencontrer encore dans les corridors, avançant gracieusement son crasseux bonnet carré pour me faire signe d'entrer dans sa chambre, plus affreuse pour moi qu'un cachot. Qu'on juge du contraste d'un pareil maître pour le disciple d'un abbé de cour !

Si j'étais resté deux mois à la merci de ce monstre, je suis persuadé que ma tête n'y aurait pas résisté. Mais le bon M. Gros, qui s'aperçut que j'étais triste, que je ne mangeais pas, que je maigrissais, devina le sujet de mon chagrin ; cela n'était pas difficile. Il m'ôta des griffes de ma bête, et, par un autre contraste encore plus marqué, me remit au plus doux des hommes : c'était un jeune abbé faucigneran[3], appelé M. Gâtier, qui faisait son séminaire, et qui, par complaisance pour M. Gros, et je crois par humanité, voulait bien prendre sur ses études le temps qu'il donnait à diriger les miennes ; je n'ai jamais vu de physionomie plus touchante que celle de M. Gâtier. Il était blond, et sa barbe tirait sur le roux : il avait le maintien ordinaire aux gens de sa province, qui, sous une figure épaisse, cachent tous beaucoup d'esprit ; mais ce qui se marquait vraiment en lui était une âme sensible, affectueuse, aimante. Il y avait dans ses grands yeux bleus un mélange de douceur, de tendresse et de tristesse, qui fai-

1. **Chat-huant :** sorte de chouette.
2. **Sardonique :** méchant, malfaisant.
3. **Faucigneran[d] :** du Faucigny (Haute-Savoie).

sait qu'on ne pouvait le voir sans s'intéresser à lui. Aux regards, au ton de ce pauvre jeune homme, on eût dit qu'il prévoyait sa destinée, et qu'il se sentait né pour être malheureux.

1280 Son caractère ne démentait point sa physionomie ; plein de patience et de complaisance, il semblait plutôt étudier avec moi que m'instruire. Il n'en fallait pas tant pour me le faire aimer : son prédécesseur avait rendu cela très facile. Cependant, malgré tout le temps qu'il me donnait, malgré 1285 toute la bonne volonté que nous y mettions l'un et l'autre, et quoiqu'il s'y prît très bien, j'avançai peu en travaillant beaucoup. Il est singulier qu'avec assez de conception[1] je n'ai jamais pu rien apprendre avec des maîtres, excepté mon père et M. Lambercier. Le peu que je sais de plus, je 1290 l'ai appris seul, comme on verra ci-après. Mon esprit impatient de toute espèce de joug ne peut s'asservir à la loi du moment ; la crainte même de ne pas apprendre m'empêche d'être attentif ; de peur d'impatienter celui qui me parle, je feins d'entendre[2], il va en avant, et je n'entends rien. Mon 1295 esprit veut marcher à son heure, il ne peut se soumettre à celle d'autrui.

Le temps des ordinations étant venu, M. Gâtier s'en retourna diacre[3] dans sa province. Il emporta mes regrets, mon attachement, ma reconnaissance. Je fis pour 1300 lui des vœux qui n'ont pas été plus exaucés que ceux que j'ai faits pour moi-même. Quelques années après j'appris qu'étant vicaire dans une paroisse il avait fait un enfant à une fille, la seule dont, avec un cœur très tendre, il eût jamais été amoureux. Ce fut un scandale effroyable dans 1305 un diocèse administré très sévèrement. Les prêtres, en bonne règle, ne doivent faire des enfants qu'à des femmes

1. **Conception :** intelligence.
2. **Je feins d'entendre :** je fais semblant de comprendre.
3. **Diacre :** clerc ayant reçu le diaconat (ordre de l'Église catholique au-dessous de la prêtrise).

mariées. Pour avoir manqué à cette loi de convenance, il fut mis en prison, diffamé, chassé. Je ne sais s'il aura pu dans la suite rétablir ses affaires ; mais le sentiment de son infortune, profondément gravé dans mon cœur, me revint 1310 quand j'écrivis l'*Émile*, et réunissant M. Gâtier avec M. Gaime, je fis de ces deux dignes prêtres l'original du Vicaire savoyard. Je me flatte que l'imitation n'a pas déshonoré mes modèles.

Pendant que j'étais au séminaire, M. d'Aubonne fut 1315 obligé de quitter Annecy. M. l'Intendant s'avisa de trouver mauvais qu'il fît l'amour à sa femme. C'était faire comme le chien du jardinier[1] ; car, quoique Mme Corvesi fût aimable, il vivait fort mal avec elle ; des goûts ultramontains[2] la lui rendaient inutile, et il la traitait si brutalement 1320 qu'il fut question de séparation. M. Corvesi était un vilain homme, noir comme une taupe, fripon comme une chouette, et qui à force de vexations finit par se faire chasser lui-même. On dit que les Provençaux se vengent de leurs ennemis par des chansons : M. d'Aubonne se vengea 1325 du sien par une comédie ; il envoya cette pièce à Mme de Warens, qui me la fit voir. Elle me plut, et me fit naître la fantaisie d'en faire une pour essayer si j'étais en effet aussi bête que l'auteur l'avait prononcé : mais ce ne fut qu'à Chambéry que j'exécutai ce projet en écrivant l'*Amant de* 1330 *lui-même*[3]. Ainsi quand j'ai dit dans la préface de cette pièce que je l'avais écrite à dix-huit ans, j'ai menti de quelques années.

C'est à peu près à ce temps-ci que se rapporte un événement peu important en lui-même, mais qui a eu pour moi 1335

---

1. **Chien du jardinier** : allusion à un vieux proverbe selon lequel « le chien du jardinier ne veut pas de sa pâtée et grogne si les bœufs la mangent ».
2. **Ultramontains** : italiens ; M. Corvesi était homosexuel (l'homosexualité passant à l'époque pour être très répandue parmi les Italiens).
3. **L'*Amant de lui-même*** : comédie de Rousseau qui fut jouée en 1752.

des suites, et qui a fait du bruit dans le monde quand je l'avais oublié. Toutes les semaines j'avais une fois la permission de sortir ; je n'ai pas besoin de dire quel usage j'en faisais. Un dimanche que j'étais chez Maman, le feu prit à
1340 un bâtiment des Cordeliers[1] attenant à la maison qu'elle occupait. Ce bâtiment, où était leur four, était plein jusqu'au comble de fascines[2] sèches. Tout fut embrasé en très peu de temps : la maison était en grand péril et couverte par les flammes que le vent y portait. On se mit en
1345 devoir de déménager en hâte et de porter les meubles dans le jardin, qui était vis-à-vis mes anciennes fenêtres et au-delà du ruisseau dont j'ai parlé. J'étais si troublé, que je jetais indifféremment par la fenêtre tout ce qui me tombait sous la main, jusqu'à un gros mortier de pierre qu'en
1350 tout autre temps j'aurais eu peine à soulever. J'étais prêt à y jeter de même une grande glace si quelqu'un ne m'eût retenu. Le bon évêque, qui était venu voir Maman ce jour-là, ne resta pas non plus oisif : il l'emmena dans le jardin, où il se mit en prières avec elle et tous ceux qui étaient
1355 là ; en sorte qu'arrivant quelque temps après, je vis tout le monde à genoux, et m'y mis, comme les autres. Durant la prière du saint homme le vent changea, mais si brusquement et si à propos, que les flammes qui couvraient la maison et entraient déjà par les fenêtres furent portées de
1360 l'autre côté de la cour, et la maison n'eut aucun mal. Deux ans après, M. de Bernex étant mort, les Antonins[3], ses anciens confrères, commencèrent à recueillir les pièces qui pouvaient servir à sa béatification. À la prière du père Boudet, je joignis à ces pièces une attestation du fait que
1365 je viens de rapporter, en quoi je fis bien ; mais en quoi je fis mal, ce fut de donner ce fait pour un miracle. J'avais vu l'évêque en prière, et durant sa prière, j'avais vu le vent

1. **Cordeliers :** religieux de l'ordre de Saint-François-d'Assise.
2. **Fascines :** fagots de branchage.
3. **Antonins :** religieux de l'ordre de Saint-Antoine.

changer et même très à propos ; voilà ce que je pouvais dire et certifier ; mais qu'une de ces deux choses fût la cause de l'autre, voilà ce que je ne devais pas attester, 1370 parce que je ne pouvais le savoir. Cependant, autant que je puis me rappeler mes idées, alors sincèrement catholique, j'étais de bonne foi. L'amour du merveilleux, si naturel au cœur humain, ma vénération pour ce vertueux prélat, l'orgueil secret d'avoir peut-être contribué moi-même 1375 au miracle aidèrent à me séduire ; et ce qu'il y a de sûr est que si ce miracle eût été l'effet des plus ardentes prières, j'aurais bien pu m'en attribuer ma part.

Plus de trente ans après, lorsque j'eus publié les *Lettres de la montagne*[1], M. Fréron déterra ce certificat, je ne sais 1380 comment, et en fit usage dans ses feuilles. Il faut avouer que la découverte était heureuse, et l'à-propos me parut à moi-même très plaisant.

J'étais destiné à être le rebut de tous les états. Quoique M. Gâtier eût rendu de mes progrès le compte le moins 1385 défavorable qui lui fût possible, on voyait qu'ils n'étaient pas proportionnés à mon travail, et cela n'était pas encourageant pour me faire pousser mes études. Aussi l'évêque et le supérieur se rebutèrent-ils, et on me rendit à Mme de Warens comme un sujet qui n'était pas même bon pour 1390 être prêtre ; au reste assez bon garçon, disait-on, et point vicieux : ce qui fit que, malgré tant de préjugés rebutants sur mon compte, elle ne m'abandonna pas.

Je rapportai chez elle en triomphe son livre de musique, dont j'avais tiré si bon parti. Mon air d'*Alphée et Aréthuse* 1395 était à peu près tout ce que j'avais appris au séminaire. Mon goût marqué pour cet art lui fit naître la pensée de me faire musicien : l'occasion était commode ; on faisait chez elle, au moins une fois la semaine, de la musique, et le maître de

---

1. ***Lettres de la montagne*** : ouvrage que publie Rousseau en 1764 en réponse aux *Lettres écrites de la campagne* de Tronchin et dans lequel il met en doute l'existence des miracles.

1400 musique de la cathédrale, qui dirigeait ce petit concert, venait la voir très souvent. C'était un Parisien nommé M. Le Maître, bon compositeur, fort vif, fort gai, jeune encore, assez bien fait, peu d'esprit, mais au demeurant très bon homme. Maman me fit faire sa connaissance : je m'attachais 1405 à lui, je ne lui déplaisais pas : on parla de pension, l'on en convint. Bref, j'entrai chez lui, et j'y passai l'hiver d'autant plus agréablement que, la maîtrise[1] n'étant qu'à vingt pas de la maison de Maman, nous étions chez elle en un moment, et nous y soupions très souvent ensemble.

1410 On jugera bien que la vie de la maîtrise, toujours chantante et gaie, avec les musiciens et les enfants de chœur, me plaisait plus que celle du séminaire avec les pères de Saint-Lazare. Cependant cette vie, pour être plus libre, n'en était pas moins égale et réglée. J'étais fait pour aimer 1415 l'indépendance et pour n'en abuser jamais. Durant six mois entiers je ne sortis pas une seule fois que pour aller chez Maman ou à l'église, et je n'en fus pas même tenté. Cet intervalle est un de ceux où j'ai vécu dans le plus grand calme, et que je me suis rappelés avec le plus de 1420 plaisir. Dans les situations diverses où je me suis trouvé, quelques-uns ont été marqués par un tel sentiment de bien-être, qu'en les remémorant j'en suis affecté comme si j'y étais encore. Non seulement je me rappelle les temps, les lieux, les personnes, mais tous les objets environnants, 1425 la température de l'air, son odeur, sa couleur, une certaine impression locale qui ne s'est fait sentir que là, et dont le souvenir vif m'y transporte de nouveau. Par exemple, tout ce qu'on répétait à la maîtrise, tout ce qu'on chantait au chœur, tout ce qu'on y faisait, le bel et noble habit 1430 des chanoines, les chasubles[2] des prêtres, les mitres[3] des

1. **Maîtrise :** école de musique d'une église.
2. **Chasubles :** vêtements que revêtent les prêtres par-dessus l'aube et l'étole pour célébrer la messe.
3. **Mitres :** coiffes que les évêques et les abbés réguliers portent pendant l'office.

chantres[1], la figure des musiciens, un vieux charpentier boiteux qui jouait de la contrebasse, un petit abbé blondin qui jouait du violon, le lambeau de soutane qu'après avoir posé son épée, M. Le Maître endossait par-dessus son habit laïque, et le beau surplis[2] fin dont il en couvrait les loques pour aller au chœur ; l'orgueil avec lequel j'allais, tenant ma petite flûte à bec, m'établir dans l'orchestre à la tribune pour un petit bout de récit[3] que M. Le Maître avait fait exprès pour moi, le bon dîner qui nous attendait ensuite, le bon appétit qu'on y portait ; ce concours d'objets vivement retracé m'a cent fois charmé dans ma mémoire, autant et plus que dans la réalité. J'ai gardé toujours une affection tendre pour un certain air du *Conditor alme siderum*[4] qui marche par ïambes[5], parce qu'un dimanche de l'Avent j'entendis de mon lit chanter cette hymne avant le jour sur le perron de la cathédrale, selon un rite de cette église-là. Mlle Merceret, femme de chambre de Maman, savait un peu de musique ; je n'oublierai jamais un petit motet[6] *Afferte*[7] que M. Le Maître me fit chanter avec elle, et que sa maîtresse écoutait avec tant de plaisir. Enfin tout, jusqu'à la bonne servante Perrine, qui était si bonne fille et que les enfants de chœur faisaient tant endêver[8], tout, dans les souvenirs de ces temps de bonheur et d'innocence, revient souvent me ravir et m'attrister.

1435 1440 1445 1450

---

1. **Chantres :** chanteurs qui chantent pendant les offices.
2. **Surplis :** vêtement de lin à larges manches et descendant à mi-jambe que portent les prêtres.
3. **Récit :** en musique, morceau chanté par une voix seule.
4. ***Conditor alme siderum* :** « Créateur bienfaisant des astres », paroles qui inaugurent l'office des vêpres du premier dimanche de l'Avent.
5. **Ïambes :** vers latins fondés sur des unités rythmiques composées de deux syllabes, la première brève, la seconde longue.
6. **Motet :** chant destiné à être interprété à l'église en dehors des offices. Rousseau en a lui-même composé.
7. ***Afferte* :** « apportez » en latin.
8. **Endêver :** enrager.

1455 Je vivais à Annecy depuis près d'un an sans le moindre reproche ; tout le monde était content de moi. Depuis mon départ de Turin je n'avais point fait de sottise, et je n'en fis point tant que je fus sous les yeux de Maman. Elle me conduisait, et me conduisait toujours bien ; mon atta-
1460 chement pour elle était devenu ma seule passion ; et ce qui prouve que ce n'était pas une passion folle, c'est que mon cœur formait ma raison. Il est vrai qu'un seul sentiment, absorbant pour ainsi dire toutes mes facultés, me mettait hors d'état de rien apprendre, pas même la musique,
1465 bien que j'y fisse tous mes efforts. Mais il n'y avait point de ma faute ; la bonne volonté y était tout entière, l'assiduité y était. J'étais distrait, rêveur, je soupirais : qu'y pouvais-je faire ? Il ne manquait à mes progrès rien qui dépendît de moi ; mais pour que je fisse de nouvelles folies il ne fal-
1470 lait qu'un sujet qui vînt me les inspirer. Ce sujet se présenta ; le hasard arrangea les choses, et, comme on verra dans la suite, ma mauvaise tête en tira parti.

Un soir du mois de février qu'il faisait bien froid, comme nous étions tous autour du feu, nous entendîmes frapper
1475 à la porte de la rue. Perrine prend sa lanterne, descend, ouvre ; un jeune homme entre avec elle, monte, se présente d'un air aisé, et fait à M. Le Maître un compliment court et bien tourné, se donnant pour un musicien français que le mauvais état de ses finances forçait de vicarier[1]
1480 pour passer son chemin. À ce mot de musicien français le cœur tressaillit au bon Le Maître ; il aimait passionnément son pays et son art. Il accueillit le jeune passager, lui offrit le gîte, dont il paraissait avoir grand besoin, et qu'il accepta sans beaucoup de façon. Je l'examinai tandis qu'il
1485 se chauffait et qu'il jasait[2] en attendant le souper. Il était court de stature, mais large de carrure ; il avait je ne sais

1. **Vicarier :** aller de ville en ville proposer ses talents de musicien, notamment aux maîtres de musique des cathédrales (terme familier).

2. **Jasait :** causait, discutait.

quoi de contrefait dans sa taille sans aucune difformité particulière ; c'était pour ainsi dire un bossu à épaules plates, mais je crois qu'il boitait un peu. Il avait un habit noir plutôt usé que vieux, et qui tombait par pièces, une chemise très fine et très sale, de belles manchettes d'effilé[1], des guêtres[2] dans chacune desquelles il aurait mis ses deux jambes, et pour se garantir de la neige un petit chapeau à porter sous le bras. Dans ce comique équipage il y avait pourtant quelque chose de noble que son maintien ne démentait pas ; sa physionomie avait de la finesse et de l'agrément ; il parlait facilement et bien, mais très peu modestement. Tout marquait en lui un jeune débauché qui avait eu de l'éducation, et qui n'allait pas gueusant[3] comme un gueux, mais comme un fou. Il nous dit qu'il s'appelait Venture de Villeneuve, qu'il venait de Paris, qu'il s'était égaré dans sa route ; et oubliant un peu son rôle de musicien, il ajouta qu'il allait à Grenoble voir un parent qu'il avait dans le parlement.

Pendant le souper on parla de musique, et il en parla bien. Il connaissait tous les grands virtuoses, tous les ouvrages célèbres, tous les acteurs, toutes les actrices, toutes les jolies femmes, tous les grands seigneurs. Sur tout ce qu'on disait il paraissait au fait ; mais à peine un sujet était-il entamé qu'il brouillait l'entretien par quelque polissonnerie qui faisait rire et oublier ce qu'on avait dit. C'était un samedi ; il y avait le lendemain musique à la cathédrale ; M. Le Maître lui propose d'y chanter : *Très volontiers* ; lui demande quelle est sa partie : *la haute-contre*[4], et il parle d'autre chose.

1. **D'effilé :** effilées au bout – ce qui est signe de deuil.
2. **Guêtres :** sortes de chaussures qui recouvrent le haut du pied et le bas de la jambe.
3. **Gueusant :** mendiant.
4. **Haute-contre :** registre qui est celui des voix d'homme les plus aiguës.

1520 Avant d'aller à l'église on lui offrit sa partie à prévoir[1] ; il n'y jeta pas les yeux. Cette gasconnade[2] surprit Le Maître. Vous verrez, me dit-il à l'oreille, qu'il ne sait pas une note de musique. J'en ai grand'peur, lui répondis-je. Je les suivis très inquiet. Quand on commença, le cœur me battit d'une 1525 terrible force, car je m'intéressais beaucoup à lui.

J'eus bientôt de quoi me rassurer. Il chanta ses deux récits avec toute la justesse et tout le goût imaginables, et qui plus est, avec une très jolie voix. Je n'ai guère eu de plus agréable surprise. Après la messe, M. Venture reçut 1530 des compliments à perte de vue des chanoines et des musiciens, auxquels il répondait en polissonnant, mais toujours avec beaucoup de grâce. M. Le Maître l'embrassa de bon cœur ; j'en fis autant : il vit que j'étais bien aise, et cela parut lui faire plaisir.

1535 On conviendra, je m'assure, qu'après m'être engoué de M. Bâcle, qui tout compté n'était qu'un manant[3], je pouvais m'engouer de[4] M. Venture, qui avait de l'éducation, des talents, de l'esprit, de l'usage du monde, et qui pouvait passer pour un aimable débauché. C'est aussi ce qui 1540 m'arriva, et ce qui serait arrivé, je pense, à tout autre jeune homme à ma place, d'autant plus facilement encore qu'il aurait eu un meilleur tact pour sentir le mérite et un meilleur goût pour s'y attacher ; car Venture en avait, sans contredit, et il en avait surtout un bien rare à son âge, 1545 celui de n'être point pressé de montrer son acquis. Il est vrai qu'il se vantait de beaucoup de choses qu'il ne savait point ; mais pour celles qu'il savait et qui étaient en assez grand nombre, il n'en disait rien : il attendait l'occasion de les montrer, il s'en prévalait alors sans empressement, et 1550 cela faisait le plus grand effet. Comme il s'arrêtait après

---

1. **À prévoir :** à préparer, à étudier d'avance.
2. **Gasconnade :** fanfaronnade, acte prétentieux.
3. **Un manant :** un rustre, un grossier personnage.
4. **M'engouer de :** m'enticher de.

chaque chose sans parler du reste, on ne savait plus quand il aurait tout montré. Badin, folâtre, inépuisable, séduisant dans la conversation, souriant toujours et ne riant jamais, il disait du ton le plus élégant les choses les plus grossières, et les faisait passer. Les femmes même[s] les plus modestes s'étonnaient de ce qu'elles enduraient de lui. Elles avaient beau sentir qu'il fallait se fâcher, elles n'en avaient pas la force. Il ne lui fallait que des filles perdues, et je ne crois pas qu'il fût fait pour avoir des bonnes fortunes, mais il était fait pour mettre un agrément infini dans la société des gens qui en avaient. Il était difficile qu'avec tant de talents agréables, dans un pays où l'on s'y connaît et où on les aime, il restât borné longtemps à la sphère des musiciens. 1555 1560

Mon goût pour M. Venture, plus raisonnable dans sa cause, fut aussi moins extravagant dans ses effets, quoique plus vif et plus durable que celui que j'avais pris pour M. Bâcle. J'aimais à le voir, à l'entendre ; tout ce qu'il faisait me paraissait charmant ; tout ce qu'il disait me semblait des oracles ; mais mon engouement n'allait point jusqu'à ne pouvoir me séparer de lui. J'avais à mon voisinage un bon préservatif contre[1] cet excès. D'ailleurs, trouvant ses maximes très bonnes pour lui, je sentais qu'elles n'étaient pas à mon usage ; il me fallait une autre sorte de volupté, dont il n'avait pas l'idée, et dont je n'osais même lui parler, bien sûr qu'il se serait moqué de moi. Cependant j'aurais voulu allier cet attachement avec celui qui me dominait. J'en parlais à Maman avec transport ; Le Maître lui en parlait avec éloges. Elle consentit qu'on le lui amenât. Mais cette entrevue ne réussit point du tout : il la trouva précieuse ; elle le trouva libertin ; et, s'alarmant pour moi d'une aussi mauvaise connaissance, non seulement elle me défendit de le lui ramener, mais elle me peignit si for- 1565 1570 1575 1580

1. **Préservatif contre :** remède, garde-fou contre.

tement les dangers que je courais avec ce jeune homme,
1585 que je devins un peu plus circonspect à m'y livrer, et, très heureusement pour mes mœurs et pour ma tête, nous fûmes bientôt séparés.

M. Le Maître avait les goûts de son art ; il aimait le vin. À table cependant, il était sobre, mais en travaillant dans
1590 son cabinet il fallait qu'il bût. Sa servante le savait si bien, que, sitôt qu'il préparait son papier pour composer, et qu'il prenait son violoncelle, son pot et son verre arrivaient l'instant d'après, et le pot se renouvelait de temps à autre. Sans jamais être absolument ivre, il était presque toujours
1595 pris de vin[1] ; et en vérité c'était dommage, car c'était un garçon essentiellement bon et si gai que Maman ne l'appelait que *petit chat*. Malheureusement il aimait son talent, travaillait beaucoup, et buvait de même. Cela prit sur sa santé et enfin sur son humeur : il était quelquefois ombra-
1600 geux et facile à offenser. Incapable de grossièreté, incapable de manquer à qui que ce fût, il n'a jamais dit une mauvaise parole, même à un de ses enfants de chœur ; mais il ne fallait pas non plus lui manquer, et cela était juste. Le mal était qu'ayant peu d'esprit, il ne discernait pas
1605 les tons et les caractères, et prenait souvent la mouche sur rien.

L'ancien Chapitre[2] de Genève, où jadis tant de princes et d'évêques se faisaient un bonheur d'entrer, a perdu dans son exil son ancienne splendeur, mais il a conservé sa fierté. Pour pouvoir y être admis, il faut toujours être
1610 gentilhomme ou docteur de Sorbonne, et s'il est un orgueil pardonnable, après celui qui se tire du mérite personnel, c'est celui qui se tire de la naissance. D'ailleurs tous les prêtres qui ont des laïques à leurs gages les traitent d'ordinaire avec assez de hauteur. C'est ainsi que les
1615 chanoines traitaient souvent le pauvre Le Maître. Le chantre[3]

1. **Pris de vin :** échauffé par le vin.
2. **Chapitre :** ensemble des chanoines d'une cathédrale ou d'une collégiale.
3. **Chantre :** maître de chant dans une église ou une cathédrale.

surtout, appelé M. l'abbé de Vidonne, qui du reste était un très galant homme, mais trop plein de sa noblesse, n'avait pas toujours pour lui les égards que méritaient ses talents ; et l'autre n'endurait pas volontiers ses dédains. Cette année ils eurent, durant la semaine sainte, un démêlé plus vif qu'à l'ordinaire dans un dîner de règle[1] que l'évêque donnait aux chanoines, et où Le Maître était toujours invité. Le chantre lui fit quelque passe-droit, et lui dit quelque parole dure que celui-ci ne put digérer ; il prit sur-le-champ la résolution de s'enfuir la nuit suivante, et rien ne put l'en faire démordre, quoique Mme de Warens, à qui il alla faire ses adieux, n'épargnât rien pour l'apaiser. Il ne put renoncer au plaisir de se venger de ses tyrans, en les laissant dans l'embarras aux fêtes de Pâques, temps où l'on avait le plus grand besoin de lui. Mais ce qui l'embarrassait lui-même était sa musique qu'il voulait emporter, ce qui n'était pas facile : elle formait une caisse assez grosse et fort lourde, qui ne s'emportait pas sous le bras.

Maman fit ce que j'aurais fait, et ce que je ferais encore à sa place.

Après bien des efforts inutiles pour le retenir, le voyant résolu de partir comme que ce fût[2], elle prit le parti de l'aider en tout ce qui dépendait d'elle.

J'ose dire qu'elle le devait. Le Maître s'était consacré, pour ainsi dire, à son service. Soit en ce qui tenait à son art, soit en ce qui tenait à ses soins, il était entièrement à ses ordres et le cœur avec lequel il les suivait donnait à sa complaisance un nouveau prix. Elle ne faisait donc que rendre à un ami, dans une occasion essentielle, ce qu'il faisait pour elle en détail depuis trois ou quatre ans ; mais elle avait une âme, qui pour remplir de pareils devoirs, n'avait pas besoin de songer que c'en étaient pour elle. Elle

1. **Un dîner de règle :** un déjeuner traditionnellement prévu.
2. **Comme que ce fût :** de quelque manière que ce soit.

me fit venir, m'ordonna de suivre M. Le Maître au moins jusqu'à Lyon, et de m'attacher à lui aussi longtemps qu'il
1650 aurait besoin de moi. Elle m'a depuis avoué que le désir de m'éloigner de Venture était entré pour beaucoup dans cet arrangement. Elle consulta Claude Anet, son fidèle domestique, pour le transport de la caisse. Il fut d'avis qu'au lieu de prendre à Annecy une bête de somme, qui nous ferait
1655 infailliblement découvrir, il fallait, quand il serait nuit, porter la caisse à bras[1] jusqu'à une certaine distance, et louer ensuite un âne dans un village pour la transporter jusqu'à Seyssel[2] où, étant sur terres de France, nous n'aurions plus rien à risquer. Cet avis fut suivi ; nous partîmes le même
1660 soir à sept heures, et Maman, sous prétexte de payer ma dépense, grossit la petite bourse du pauvre *petit chat* d'un surcroît qui ne lui fut pas inutile. Claude Anet, le jardinier et moi, portâmes la caisse comme nous pûmes jusqu'au premier village, où un âne nous relaya, et la même nuit
1665 nous nous rendîmes à Seyssel.

Je crois avoir déjà remarqué qu'il y a des temps où je suis si peu semblable à moi-même qu'on me prendrait pour un autre homme de caractère tout opposé. On en va voir un exemple. M. Reydelet, curé de Seyssel, était cha-
1670 noine de Saint-Pierre, par conséquent de la connaissance de M. Le Maître, et l'un des hommes dont il devait le plus se cacher. Mon avis fut au contraire d'aller nous présenter à lui, et lui demander gîte sous quelque prétexte, comme si nous étions là du consentement du Chapitre. Le Maître
1675 goûta cette idée qui rendait sa vengeance moqueuse et plaisante.

Nous allâmes donc effrontément chez M. Reydelet, qui nous reçut très bien.

---

1. **À bras :** à bras d'hommes, seulement avec les bras.
2. **Seyssel :** petite ville à une trentaine de kilomètres d'Annecy, d'où partait le coche pour Lyon.

Le Maître lui dit qu'il allait à Belley[1], à la prière de l'évêque, diriger sa musique aux fêtes de Pâques ; qu'il comptait repasser dans peu de jours, et moi, à l'appui de ce mensonge, j'en enfilai cent autres si naturels, que M. Reydelet, me trouvant joli garçon, me prit en amitié et me fit mille caresses. Nous fûmes bien régalés, bien couchés. M. Reydelet ne savait quelle chère nous faire ; et nous nous séparâmes les meilleurs amis du monde, avec promesse de nous arrêter plus longtemps au retour. À peine pûmes-nous attendre que nous fussions seuls pour commencer nos éclats de rire, et j'avoue qu'ils me reprennent encore en y pensant, car on ne saurait imaginer une espièglerie mieux soutenue et plus heureuse. Elle nous eût égayés durant toute la route, si M. Le Maître qui ne cessait de boire et de battre la campagne, n'eût été attaqué deux ou trois fois d'une atteinte à laquelle il devenait très sujet et qui ressemblait fort à l'épilepsie. Cela me jeta dans des embarras qui m'effrayèrent, et dont je pensai bientôt à me tirer comme je pourrais.

Nous allâmes à Belley passer les fêtes de Pâques comme nous l'avions dit à M. Reydelet ; et, quoique nous n'y fussions point attendus, nous fûmes reçus du maître de musique et accueillis de tout le monde avec grand plaisir. M. Le Maître avait de la considération dans son art, et la méritait. Le maître de musique de Belley se fit honneur de ses meilleurs ouvrages[2] et tâcha d'obtenir l'approbation d'un si bon juge : car outre que Le Maître était connaisseur, il était équitable, point jaloux et point flagorneur[3] Il était si supérieur à tous ces maîtres de musique de province, et ils le sentaient si bien eux-mêmes, qu'ils le regardaient moins comme leur confrère que comme leur chef.

---

1. **Belley :** ville française située à la frontière du duché de Savoie.
2. **Se fit honneur de ses meilleurs ouvrages :** en profita pour nous présenter ses plus belles œuvres.
3. **Flagorneur :** flatteur.

1710 Après avoir passé très agréablement quatre ou cinq jours à Belley, nous en repartîmes et continuâmes notre route sans autre accident que ceux dont je viens de parler. Arrivés à Lyon, nous fûmes loger à Notre-Dame-de-Pitié[1], et en attendant la caisse, qu'à la faveur d'un autre men-
1715 songe nous avions embarquée sur le Rhône par les soins de notre bon patron M. Reydelet, M. Le Maître alla voir ses connaissances, entre autres le P. Caton, cordelier[2], dont il sera parlé dans la suite, et l'abbé Dortan, comte de Lyon. L'un et l'autre le reçurent bien ; mais ils le trahirent
1720 comme on verra tout à l'heure ; son bonheur s'était épuisé chez M. Reydelet.

Deux jours après notre arrivée à Lyon, comme nous passions dans une petite rue, non loin de notre auberge, Le Maître fut surpris d'une de ses atteintes, et celle-là fut si
1725 violente que j'en fus saisi d'effroi. Je fis des cris, appelai du secours, nommai son auberge et suppliai qu'on l'y fît porter ; puis, tandis qu'on s'assemblait et s'empressait autour d'un homme tombé sans sentiment et écumant au milieu de la rue, il fut délaissé du seul ami sur lequel il eût dû
1730 compter. Je pris l'instant où personne ne songeait à moi ; je tournai le coin de la rue et je disparus. Grâce au ciel, j'ai fini ce troisième aveu pénible. S'il m'en restait beaucoup de pareils à faire, j'abandonnerais le travail que j'ai commencé.

De tout ce que j'ai dit jusqu'à présent, il en est resté
1735 quelques traces dans les lieux où j'ai vécu ; mais ce que j'ai à dire dans le livre suivant est presque entièrement ignoré. Ce sont les plus grandes extravagances de ma vie, et il est heureux qu'elles n'aient pas plus mal fini. Mais ma tête, montée au ton d'un instrument étranger[3], était hors

---

1. **Notre-Dame-de-Pitié :** il s'agit d'une auberge.
2. **Cordelier :** religieux de l'ordre de Saint-François-d'Assise.
3. **Montée au ton d'un instrument étranger :** métaphore musicale pour suggérer que sa « tête » n'est pas dans son état normal, comme si elle se forçait à prendre un ton qui n'est pas le sien, mais celui de Venture.

de son diapason[1] : elle y revint d'elle-même, et alors je ces- 1740
sai mes folies, ou du moins j'en fis de plus accordantes à mon naturel[2]. Cette époque de ma jeunesse est celle dont j'ai l'idée la plus confuse. Rien presque ne s'y est passé d'assez intéressant à mon cœur pour m'en retracer vivement le souvenir, et il est difficile que dans tant d'allées et 1745
venues, dans tant de déplacements successifs, je ne fasse pas quelques transpositions de temps ou de lieu. J'écris absolument de mémoire, sans monuments[3] sans matériaux qui puissent me la rappeler. Il y a des événements de ma vie qui me sont aussi présents que s'ils venaient d'arri- 1750
ver ; mais il y a des lacunes et des vides que je ne peux remplir qu'à l'aide de récits aussi confus que le souvenir qui m'en est resté. J'ai donc pu faire des erreurs quelquefois, et j'en pourrai faire encore sur des bagatelles, jusqu'au temps où j'ai de moi des renseignements plus 1755
sûrs ; mais en ce qui importe vraiment au sujet, je suis assuré d'être exact et fidèle, comme je tâcherai toujours de l'être en tout : voilà sur quoi l'on peut compter.

Sitôt que j'eus quitté M. Le Maître, ma résolution fut prise et je repartis pour Annecy. La cause et le mystère de notre 1760
départ m'avaient donné un grand intérêt pour la sûreté de notre retraite ; et cet intérêt, m'occupant tout entier, avait fait diversion durant quelques jours à celui qui me rappelait en arrière ; mais dès que la sécurité me laissa plus tranquille, le sentiment dominant reprit sa place. Rien ne me 1765
flattait, rien ne me tentait, je n'avais de désir pour rien que pour retourner auprès de Maman. La tendresse et la vérité

---

1. **Hors de son diapason :** autre métaphore musicale ; de même qu'on dit d'une voix qui se force qu'elle « sort du diapason », c'est-à-dire de l'étendue qui lui convient, de même la « tête » de Jean-Jacques semble s'écarter de son état raisonnable.
2. **Accordantes à mon naturel :** adaptées à mon naturel, en harmonie avec lui (autre métaphore musicale).
3. **Monuments :** documents, traces écrites.

de mon attachement pour elle avaient déraciné de mon cœur tous les projets imaginaires, toutes les folies de l'ambi-
1770 tion. Je ne voyais plus d'autre bonheur que celui de vivre auprès d'elle, et je ne faisais pas un pas sans sentir que je m'éloignais de ce bonheur. J'y revins donc aussitôt que cela me fut possible. Mon retour fut si prompt et mon esprit si distrait, que, quoique je me rappelle avec tant de plaisir tous
1775 mes autres voyages, je n'ai pas le moindre souvenir de celui-là ; je ne m'en rappelle rien du tout, sinon mon départ de Lyon et mon arrivée à Annecy. Qu'on juge surtout si cette dernière époque a dû sortir de ma mémoire ! En arrivant, je ne trouvai plus Mme de Warens ; elle était partie pour Paris.

1780 Je n'ai jamais bien su le secret de ce voyage. Elle me l'aurait dit, j'en suis très sûr, si je l'en avais pressée ; mais jamais homme ne fut moins curieux que moi du secret de ses amis : mon cœur, uniquement occupé du présent, en remplit toute sa capacité, tout son espace et, hors les plaisirs passés qui
1785 font désormais mes uniques jouissances, il n'y reste pas un coin de vide pour ce qui n'est plus. Tout ce que j'ai cru d'entrevoir dans le peu qu'elle m'en a dit est que, dans la révolution causée à Turin par l'abdication du roi de Sardaigne, elle craignit d'être oubliée, et voulut, à la faveur des intrigues de
1790 M. d'Aubonne, chercher le même avantage à la cour de France, où elle m'a souvent dit qu'elle l'eût préféré, parce que la multitude des grandes affaires fait qu'on n'y est pas si désagréablement surveillé. Si cela est, il est bien étonnant qu'à son retour on ne lui ait pas fait plus mauvais visage, et qu'elle
1795 ait toujours joui de sa pension sans aucune interruption. Bien des gens ont cru qu'elle avait été chargée de quelque commission secrète, soit de la part de l'évêque, qui avait alors des affaires à la cour de France, où il fut lui-même obligé d'aller, soit de la part de quelqu'un plus puissant
1800 encore, qui sut lui ménager un heureux retour. Ce qu'il y a de sûr, si cela est, est que l'ambassadrice n'était pas mal choisie, et que, jeune et belle encore, elle avait tous les talents nécessaires pour se bien tirer d'une négociation.

Clefs d'analyse

Le succès mondain d'un laquais érudit (Livre III, l. 291-328)

Compréhension

Une petite scène pleine de vivacité

- Définir dans quelle circonstance Jean-Jacques met en valeur son savoir (l. 291-293).
- Montrer en quoi l'anecdote fait de cet épisode une scène autonome qui s'intègre dans les « amours » de Jean-Jacques.

Une anecdote fondée sur un renversement complet de situation

- Observer comment cette anecdote se compose de quatre petits actes très contrastés.
- Montrer comment les jeux de regards dramatisent cette anecdote.

Réflexion

L'émotivité incontrôlable d'un adolescent amoureux

- Expliquer le rôle des hyperboles dans l'ivresse du triomphe ressentie par le jeune Jean-Jacques (l. 307-316).
- Analyser comment la succession d'un discours maîtrisé et d'une maladresse illustre l'un des principaux traits de caractère de Jean-Jacques (sa difficulté à s'adapter aux contraintes de la vie sociale en raison de sa grande émotivité).

Un domestique en quête de reconnaissance

- Analyser le point culminant de cette anecdote (l. 307-316).
- Expliquer comment Rousseau tire de cet événement une leçon de philosophie politique (l. 317-319).

À retenir :

Rousseau met en relief les épisodes racontés grâce à des annonces qui ménagent un suspens dramatique et à des formules récapitulatives qui en soulignent la portée. En outre, il emploie toutes sortes de procédés stylistiques propres à théâtraliser l'anecdote (comme le présent de narration ou le discours rapporté).

Clefs d'analyse

« Lenteur de penser » et « vivacité de sentir » (Livre III, l. 1042-1082)

Compréhension

Une pause explicative

- Observer comment cette digression rectifie le jugement de M. d'Aubonne (l. 1025-1037) et d'autres, peu flatteurs (l. 1176-1187).
- Montrer comment Rousseau annonce son intention de rétablir la vérité (l. 1036-1041).

Un autoportrait au service de l'affirmation d'une singularité

- Définir l'effet produit par la première phrase de cet autoportrait.
- Montrer comment cet autoportrait est construit de façon rigoureuse par Rousseau.

Réflexion

Une personnalité duale

- Expliquer comment l'antithèse du début de l'autoportrait en engendre d'autres, puis leur effet.
- Analyser comment Rousseau énumère ses qualités de cœur et d'esprit (l. 1042-1055).

Des idées émergentes à leur traduction écrite ou orale

- Analyser les différentes images auxquelles recourt Rousseau pour exprimer la lenteur du processus de création.
- Interpréter la chute, entre autodérision et célébration du génie créateur.

À retenir :

Parfois, le récit ne suffit pas à dévoiler les traits de caractère d'une identité singulière. C'est pourquoi Rousseau a recours à des longues pauses introspectives en forme d'autoportraits.

Synthèse Livre III

Jean-Jacques entre seize et dix-sept ans

Personnages

L'éducation morcelée et chaotique d'un adolescent fantasque

Le livre III retrace les dix-huit mois extrêmement contrastés qui s'écoulent de décembre 1728 à avril 1730. Tandis que le livre précédent évoquait l'éducation sentimentale du jeune Jean-Jacques, celui-ci aborde essentiellement son éducation morale et intellectuelle, ou plutôt celle que les autres tentent de lui inculquer. En effet, ce livre est dominé par le motif récurrent des « extravagances » de l'adolescent, qui font échouer les projets de ses différents protecteurs. C'est d'abord la tentative du bienveillant comte de Gouvon qui avorte, Jean-Jacques ne résistant ni à son engouement pour un aventurier nommé Bâcle ni à l'attrait irrésistible du voyage, synonyme d'absolue liberté et de retrouvailles avec Mme de Warens. Quant aux différentes solutions ébauchées par celle-ci en vue de lui trouver un état stable (séjour au séminaire puis apprentissage auprès d'un maître de musique), elles échouent également, Jean-Jacques se révélant incapable d'apprendre sous la contrainte. Aux projets prévoyants et généreux de protecteurs inquiets pour son avenir s'oppose ainsi le tempérament fantasque d'un adolescent insouciant, désinvolte, épris d'indépendance, n'écoutant que son imagination et ses envies.

Langage

L'introspection comme moyen de dépasser les apparences et de retrouver l'être derrière le paraître

Affirmant dès le préambule « n'être fait comme aucun de ceux qui existent », Rousseau ne cesse de souligner la « folie », les « bizarreries » et les « extravagances » de son caractère profondément instable (l. 1666-1669). Conscient des images contradictoires qu'il donne de lui-même, Rousseau éprouve parfois le besoin d'expliquer certaines complexités de son caractère, ce qui constitue en même temps l'occasion de rectifier les jugements erronés qui ont été portés sur lui (l. 1036-1037). La longue pause introspective consacrée aux « deux choses presque inalliables [qui] s'unissent en [lui] » est à cet égard exemplaire en ce qu'elle fait comprendre que si Jean-Jacques a souvent été jugé sot (l. 1025-1041 et 1172-1183) et « d'une humeur sauvage » (l. 1183-1187), c'est tout simplement en raison de son manque d'à-propos, lui-même lié à l'opposition constitutive de sa personnalité entre sa « lenteur de penser » et sa « vivacité de sentir ». En dévoilant ainsi certains traits de caractère qui ont pu être mal interprétés, Rousseau invite le lecteur à dépasser les apparences (comme celles de bêtise ou de misanthropie) et à mieux cerner les composantes de son être profond.

Société

La dénonciation d'un ordre social qui n'est pas fondé sur le mérite individuel

L'anecdote de l'explication de la devise de la maison de Solar donne à Rousseau l'occasion de célébrer la supériorité du mérite sur la naissance et de s'élever ainsi, comme les autres philosophes du XVIIIe siècle, contre un ordre social fondé non pas sur le mérite individuel mais sur des privilèges héréditaires (qui ne seront abolis qu'à la Révolution). L'évocation du « mérite avili des outrages de la fortune », en insistant sur le hasard de la naissance qui ne place pas les êtres au rang social qui devrait être le leur, fait écho au combat mené par l'auteur du *Discours sur l'inégalité*. La dénonciation d'un ordre social qui ne correspond pas à l'« ordre naturel » (fondé sur la reconnaissance des talents et des capacités de chacun) est extrêmement polémique puisqu'elle prône le renversement de l'ordre établi, présenté comme une source d'inégalités sociales injustes car arbitraires.

LIVRE IV

J'ARRIVE, et je ne la trouve plus. Qu'on juge de ma surprise et de ma douleur ! C'est alors que le regret d'avoir lâchement abandonné M. Le Maître commença de se faire sentir ; il fut plus vif encore quand j'appris le malheur qui lui était arrivé. Sa caisse de musique qui contenait toute sa fortune, cette précieuse caisse, sauvée avec tant de fatigue, avait été saisie en arrivant à Lyon, par les soins du comte Dortan, à qui le Chapitre avait fait écrire pour le prévenir de cet enlèvement furtif. Le Maître avait en vain réclamé son bien, son gagne-pain, le travail de toute sa vie. La propriété de cette caisse était tout au moins sujette à litige ; il n'y en eut point. L'affaire fut décidée à l'instant même par la loi du plus fort, et le pauvre Le Maître perdit ainsi le fruit de ses talents, l'ouvrage de sa jeunesse, et la ressource de ses vieux jours.

Il ne manqua rien au coup que je reçus pour le rendre accablant. Mais j'étais dans un âge où les grands chagrins ont peu de prise, et je me forgeai bientôt des consolations. Je comptais avoir dans peu des nouvelles de Mme de Warens, quoique je ne susse pas son adresse et qu'elle ignorât que j'étais de retour ; et quant à ma désertion, tout bien compté, je ne la trouvais pas si coupable. J'avais été utile à M. Le Maître dans sa retraite, c'était le seul service qui dépendît de moi. Si j'avais resté avec lui en France, je ne l'aurais pas guéri de son mal, je n'aurais pas sauvé sa caisse, je n'aurais fait que doubler sa dépense, sans lui pouvoir être bon à rien. Voilà comment alors je voyais la chose : je la vois autrement aujourd'hui. Ce n'est pas quand une vilaine action vient d'être faite qu'elle nous tourmente, c'est quand longtemps après on se la rappelle ; car le souvenir ne s'en éteint point.

Le seul parti que j'avais à prendre pour avoir des nouvelles de Maman était d'en attendre ; car où l'aller cher-

cher à Paris, et avec quoi faire le voyage ? Il n'y avait point de lieu plus sûr qu'Annecy pour savoir tôt ou tard où elle
35 était. J'y restai donc. Mais je me conduisis assez mal. Je n'allai pas voir l'évêque qui m'avait protégé et qui me pouvait protéger encore. Je n'avais plus ma patronne[1] auprès de lui et je craignais les réprimandes sur notre évasion. J'allai moins encore au séminaire. M. Gros n'y était plus. Je
40 ne vis personne de ma connaissance ; j'aurais pourtant bien voulu aller voir Mme l'Intendante, mais je n'osai jamais. Je fis plus mal que tout cela. Je retrouvai M. Venture, auquel, malgré mon enthousiasme, je n'avais pas même pensé depuis mon départ. Je le retrouvai brillant et fêté
45 dans tout Annecy ; les dames se l'arrachaient. Ce succès acheva de me tourner la tête.

Je ne vis plus rien que M. Venture, et il me fit presque oublier Mme de Warens. Pour profiter de ses leçons plus à mon aise, je lui proposai de partager avec moi son gîte ; il
50 y consentit. Il était logé chez un cordonnier, plaisant et bouffon personnage, qui, dans son patois, n'appelait pas sa femme autrement que *salopière* ; nom qu'elle méritait assez. Il avait avec elle des prises[2] que Venture avait soin de faire durer en paraissant vouloir faire le contraire. Il
55 disait d'un ton froid et dans son accent provençal des mots qui faisaient le plus grand effet ; c'étaient des scènes à pâmer de rire[3].

Les matinées se passaient ainsi sans qu'on y songeât : à deux ou trois heures, nous mangions un morceau ;
60 Venture s'en allait dans ses sociétés, où il soupait, et moi j'allais me promener seul, méditant sur son grand mérite, admirant, convoitant ses rares talents, et maudissant ma maussade étoile qui ne m'appelait point à cette heureuse

1. **Ma patronne :** ma protectrice (comme on parle en religion de saints patrons).
2. **Des prises :** des conflits, des disputes.
3. **À pâmer de rire :** extrêmement comiques, hilarantes.

vie. Eh ! que je m'y connaissais mal ! la mienne eût été cent fois plus charmante si j'avais été moins bête, et si j'en avais su mieux jouir.

Mme de Warens n'avait emmené qu'Anet avec elle ; elle avait laissé Merceret, sa femme de chambre, dont j'ai parlé. Je la trouvai occupant encore l'appartement de sa maîtresse. Mademoiselle Merceret était une fille un peu plus âgée que moi, non pas jolie, mais assez agréable ; une bonne Fribourgeoise sans malice, et à qui je n'ai connu d'autre défaut que d'être quelquefois un peu mutine[1] avec sa maîtresse. Je l'allais voir assez souvent ; c'était une ancienne connaissance, et sa vue m'en rappelait une plus chère qui me la faisait aimer. Elle avait plusieurs amies, entre autres une Mlle Giraud, genevoise, qui pour mes péchés s'avisa de prendre du goût pour moi. Elle pressait toujours Merceret de m'amener chez elle ; je m'y laissais mener, parce que j'aimais assez Merceret, et qu'il y avait là d'autres jeunes personnes que je voyais volontiers. Pour Mlle Giraud, qui me faisait toutes sortes d'agaceries[2] on ne peut rien ajouter à l'aversion[3] que j'avais pour elle. Quand elle approchait de mon visage son museau sec et noir, barbouillé de tabac d'Espagne[4], j'avais peine à m'abstenir d'y cracher. Mais je prenais patience ; à cela près, je me plaisais fort au milieu de toutes ces filles, et, soit pour faire leur cour à Mlle Giraud, soit pour moi-même, toutes me fêtaient à l'envi. Je ne voyais à tout cela que de l'amitié. J'ai pensé depuis qu'il n'eût tenu qu'à moi d'y voir davantage : mais je ne m'en avisais pas, je n'y pensais pas.

D'ailleurs des couturières, des filles de chambre, de petites marchandes ne me tentaient guère. Il me fallait des

1. **Un peu mutine :** qui a tendance à contester de façon têtue.
2. **Agaceries :** galanteries, manières d'attirer l'attention de celui que l'on voudrait séduire.
3. **Aversion :** répugnance, dégoût.
4. **Tabac d'Espagne :** on mâchait alors ce tabac.

Demoiselles. Chacun a ses fantaisies ; ç'a toujours été la
95 mienne, et je ne pense pas comme Horace sur ce point-là[1].
Ce n'est pourtant pas du tout la vanité de l'état et du rang qui m'attire ; c'est un teint mieux conservé, de plus belles mains, une parure plus gracieuse, un air de délicatesse et de propreté sur toute la personne, plus de goût dans la
100 manière de se mettre et de s'exprimer, une robe plus fine et mieux faite, une chaussure plus mignonne, des rubans, de la dentelle, des cheveux mieux ajustés. Je préférerais toujours la moins jolie ayant plus de tout cela. Je trouve moi-même cette préférence très ridicule, mais mon cœur
105 la donne malgré moi.

Hé bien ! cet avantage se présentait encore, et il ne tint encore qu'à moi d'en profiter. Que j'aime à tomber de temps en temps sur les moments agréables de ma jeunesse ! Ils m'étaient si doux ; ils ont été si courts, si rares, et je les ai
110 goûtés à si bon marché ! Ah ! leur seul souvenir rend encore à mon cœur une volupté pure dont j'ai besoin pour ranimer mon courage et soutenir les ennuis du reste de mes ans.

L'aurore un matin me parut si belle que m'étant habillé précipitamment, je me hâtai de gagner la campagne pour
115 voir lever le soleil. Je goûtai ce plaisir dans tout son charme ; c'était la semaine après la Saint-Jean. La terre, dans sa plus grande parure, était couverte d'herbe et de fleurs ; les rossignols, presque à la fin de leur ramage, semblaient se plaire à le renforcer ; tous les oiseaux, fai-
120 sant en concert leurs adieux au printemps, chantaient la naissance d'un beau jour d'été, d'un de ces beaux jours qu'on ne voit plus à mon âge, et qu'on n'a jamais vus dans le triste sol où j'habite aujourd'hui[2].

---

1. **Horace sur ce point-là :** allusion à une *Satire* d'Horace dans laquelle le poète latin déclare qu'au lit peu importe que la cuisse soit celle d'une fille du peuple ou celle d'une noble matrone.
2. **Où j'habite aujourd'hui :** en Angleterre, à Wootton, où Rousseau réside de mars 1766 à mai 1767.

Je m'étais insensiblement éloigné de la ville, la chaleur augmentait, et je me promenais sous des ombrages dans un vallon le long d'un ruisseau.

J'entends derrière moi des pas de chevaux et des voix de filles qui semblaient embarrassées, mais qui n'en riaient pas de moins bon cœur. Je me retourne, on m'appelle par mon nom, je m'approche, je trouve deux jeunes personnes de ma connaissance, Mlle de Graffenried et Mlle Galley, qui, n'étant pas d'excellentes cavalières, ne savaient comment forcer leurs chevaux à passer le ruisseau. Mlle de Graffenried était une jeune Bernoise fort aimable, qui, par quelque folie de son âge, ayant été jetée hors de son pays, avait imité Mme de Warens, chez qui je l'avais vue quelquefois ; mais, n'ayant pas eu une pension comme elle, elle avait été trop heureuse de s'attacher à Mlle Galley, qui, l'ayant prise en amitié, avait engagé sa mère à la lui donner pour compagne jusqu'à ce qu'on la pût placer de quelque façon. Mlle Galley, d'un an plus jeune qu'elle, était encore plus jolie ; elle avait je ne sais quoi de plus délicat, de plus fin ; elle était en même temps très mignonne et très formée, ce qui est pour une fille le plus beau moment.

Toutes deux s'aimaient tendrement et leur bon caractère à l'une et à l'autre ne pouvait qu'entretenir longtemps cette union, si quelque amant ne venait pas la déranger. Elles me dirent qu'elles allaient à Thônes[1], vieux château appartenant à Mme Galley ; elles implorèrent mon secours pour faire passer leurs chevaux, n'en pouvant venir à bout elles seules. Je voulus fouetter les chevaux ; mais elles craignaient pour moi les ruades et pour elles les haut-le-corps[2]. J'eus recours à un autre expédient[3] Je pris par la

---

1. **Thônes :** ou *Toune* suivant les orthographes ; ville suisse située non loin de Fribourg et de Berne, au sud d'Annecy.
2. **Haut-le-corps :** ici, tressaillement involontaire et violent du cheval.
3. **Expédient :** solution, moyen de résoudre une difficulté.

155 bride le cheval de Mlle Galley, puis, le tirant après moi, je traversai le ruisseau ayant de l'eau jusqu'à mi-jambes, et l'autre cheval suivit sans difficulté. Cela fait, je voulus saluer ces demoiselles, et m'en aller comme un benêt[1] : elles se dirent quelques mots tout bas, et Mlle de 160 Graffenried s'adressant à moi : Non pas, non pas, me dit-elle, on ne nous échappe pas comme cela. Vous vous êtes mouillé pour notre service ; et nous devons en conscience avoir soin de vous sécher : il faut, s'il vous plaît, venir avec nous ; nous vous arrêtons prisonnier. Le cœur me battait, 165 je regardais Mlle Galley. Oui, oui, ajouta-t-elle, en riant de ma mine effarée, prisonnier de guerre ; montez en croupe derrière elle ; nous voulons rendre compte de vous. – Mais Mademoiselle, je n'ai point l'honneur d'être connu de Madame votre mère ; que dira-t-elle en me voyant arri- 170 ver ? – Sa mère, reprit Mlle de Graffenried, n'est pas à Thônes, nous sommes seules ; nous revenons ce soir, et vous reviendrez avec nous.

L'effet de l'électricité n'est pas plus prompt que celui que ces mots firent sur moi. En m'élançant sur le cheval de 175 Mlle de Graffenried je tremblais de joie, et quand il fallut l'embrasser pour me tenir, le cœur me battait si fort qu'elle s'en aperçut ; elle me dit que le sien lui battait aussi par la frayeur de tomber ; c'était presque, dans ma posture, une invitation de vérifier la chose ; je n'osai jamais, et durant 180 tout le trajet mes deux bras lui servirent de ceinture, très serrée à la vérité, mais sans se déplacer un moment. Telle femme qui lira ceci me souffletterait volontiers, et n'aurait pas tort.

La gaieté du voyage et le babil de ces filles aiguisèrent 185 tellement le mien, que jusqu'au soir, et tant que nous fûmes ensemble, nous ne déparlâmes pas un moment[2].

---

1. **Un benêt :** un sot.
2. **Nous ne déparlâmes pas un moment :** nous parlâmes sans interruption, nous ne cessâmes jamais de parler.

« En croupe ».
Gravure de Maurice Leloir, 1889.

Elles m'avaient mis si bien à mon aise, que ma langue parlait autant que mes yeux, quoiqu'elle ne dît pas les mêmes choses. Quelques instants seulement, quand je me trou-
190 vais tête-à-tête avec l'une ou l'autre, l'entretien s'embarrassait un peu ; mais l'absente revenait bien vite, et ne nous laissait pas le temps d'éclaircir cet embarras.

Arrivés à Thônes, et moi bien séché, nous déjeunâmes. Ensuite il fallut procéder à l'importante affaire de préparer
195 le dîner[1]. Les deux demoiselles, tout en cuisinant, baisaient de temps en temps les enfants de la grangère[2] et le pauvre marmiton[3] regardait faire en rongeant son frein. On avait envoyé des provisions de la ville, et il y avait de quoi faire un très bon dîner, surtout en friandises ; mais
200 malheureusement on avait oublié du vin. Cet oubli n'était pas étonnant pour des filles qui n'en buvaient guère : mais j'en fus fâché, car j'avais un peu compté sur ce secours pour m'enhardir. Elles en furent fâchées aussi, par la même raison peut-être, mais je n'en crois rien. Leur gaieté
205 vive et charmante était l'innocence même ; et d'ailleurs qu'eussent-elles fait de moi entre elles deux ? Elles envoyèrent chercher du vin partout aux environs ; on n'en trouva point, tant les paysans de ce canton sont sobres et pauvres. Comme elles m'en marquaient leur chagrin, je
210 leur dis de n'en pas être si fort en peine, qu'elles n'avaient pas besoin de vin pour m'enivrer. Ce fut la seule galanterie que j'osai leur dire de la journée ; mais je crois que les friponnes voyaient de reste que cette galanterie était une vérité.

215 Nous dînâmes dans la cuisine de la grangère, les deux amies assises sur des bancs aux deux côtés de la longue

---

1. **Le dîner :** le déjeuner (le repas du soir est le souper).
2. **Grangère :** terme local qui désigne la femme d'un « granger », ou métayer : fermière.
3. **Marmiton :** jeune aide-cuisinier chargé normalement du plus bas emploi (ironique ici).

table, et leur hôte entre elles deux sur une escabelle[1] à trois pieds. Quel dîner ! Quel souvenir plein de charmes !

Comment, pouvant à si peu de frais goûter des plaisirs si purs et si vrais, vouloir en rechercher d'autres ? Jamais souper des petites maisons de Paris[2] n'approcha de ce repas, je ne dis pas seulement pour la gaieté, pour la douce joie, mais je dis pour la sensualité.

Après le dîner nous fîmes une économie. Au lieu de prendre le café qui nous restait du déjeuner, nous le gardâmes pour le goûter avec de la crème et des gâteaux qu'elles avaient apportés ; et pour tenir notre appétit en haleine, nous allâmes dans le verger achever notre dessert avec des cerises.

Je montai sur l'arbre, et je leur en jetais des bouquets dont elles me rendaient les noyaux à travers les branches. Une fois, Mlle Galley, avançant son tablier et reculant la tête, se présentait si bien, et je visai si juste, que je lui fis tomber un bouquet dans le sein ; et de rire. Je me disais en moi-même : Que mes lèvres ne sont-elles des cerises ! comme je les leur jetterais ainsi de bon cœur.

La journée se passa de cette sorte à folâtrer[3] avec la plus grande liberté, et toujours avec la plus grande décence. Pas un seul mot équivoque, pas une seule plaisanterie hasardée ; et cette décence, nous ne nous l'imposions point du tout, elle venait toute seule, nous prenions le ton que nous donnaient nos cœurs. Enfin ma modestie, d'autres diront ma sottise, fut telle, que la plus grande privauté qui m'échappa fut de baiser une seule fois la main de Mlle Galley. Il est vrai que la circonstance donnait du prix à cette légère faveur. Nous étions seuls, je respirais avec embarras, elle avait les yeux baissés. Ma bouche, au

1. **Escabelle :** sorte de petit escabeau.
2. **Des petites maisons de Paris :** maisons dans lesquelles les gentilshommes parisiens recevaient discrètement leurs maîtresses.
3. **Folâtrer :** badiner, batifoler.

lieu de trouver des paroles, s'avisa de se coller sur sa main, qu'elle retira doucement après qu'elle fut baisée, en me 250 regardant d'un air qui n'était point irrité. Je ne sais ce que j'aurais pu lui dire : son amie entra, et me parut laide en ce moment.

Enfin elles se souvinrent qu'il ne fallait pas attendre la nuit pour rentrer en ville. Il ne nous restait que le temps 255 qu'il fallait pour arriver de jour, et nous nous hâtâmes de partir en nous distribuant comme nous étions venus.

Si j'avais osé, j'aurais transposé cet ordre[1] ; car le regard de Mlle Galley m'avait vivement ému le cœur ; mais je n'osai rien dire, et ce n'était pas à elle de le proposer. En 260 marchant nous disions que la journée avait tort de finir, mais, loin de nous plaindre qu'elle eût été courte, nous trouvâmes que nous avions eu le secret de la faire longue, par tous les amusements dont nous avions su la remplir.

Je les quittai à peu près au même endroit où elles 265 m'avaient pris. Avec quel regret nous nous séparâmes ! Avec quel plaisir nous projetâmes de nous revoir ! Douze heures passées ensemble nous valaient des siècles de familiarité. Le doux souvenir de cette journée ne coûtait rien à ces aimables filles ; la tendre union qui régnait 270 entre nous trois valait des plaisirs plus vifs, et n'eût pu subsister avec eux : nous nous aimions sans mystères et sans honte, et nous voulions nous aimer toujours ainsi. L'innocence des mœurs a sa volupté, qui vaut bien l'autre, parce qu'elle n'a point d'intervalle et qu'elle agit continuel-275 lement. Pour moi, je sais que la mémoire d'un si beau jour me touche plus, me charme plus, me revient plus au cœur que celle d'aucuns plaisirs que j'aie goûtés en ma vie. Je ne savais pas trop bien ce que je voulais à ces deux charmantes personnes, mais elles m'intéressaient beaucoup toutes

1. **J'aurais transposé cet ordre :** j'aurais interverti cet ordre, je l'aurais inversé.

deux. Je ne dis pas que, si j'eusse été le maître de mes arrangements, mon cœur se serait partagé ; j'y sentais un peu de préférence. J'aurais fait mon bonheur d'avoir pour maîtresse Mlle de Graffenried ; mais à choix, je crois que je l'aurais mieux aimée pour confidente. Quoi qu'il en soit, il me semblait en les quittant que je ne pourrais plus vivre sans l'une et sans l'autre. Qui m'eût dit que je ne les reverrais de ma vie, et que là finiraient nos éphémères amours ?

Ceux qui liront ceci ne manqueront pas de rire de mes aventures galantes[1] en remarquant qu'après beaucoup de préliminaires, les plus avancées finissent par baiser la main. Ô mes lecteurs ! ne vous y trompez pas. J'ai peut-être eu plus de plaisir dans mes amours, en finissant par cette main baisée, que vous n'en aurez jamais dans les vôtres, en commençant tout au moins par là.

Venture, qui s'était couché fort tard la veille, rentra peu de temps après moi. Pour cette fois, je ne le vis pas avec le même plaisir qu'à l'ordinaire, et je me gardai de lui dire comment j'avais passé ma journée. Ces demoiselles m'avaient parlé de lui avec peu d'estime, et m'avaient paru mécontentes de me savoir en si mauvaises mains : cela lui fit tort dans mon esprit ; d'ailleurs tout ce qui me distrayait d'elles ne pouvait que m'être désagréable.

Cependant, il me rappela bientôt à lui et à moi en me parlant de ma situation. Elle était trop critique pour pouvoir durer. Quoique je dépensasse très peu de chose, mon petit pécule[2] achevait de s'épuiser ; j'étais sans ressource. Point de nouvelle de Maman ; je ne savais que devenir, et je sentais un cruel serrement de cœur de voir l'ami de Mlle Galley réduit à l'aumône.

Venture me dit qu'il avait parlé de moi à M. le Juge-maje[3] ; qu'il voulait m'y mener dîner le lendemain ; que

1. **Aventures galantes :** intrigues sentimentales.
2. **Mon petit pécule :** petite somme économisée.
3. **M. le Juge-maje :** titre donné en Savoie à certains magistrats.

c'était un homme en état de me rendre service par ses amis, d'ailleurs une bonne connaissance à faire, un homme d'esprit et de lettres, d'un commerce fort agréable[1],
315 qui avait des talents et qui les aimait : puis, mêlant à son ordinaire aux choses les plus sérieuses la plus mince frivolité, il me fit voir un joli couplet, venu de Paris, sur un air d'un opéra de Mouret[2] qu'on jouait alors. Ce couplet avait plu si fort à M. Simon (c'était le nom du Juge-maje), qu'il
320 voulait en faire un autre en réponse sur le même air : il avait dit à Venture d'en faire aussi un ; et la folie prit à celui-ci de m'en faire faire un troisième, afin, disait-il, qu'on vît les couplets arriver le lendemain comme les brancards du *Roman comique*[3].

325 La nuit, ne pouvant dormir, je fis comme je pus mon couplet. Pour les premiers vers que j'eusse faits, ils étaient passables, meilleurs même, ou du moins faits avec plus de goût qu'ils n'auraient été la veille, le sujet roulant sur une situation fort tendre, à laquelle mon cœur était déjà tout
330 disposé. Je montrai le matin mon couplet à Venture, qui, le trouvant joli, le mit dans sa poche sans me dire s'il avait fait le sien. Nous allâmes dîner chez M. Simon, qui nous reçut bien. La conversation fut agréable : elle ne pouvait manquer de l'être entre deux hommes d'esprit, à qui la
335 lecture avait profité. Pour moi, je faisais mon rôle, j'écoutais, et je me taisais. Ils ne parlèrent de couplets ni l'un ni l'autre ; je n'en parlai point non plus, et jamais, que je sache, il n'a été question du mien.

M. Simon parut content de mon maintien[4] : c'est à peu
340 près tout ce qu'il vit de moi dans cette entrevue. Il m'avait

1. **D'un commerce fort agréable :** d'agréable compagnie.
2. **Mouret :** compositeur français du XVIIIe siècle.
3. **Les brancards du *Roman comique* :** allusion à un épisode du *Roman comique* de Scarron (XVIIe siècle), où les personnages voient arriver successivement plusieurs brancards inattendus.
4. **Mon maintien :** mon allure, mon attitude, ma façon de me tenir.

déjà vu plusieurs fois chez Mme de Warens sans faire une grande attention à moi. Ainsi c'est de ce dîner que je puis dater sa connaissance, qui ne me servit de rien pour l'objet qui me l'avait fait faire, mais dont je tirai dans la suite d'autres avantages qui me font rappeler sa mémoire avec plaisir. 345

J'aurais tort de ne pas parler de sa figure, que, sur sa qualité de magistrat, et sur le bel esprit dont il se piquait, on n'imaginerait pas si je n'en disais rien. M. le Juge-maje Simon n'avait assurément pas deux pieds[1] de haut. Ses jambes, droites, menues et même assez longues, l'auraient agrandi si elles eussent été verticales ; mais elles posaient de biais comme celles d'un compas très ouvert. Son corps était non seulement court, mais mince et en tout sens d'une petitesse inconcevable. Il devait paraître une sauterelle[2] quand il était nu. Sa tête, de grandeur naturelle, avec un visage bien formé, l'air noble, d'assez beaux yeux, semblait une tête postiche qu'on aurait plantée sur un moignon[3] Il eût pu s'exempter de faire de la dépense en parure[4], car sa grande perruque seule l'habillait parfaitement de pied en cap[5]. 350 355 360

Il avait deux voix toutes différentes, qui s'entremêlaient sans cesse dans sa conversation avec un contraste d'abord très plaisant, mais bientôt très désagréable. L'une était grave et sonore ; c'était, si j'ose ainsi parler, la voix de sa tête[6]. L'autre, claire, aiguë et perçante, était la voix de son corps. 365

---

1. **Deux pieds :** un pied (ancienne unité de mesure de longueur en France) valait 0,3248 m.
2. **Paraître une sauterelle :** ressembler à une sauterelle.
3. **Un moignon :** ce qui reste d'une grosse branche cassée.
4. **En parure :** en vêtements.
5. **De pied en cap :** des pieds à la tête.
6. **La voix de sa tête :** la voix de tête (ou voix de fausset) désigne une voix suraiguë chez un homme.

Quand il s'écoutait beaucoup, qu'il parlait très posément, qu'il ménageait son haleine, il pouvait parler tou-
370 jours de sa grosse voix ; mais pour peu qu'il s'animât et qu'un accent plus vif vînt se présenter, cet accent devenait comme le sifflement d'une clef[1], et il avait toute la peine du monde à reprendre sa basse.

Avec la figure que je viens de peindre, et qui n'est point
375 chargée, M. Simon était galant[2], grand conteur de fleurettes[3], et poussait jusqu'à la coquetterie le soin de son ajustement[4]. Comme il cherchait à prendre ses avantages, il donnait volontiers ses audiences du matin dans son lit ; car quand on voyait sur l'oreiller une belle tête, personne n'allait
380 s'imaginer que c'était là tout. Cela donnait lieu quelquefois à des scènes dont je suis sûr que tout Annecy se souvient encore. Un matin qu'il attendait dans ce lit, ou plutôt sur ce lit, les plaideurs, en belle coiffe de nuit bien fine et bien blanche, ornée de deux grosses bouffettes de ruban[5] couleur
385 de rose, un paysan arrive, heurte à la porte. La servante était sortie. M. le Juge-maje, entendant redoubler, crie : *entrez* ; et cela, comme dit un peu trop fort, partit de sa voie aiguë. L'homme entre ; il cherche d'où vient cette voix de femme, et voyant dans ce lit une cornette[6], une fontange[7], il veut
390 ressortir, en faisant à Madame de grandes excuses. M. Simon se fâche, et n'en crie que plus clair. Le paysan, confirmé dans son idée, et se croyant insulté, lui chante pouille[8], lui dit

1. **Le sifflement d'une clef :** terme de musique désignant les couinements aigus d'un instrumentiste jouant trop haut.
2. **Galant :** séducteur, qui cherche à plaire aux femmes.
3. **Fleurettes :** propos galants adressés à une femme.
4. **Son ajustement :** arrangement de sa tenue vestimentaire.
5. **Bouffettes de ruban :** petits assemblages de ruban noués en bouquets.
6. **Cornette :** ancienne coiffure à coins relevés que les femmes portaient la nuit.
7. **Fontange :** échelle de rubans servant à orner la coiffure des femmes.
8. **Lui chante pouille** : l'insulte, l'injurie.

qu'apparemment elle n'est qu'une coureuse, et que M. le Juge-maje ne donne guère bon exemple chez lui. Le Juge-maje, furieux, et n'ayant pour toute arme que son pot de chambre, allait le jeter à la tête de ce pauvre homme, quand sa gouvernante arriva. 395

Ce petit nain, si disgracié dans son corps par la nature, en avait été dédommagé du côté de l'esprit : il l'avait naturellement agréable, et il avait pris soin de l'orner. Quoiqu'il fût, à ce qu'on disait, assez bon jurisconsulte, il n'aimait pas son métier. Il s'était jeté dans la belle littérature, et il y avait réussi. Il en avait pris surtout cette brillante superficie, cette fleur qui jette de l'agrément dans le commerce, même avec les femmes. Il savait par cœur tous les petits traits des *ana*[1] et autres semblables : il avait l'art de les faire valoir, en contant avec intérêt, avec mystère, et comme une anecdote de la veille, ce qui s'était passé il y avait soixante ans. Il savait la musique et chantait agréablement de sa voix d'homme : enfin il avait beaucoup de jolis talents pour un magistrat. À force de cajoler les dames d'Annecy, il s'était mis à la mode parmi elles ; elles l'avaient à leur suite comme un petit sapajou[2]. Il prétendait même à des bonnes fortunes, et cela les amusait beaucoup. Une Mme d'Épagny disait que pour lui la dernière faveur était de baiser une femme au genou. 400 405 410 415

Comme il connaissait les bons livres, et qu'il en parlait volontiers, sa conversation était non seulement amusante, mais instructive. Dans la suite, lorsque j'eus pris du goût pour l'étude, je cultivai sa connaissance, et je m'en trouvai très bien. J'allais quelquefois le voir de Chambéry, où j'étais alors. Il louait, animait mon émulation, et me donnait pour mes lectures de bons avis, dont j'ai souvent fait mon profit. Malheureusement dans ce corps si fluet[3] 420

---

1. **Ana :** recueil d'anecdotes, de traits d'esprit et de pensées attribués à un homme célèbre.
2. **Sapajou :** petit singe.
3. **Fluet :** maigrichon.

logeait une âme très sensible. Quelques années après, il
425 eut je ne sais quelle mauvaise affaire qui le chagrina, et il
en mourut. Ce fut dommage ; c'était assurément un bon
petit homme, dont on commençait par rire, et qu'on finissait par aimer. Quoique sa vie ait été peu liée à la mienne,
comme j'ai reçu de lui des leçons utiles, j'ai cru pouvoir,
430 par reconnaissance, lui consacrer un petit souvenir.

Sitôt que je fus libre, je courus dans la rue de Mlle Galley,
me flattant de voir entrer ou sortir quelqu'un, ou du
moins ouvrir quelque fenêtre. Rien ; pas un chat ne parut,
et tout le temps que je fus là, la maison demeura aussi
435 close que si elle n'eût point été habitée. La rue était petite
et déserte, un homme s'y remarquait : de temps en temps
quelqu'un passait, entrait ou sortait au voisinage. J'étais
fort embarrassé de ma figure ; il me semblait qu'on devinait pourquoi j'étais là, et cette idée me mettait au sup-
440 plice, car j'ai toujours préféré à mes plaisirs l'honneur et le
repos de celles qui m'étaient chères.

Enfin, las de faire l'amant espagnol[1], et n'ayant point de
guitare, je pris le parti d'aller écrire à Mlle de Graffenried.
J'aurais préféré d'écrire à son amie ; mais je n'osais, et il
445 convenait de commencer par celle à qui je devais la
connaissance de l'autre et avec qui j'étais plus familier. Ma
lettre faite, j'allai la porter à Mlle Giraud, comme j'en étais
convenu avec ces demoiselles en nous séparant. Ce furent
elles qui me donnèrent cet expédient[2]. Mlle Giraud était
450 contrepointière[3], et travaillant quelquefois chez Mme
Galley, elle avait l'entrée de sa maison. La messagère ne
me parut pourtant pas trop bien choisie ; mais j'avais peur,
si je faisais des difficultés sur celle-là, qu'on ne m'en proposât point d'autre. De plus, je n'osais dire qu'elle voulait

1. **Faire l'amant espagnol :** attendre en vain sa bien-aimée sans oser se déclarer.
2. **Expédient :** moyen, solution.
3. **Contrepointière :** couturière.

travailler pour son compte. Je me sentais humilié qu'elle osât se croire pour moi du même sexe que ces demoiselles. Enfin j'aimais mieux cet entrepôt[1]-là que point, et je m'y tins à tout risque. 455

Au premier mot la Giraud me devina : cela n'était pas difficile. Quand une lettre à porter à de jeunes filles n'aurait pas parlé d'elle-même, mon air sot et embarrassé m'aurait seul décelé[2]. On peut croire que cette commission ne lui donna pas grand plaisir à faire ; elle s'en chargea toutefois et l'exécuta fidèlement. Le lendemain matin je courus chez elle, et j'y trouvai ma réponse. Comme je me pressai de sortir pour l'aller lire et baiser à mon aise ! Cela n'a pas besoin d'être dit ; mais ce qui en a besoin davantage, c'est le parti que prit Mlle Giraud, et où j'ai trouvé plus de délicatesse et de modération que je n'en aurais attendu d'elle. Ayant assez de bons sens pour voir qu'avec ses trente-sept ans, ses yeux de lièvre, son nez barbouillé, sa voix aigre, et sa peau noire, elle n'avait pas beau jeu[3] contre deux jeunes personnes pleines de grâces et dans tout l'éclat de la beauté, elle ne voulut ni les trahir ni les servir, et aima mieux me perdre que de me ménager pour elles. 460 465 470 475

Il y avait déjà quelque temps que la Merceret, n'ayant aucune nouvelle de sa maîtresse, songeait à s'en retourner à Fribourg ; elle l'y détermina tout à fait. Elle fit plus, elle lui fit entendre qu'il serait bien que quelqu'un la conduisît chez son père, et me proposa. La petite Merceret, à qui je ne déplaisais pas non plus, trouva cette idée fort bonne à exécuter. Elles m'en parlèrent dès le même jour comme d'une affaire arrangée ; et comme je ne trouvais rien qui me déplût dans cette manière de disposer de moi, j'y consentis, regardant ce voyage comme une affaire de huit 480 485

---

1. **Cet entrepôt :** ce dépôt provisoire.
2. **Décelé :** trahi.
3. **Elle n'avait pas beau jeu :** elle n'avait guère de chances, elle avait le mauvais rôle.

jours tout au plus. La Giraud, qui ne pensa pas de même, arrangea tout. Il fallut bien avouer l'état de mes finances. On y pourvut : la Merceret se chargea de me défrayer[1] ; et, pour regagner d'un côté ce qu'elle dépensait de l'autre, à ma prière on décida qu'elle enverrait devant son petit bagage, et que nous irions à pied à petites journées[2]. Ainsi fut fait.

Je suis fâché de faire tant de filles amoureuses de moi. Mais comme il n'y a pas de quoi être bien vain du parti que j'ai tiré de toutes ces amours-là, je crois pouvoir dire la vérité sans scrupule. La Merceret, plus jeune et moins déniaisée[3] que la Giraud, ne m'a jamais fait des agaceries aussi vives ; mais elle imitait mes tons[4], mes accents, redisait mes mots, avait pour moi les attentions que j'aurais dû avoir pour elle, et prenait toujours grand soin, comme elle était fort peureuse, que nous couchassions dans la même chambre : identité qui se borne rarement là dans un voyage, entre un garçon de vingt ans et une fille de vingt-cinq.

Elle s'y borna pourtant cette fois. Ma simplicité[5] fut telle, que quoique la Merceret ne fût pas désagréable, il ne me vint pas même à l'esprit durant tout le voyage, je ne dis pas la moindre tentation galante, mais même la moindre idée qui s'y rapportât ; et, quand cette idée me serait venue, j'étais trop sot pour en savoir profiter. Je n'imaginais pas comment une fille et un garçon parvenaient à coucher ensemble ; je croyais qu'il fallait des siècles pour préparer ce terrible arrangement. Si la pauvre Merceret, en me défrayant, comptait sur quelque équivalent, elle en fut

---

1. **Me défrayer :** me payer.
2. **À petites journées :** lentement.
3. **Moins déniaisée :** plus ignorante des choses de l'amour, moins habile dans l'art de la séduction.
4. **Mes tons :** mes intonations de voix.
5. **Ma simplicité :** ma naïveté.

la dupe[1] et nous arrivâmes à Fribourg exactement comme nous étions partis d'Annecy. 515

En passant à Genève je n'allai voir personne, mais je fus prêt à me trouver mal sur les ponts. Jamais je n'ai vu les murs de cette heureuse ville, jamais je n'y suis entré, sans sentir une certaine défaillance de cœur qui venait d'un excès d'attendrissement. En même temps que la noble image de la liberté m'élevait l'âme, celle de l'égalité, de l'union, de la douceur des mœurs, me touchaient jusqu'aux larmes, et m'inspiraient un vif regret d'avoir perdu tous ces biens. Dans quelle erreur j'étais, mais qu'elle était naturelle ! Je croyais voir tout cela dans ma patrie, parce que je le portais dans mon cœur. 520 525

Il fallait passer à Nyon. Passer sans voir mon bon père ! Si j'avais eu ce courage, j'en serais mort de regret. Je laissai la Merceret à l'auberge, et je l'allai voir à tout risque. Eh ! que j'avais tort de le craindre ! Son âme à mon abord[2] s'ouvrit aux sentiments paternels dont elle était pleine. Que de pleurs nous versâmes en nous embrassant ! Il crut d'abord que je revenais à lui. Je lui fis mon histoire, et je lui dis ma résolution. Il la combattit faiblement. Il me fit voir les dangers auxquels je m'exposais, me dit que les plus courtes folies étaient les meilleures. Du reste, il n'eut pas même la tentation de me retenir de force ; et en cela je trouve qu'il eut raison ; mais il est certain qu'il ne fit pas pour me ramener tout ce qu'il aurait pu faire, soit qu'après le pas que j'avais fait, il jugeât lui-même que je n'en devais pas revenir, soit qu'il fût embarrassé peut-être à savoir ce qu'à mon âge il pourrait faire de moi. J'ai su depuis qu'il eut de ma compagne de voyage une opinion bien injuste et bien éloignée de la vérité, mais du reste assez naturelle. Ma belle-mère, bonne femme, un peu mielleuse, fit sem- 530 535 540 545

1. **Elle en fut la dupe :** elle fut bien attrapée.
2. **À mon abord :** aussitôt qu'il m'aborda.

blant de vouloir me retenir à souper. Je ne restai point, mais je leur dis que je comptais m'arrêter avec eux plus longtemps au retour, et je leur laissai en dépôt mon petit
550 paquet, que j'avais fait venir par le bateau, et dont j'étais embarrassé. Le lendemain, je partis de bon matin, bien content d'avoir vu mon père et d'avoir osé faire mon devoir[1].

Nous arrivâmes heureusement à Fribourg. Sur la fin du
555 voyage les empressements de Mlle Merceret diminuèrent un peu. Après notre arrivée, elle ne me marqua plus que de la froideur, et son père, qui ne nageait pas dans l'opulence, ne me fit pas non plus un bien grand accueil ; j'allai loger au cabaret. Je les fus voir[2] le lendemain, ils m'of-
560 frirent à dîner, je l'acceptai. Nous nous séparâmes sans pleurs : je retournai le soir à ma gargote, et je repartis le surlendemain de mon arrivée, sans trop savoir où j'avais dessein d'aller.

Voilà encore une circonstance de ma vie où la provi-
565 dence m'offrait précisément ce qu'il me fallait pour couler des jours heureux. La Merceret était une très bonne fille, point brillante, point belle, mais point laide non plus ; peu vive, fort raisonnable, à quelques petites humeurs près, qui se passaient à pleurer, et qui n'avaient jamais de suite
570 orageuse. Elle avait un vrai goût pour moi ; j'aurais pu l'épouser sans peine, et suivre le métier de son père. Mon goût pour la musique me l'aurait fait aimer. Je me serais établi à Fribourg, petite ville peu jolie, mais peuplée de très bonnes gens.

575 J'aurais perdu sans doute de grands plaisirs, mais j'aurais vécu en paix jusqu'à ma dernière heure ; et je dois savoir mieux que personne qu'il n'y avait pas à balancer sur ce marché.

---

1. **Mon devoir :** devoir filial.
2. **Je les fus voir :** j'allai les voir.

Je revins non pas à Nyon, mais à Lausanne. Je voulais me rassasier de la vue de ce beau lac qu'on voit là dans sa plus grande étendue. La plupart de mes secrets motifs déterminants n'ont pas été plus solides. Des vues éloignées ont rarement assez de force pour me faire agir. L'incertitude de l'avenir m'a toujours fait regarder les projets de longue exécution comme des leurres de dupe[1]. Je me livre à l'espoir comme un autre, pourvu qu'il ne me coûte rien à nourrir ; mais, s'il faut prendre longtemps de la peine, je n'en suis plus. Le moindre petit plaisir qui s'offre à ma portée me tente plus que les joies du Paradis. J'excepte pourtant le plaisir que la peine doit suivre ; celui-là ne me tente pas, parce que je n'aime que des jouissances pures, et que jamais on n'en a de telles quand on sait qu'on s'apprête un repentir.

J'avais grand besoin d'arriver où que ce fût, et le plus proche était le mieux ; car, m'étant égaré dans ma route, je me trouvai le soir à Moudon[2], où je dépensai le peu qui me restait hors dix creutzers[3], qui partirent le lendemain à la dînée[4] : et, arrivé le soir à un petit village auprès de Lausanne, j'y entrai dans un cabaret sans un sol pour payer ma couchée[5], et sans savoir que devenir. J'avais grand'faim ; Je fis bonne contenance, et je demandai à souper, comme si j'eusse eu de quoi bien payer. J'allai me coucher sans songer à rien, je dormis tranquillement ; et, après avoir déjeuné le matin, et compté avec l'hôte, je voulus, pour sept batz[6], à quoi montait ma dépense, lui laisser ma veste en gage. Ce brave homme la refusa ; il me dit que, grâce au ciel, il n'avait jamais dépouillé personne,

---

1. **Leurres de dupe :** moyens de tromper quelqu'un.
2. **Moudon :** à une vingtaine de kilomètres de Lausanne.
3. **Creutzer :** monnaie de la république de Berne.
4. **Dînée :** ce que l'on paie à l'auberge pour y manger.
5. **Couchée :** ce que l'on paie à l'auberge pour y dormir.
6. **Batz :** monnaie de la république de Berne.

qu'il ne voulait pas commencer pour sept batz, que je gardasse ma veste, et que je payerais quand je pourrais. Je fus 610 touché de sa bonté, mais moins que je ne devais l'être, et que je ne l'ai été depuis en y repensant. Je ne tardai guère à lui renvoyer son argent avec des remerciements par un homme sûr : mais, quinze ans après, repassant par Lausanne à mon retour d'Italie, j'eus un vrai regret d'avoir oublié le 615 nom du cabaret et de l'hôte. Je l'aurais été voir ; je me serais fait un vrai plaisir de lui rappeler sa bonne œuvre, et de lui prouver qu'elle n'avait pas été mal placée. Des services plus importants sans doute, mais rendus avec plus d'ostentation[1], ne m'ont pas paru si dignes de reconnaissance que l'huma- 620 nité simple et sans éclat de cet honnête homme.

En approchant de Lausanne, je rêvais à la détresse où je me trouvais, aux moyens de m'en tirer sans aller montrer ma misère à ma belle-mère, et je me comparais dans ce pèlerinage pédestre à mon ami Venture arrivant à Annecy. 625 Je m'échauffai si bien de cette idée, que, sans songer que je n'avais ni sa gentillesse[2], ni ses talents, je me mis en tête de faire à Lausanne le petit Venture, d'enseigner la musique, que je ne savais pas, et de me dire de Paris, où je n'avais jamais été. En conséquence de ce beau projet, comme il 630 n'y avait point là de maîtrise[3] où je pusse vicarier[4], et que d'ailleurs je n'avais garde d'aller me fourrer parmi les gens de l'art, je commençai par m'informer d'une petite auberge où l'on pût être assez bien et à bon marché.

On m'enseigna un nommé Perrotet, qui tenait des pen- 635 sionnaires. Ce Perrotet se trouva être le meilleur homme du monde, et me reçut fort bien. Je lui contai mes petits

---

1. **Avec plus d'ostentation :** avec plus d'affectation, d'orgueil, de vanité.
2. **Gentillesse :** caractère agréable, attrayant.
3. **Maîtrise :** école de musique dispensant notamment un enseignement musical aux enfants de chœur.
4. **Vicarier :** aller de ville en ville proposer ses talents de musicien, notamment aux maîtres de musique des cathédrales (terme familier).

mensonges comme je les avais arrangés. Il me promit de parler de moi, et de tâcher de me procurer des écoliers ; il me dit qu'il ne me demanderait de l'argent que quand j'en aurais gagné. Sa pension était de cinq écus blancs[1] ; ce qui était peu pour la chose, mais beaucoup pour moi. Il me conseilla de ne me mettre d'abord qu'à la demi-pension, qui consistait pour le dîner en une bonne soupe et rien de plus, mais bien à souper le soir. J'y consentis. Ce pauvre Perrotet me fit toutes ces avances du meilleur cœur du monde, et n'épargnait rien pour m'être utile. Pourquoi faut-il qu'ayant trouvé tant de bonnes gens dans ma jeunesse, j'en trouve si peu dans un âge avancé ? Leur race est-elle épuisée ? Non ; mais l'ordre[2] où j'ai besoin de les chercher aujourd'hui n'est plus le même où je les trouvais alors. Parmi le peuple, où les grandes passions ne parlent que par intervalles, les sentiments de la nature se font plus souvent entendre. Dans les états plus élevés ils sont étouffés absolument[3], et sous le masque du sentiment il n'y a jamais que l'intérêt ou la vanité qui parle.

J'écrivis de Lausanne à mon père, qui m'envoya mon paquet et me marqua d'excellentes choses, dont j'aurais dû mieux profiter. J'ai déjà noté des moments de délire inconcevables où je n'étais plus moi-même. En voici encore un des plus marqués. Pour comprendre à quel point la tête me tournait alors, à quel point je m'étais pour ainsi dire venturisé, il ne faut que voir combien tout à la fois j'accumulai d'extravagances. Me voilà maître à chanter sans savoir déchiffrer un air ; car quand les six mois que j'avais passés avec Le Maître m'auraient profité, jamais ils n'auraient pu suffire ; mais outre cela j'apprenais d'un maître : c'en était assez pour apprendre mal. Parisien de Genève, et catholique en pays protestant, je crus devoir changer mon

1. **Écus blancs :** pièces de monnaie en argent.
2. **L'ordre :** la classe sociale.
3. **Étouffés absolument :** complètement étouffés.

nom ainsi que ma religion et ma patrie. Je m'approchais
670 toujours de mon grand modèle autant qu'il m'était possible. Il s'était appelé Venture de Villeneuve, moi je fis l'anagramme du nom de Rousseau dans celui de Vaussore, et je m'appelai Vaussore de Villeneuve. Venture savait la composition, quoiqu'il n'en eût rien dit ; moi, sans la
675 savoir je m'en vantai à tout le monde, et, sans pouvoir noter le moindre vaudeville[1], je me donnai pour compositeur. Ce n'est pas tout : ayant été présenté à M. de Treytorens, professeur en droit, qui aimait la musique et faisait des concerts chez lui, je voulus lui donner un
680 échantillon de mon talent, et je me mis à composer une pièce pour son concert, aussi effrontément que si j'avais su comment m'y prendre. J'eus la constance de travailler pendant quinze jours à ce bel ouvrage, de le mettre au net, d'en tirer les parties[2] et de les distribuer avec autant
685 d'assurance que si c'eût été un chef-d'œuvre d'harmonie. Enfin, ce qu'on aura peine à croire, et qui est très vrai, pour couronner dignement cette sublime production, je mis à la fin un joli menuet[3], qui courait les rues, et que tout le monde se rappelle peut-être encore, sur ces paroles
690 jadis si connues :

Quel caprice !
Quelle injustice !
Quoi ! ta Clarice
Trahirait tes feux ? etc.

695 Venture m'avait appris cet air avec la basse[4] sur d'autres paroles infâmes, à l'aide desquelles je l'avais retenu. Je mis donc à la fin de ma composition ce menuet et sa basse, en

---

1. **Vaudeville :** chanson populaire composée de paroles satiriques dont l'air, généralement connu, est facile à chanter.
2. **D'en tirer les parties :** d'écrire sur des copies différentes ce que doit jouer chaque musicien.
3. **Menuet :** air à danser.
4. **Avec la basse :** avec son accompagnement.

supprimant les paroles, et je le donnai pour être de moi, tout aussi résolument que si j'avais parlé à des habitants de la Lune.

On s'assemble pour exécuter ma pièce. J'explique à chacun le genre du mouvement, le goût de l'exécution, les renvois des parties ; j'étais fort affairé. On s'accorde pendant cinq ou six minutes, qui furent pour moi cinq ou six siècles. Enfin, tout étant prêt, je frappe avec un beau rouleau de papier sur mon pupitre magistral les cinq ou six coups du *prenez garde à vous*. On fait silence, je me mets gravement à battre la mesure ; on commence... Non, depuis qu'il existe des opéras français, de la vie on n'ouït[1] un semblable charivari[2]. Quoi qu'on eût pu penser de mon prétendu talent, l'effet fut pire que tout ce qu'on semblait attendre. Les musiciens étouffaient de rire ; les auditeurs ouvraient de grands yeux, et auraient bien voulu fermer les oreilles ; mais il n'y avait pas moyen. Mes bourreaux de symphonistes[3], qui voulaient s'égayer, raclaient[4] à percer le tympan d'un quinze-vingts[5]. J'eus la constance d'aller toujours mon train[6], suant, il est vrai, à grosses gouttes, mais retenu par la honte, n'osant m'enfuir et tout planter là. Pour ma consolation, j'entendais autour de moi les assistants se dire à leur oreille, ou plutôt à la mienne, l'un : Il n'y a rien là de supportable ; un autre : Quelle musique enragée ? un autre : Quel diable de sabbat[7] ? Pauvre Jean-Jacques, dans ce cruel moment tu n'espérais

---

1. **De la vie on n'ouït :** jamais on n'entendit de la vie.
2. **Charivari :** ici, cacophonie, tintamarre qui blesse l'oreille.
3. **Symphonistes :** instrumentistes, musiciens jouant d'un instrument.
4. **Raclaient :** frottaient les cordes de leurs instruments sans délicatesse.
5. **À percer le tympan d'un quinze-vingt :** à rendre sourd les aveugles, réputés pour la finesse de leur ouïe (l'hôpital des Quinze-Vingts prenait soin des aveugles).
6. **D'aller toujours mon train :** de poursuivre.
7. **Sabbat :** grand bruit, comparable à celui des assemblées nocturnes des sorcières.

guère qu'un jour devant le Roi de France et toute sa cour tes sons exciteraient des murmures de surprise et d'applau-
725 dissement, et que, dans toutes les loges autour de toi, les plus aimables femmes se diraient à demi-voix : Quels sons charmants ! quelle musique enchanteresse ! tous ces chants-là vont au cœur !

Mais ce qui mit tout le monde de bonne humeur fut le
730 menuet. À peine en eut-on joué quelques mesures, que j'entendis partir de toutes parts les éclats de rire. Chacun me félicitait sur mon joli goût de chant ; on m'assurait que ce menuet ferait parler de moi, et que je méritais d'être chanté partout. Je n'ai pas besoin de dépeindre mon
735 angoisse ni d'avouer que je la méritais bien.

Le lendemain, l'un de mes symphonistes, appelé Lutold, vint me voir, et fut assez bon homme pour ne pas me féliciter sur mon succès. Le profond sentiment de ma sottise, la honte, le regret, le désespoir de l'état où j'étais réduit, l'impos-
740 sibilité de tenir mon cœur fermé dans ses grandes peines, me firent ouvrir à lui ; je lâchai la bonde à mes larmes[1] ; et, au lieu de me contenter de lui avouer mon ignorance, je lui dis tout, en lui demandant le secret, qu'il me promit, et qu'il me garda comme on peut le croire. Dès le même
745 soir tout Lausanne sut qui j'étais ; et, ce qui est remarquable, personne ne m'en fit semblant, pas même le bon Perrotet, qui pour tout cela ne se rebuta pas[2] de me loger et de me nourrir.

Je vivais, mais bien tristement. Les suites d'un pareil
750 début ne firent pas pour moi de Lausanne un séjour fort agréable. Les écoliers ne se présentaient pas en foule ; pas une seule écolière, et personne de la ville.

---

1. **Je lâchai la bonde à mes larmes :** je laissai libre cours à mes pleurs.
2. **Qui pour tout cela ne se rebuta pas :** qui malgré tout cela accepta sans difficulté.

J'eus en tout deux ou trois gros Teutsches[1], aussi stupides que j'étais ignorant, qui m'ennuyaient à mourir, et qui, dans mes mains, ne devinrent pas de grands croque- 755
notes[2]. Je fus appelé dans une seule maison, où un petit serpent de fille, se donna le plaisir de me montrer beaucoup de musique, dont je ne pus pas lire une note, et qu'elle eut la malice de chanter ensuite devant Monsieur le maître, pour lui montrer comment cela s'exécutait. 760
J'étais si peu en état de lire un air de première vue, que, dans le brillant concert dont j'ai parlé, il ne me fut pas possible de suivre un moment l'exécution pour savoir si l'on jouait bien ce que j'avais sous les yeux et que j'avais composé moi-même. 765

Au milieu de tant d'humiliations j'avais des consolations très douces dans les nouvelles que je recevais de temps en temps des deux charmantes amies. J'ai toujours trouvé dans le sexe[3] une grande vertu consolatrice, et rien n'adoucit plus mes afflictions dans mes disgrâces que de 770
sentir qu'une personne aimable y prend intérêt. Cette correspondance cessa pourtant bientôt après, et ne fut jamais renouée ; mais ce fut ma faute. En changeant de lieu je négligeai de leur donner mon adresse, et, forcé par la nécessité de songer continuellement à moi-même, je les 775
oubliai bientôt entièrement.

Il y a longtemps que je n'ai parlé de ma pauvre Maman mais si l'on croit que je l'oubliais aussi, l'on se trompe fort. Je ne cessais de penser à elle, et de désirer de la retrouver, non seulement pour le besoin de ma subsistance, mais 780
bien plus pour le besoin de mon cœur. Mon attachement pour elle, quelque vif, quelque tendre qu'il fût, ne m'empêchait pas d'en aimer d'autres ; mais ce n'était pas

---

1. **Teutsches :** terme méprisant utilisé en Suisse romande pour désigner les Suisses allemands.
2. **Croque-notes :** mauvais musicien, dépourvu de sensibilité musicale.
3. **Dans le sexe :** auprès du sexe féminin, des femmes.

de la même façon. Toutes devaient également ma tendresse à leurs charmes mais elle tenait uniquement à ceux des autres, et ne leur eût pas survécu ; au lieu que Maman pouvait devenir vieille et laide sans que je l'aimasse moins tendrement. Mon cœur avait pleinement transmis à sa personne l'hommage qu'il fit d'abord à sa beauté ; et, quelque changement qu'elle éprouvât, pourvu que ce fût toujours elle, mes sentiments ne pouvaient changer. Je sais bien que je lui devais de la reconnaissance ; mais en vérité je n'y songeais pas. Quoi qu'elle eût fait ou n'eût pas fait pour moi, c'eût été toujours la même chose. Je ne l'aimais ni par devoir, ni par intérêt, ni par convenance : je l'aimais parce que j'étais né pour l'aimer. Quand je devenais amoureux de quelque autre, cela faisait distraction[1], je l'avoue, et je pensais moins souvent à elle ; mais j'y pensais avec le même plaisir, et jamais, amoureux ou non, je ne me suis occupé d'elle sans sentir qu'il ne pouvait y avoir pour moi de vrai bonheur dans la vie tant que j'en serais séparé.

N'ayant point de ses nouvelles depuis si longtemps, je ne crus jamais que je l'eusse tout à fait perdue, ni qu'elle eût pu m'oublier. Je me disais : Elle saura tôt ou tard que je suis errant, et me donnera quelque signe de vie ; je la retrouverai, j'en suis certain. En attendant, c'était une douceur pour moi d'habiter son pays, de passer dans les rues où elle avait passé, devant les maisons où elle avait demeuré, et le tout par conjecture[2], car une de mes ineptes bizarreries était de n'oser m'informer d'elle ni prononcer son nom sans la plus absolue nécessité. Il me semblait qu'en la nommant je disais tout ce qu'elle m'inspirait, que ma bouche révélait le secret de mon cœur, que je la compromettais[3] en quelque sorte. Je crois même qu'il se

1. **Faisait distraction :** faisait diversion.
2. **Et le tout par conjecture :** et tout cela sur de simples suppositions.
3. **Je la compromettais :** je nuisais à son image.

mêlait à cela quelque frayeur qu'on ne me dît du mal d'elle. On avait parlé beaucoup de sa démarche, et un peu de sa conduite. De peur qu'on n'en dît pas ce que je voulais entendre, j'aimais mieux qu'on n'en parlât point du tout.

Comme mes écoliers ne m'occupaient pas beaucoup, et que sa ville natale n'était qu'à quatre lieues de Lausanne, j'y fis une promenade de deux ou trois jours, durant lesquels la plus douce émotion ne me quitta point. L'aspect du lac de Genève et de ses admirables côtes eut toujours à mes yeux un attrait particulier que je ne saurais expliquer, et qui ne tient pas seulement à la beauté du spectacle, mais à je ne sais quoi de plus intéressant qui m'affecte et m'attendrit. Toutes les fois que j'approche du pays de Vaud[1] j'éprouve une impression composée du souvenir de Mme de Warens qui y est née, de mon père qui y vivait, de Mlle de Vulson qui y eut les prémices de mon cœur, de plusieurs voyages de plaisir que j'y fis dans mon enfance, et, ce me semble, de quelque autre cause encore plus secrète et plus forte que tout cela. Quand l'ardent désir de cette vie heureuse et douce qui me fuit et pour laquelle j'étais né vient enflammer mon imagination, c'est toujours au pays de Vaud, près du lac, dans des campagnes charmantes, qu'elle se fixe. Il me faut absolument un verger au bord de ce lac et non pas d'un autre ; il me faut un ami sûr, une femme aimable, une vache et un petit bateau. Je ne jouirai d'un bonheur parfait sur la terre que quand j'aurai tout cela. Je ris de la simplicité avec laquelle je suis allé plusieurs fois dans ce pays-là uniquement pour y chercher ce bonheur imaginaire. J'étais toujours surpris d'y trouver les habitants, surtout les femmes, d'un tout autre caractère que celui que j'y cherchais. Combien cela me semblait disparate[2] ! Le pays et le peuple dont il est couvert ne m'ont jamais paru faits l'un pour l'autre.

---

1. **Pays de Vaud :** région située au bord du lac de Genève.
2. **Disparate :** discordant, qui n'est pas en harmonie avec le lieu.

Dans ce voyage de Vevey[1], je me livrais, en suivant ce beau rivage, à la plus douce mélancolie. Mon cœur s'élançait avec ardeur à mille félicités innocentes : je m'attendrissais, je soupirais, et pleurais comme un enfant. Combien de fois, m'arrêtant pour pleurer à mon aise, assis sur une grosse pierre, je me suis amusé à voir tomber mes larmes dans l'eau !

J'allai à Vevey loger à *La Clef*, et pendant deux jours que j'y restai sans voir personne, je pris pour cette ville un amour qui m'a suivi dans tous mes voyages, et qui m'y a fait établir enfin les héros de mon roman[2]. Je dirais volontiers à ceux qui ont du goût et qui sont sensibles : « Allez à Vevey, visitez le pays, examinez les sites, promenez-vous sur le lac, et dites si la nature n'a pas fait ce beau pays pour unc Julic, pour une Claire, et pour un Saint-Preux ; mais ne les y cherchez pas. » Je reviens à mon histoire.

Comme j'étais catholique et que je me donnais pour tel, je suivais sans mystère et sans scrupule le culte que j'avais embrassé. Les dimanches, quand il faisait beau, j'allais à la messe à Assens, à deux lieues de Lausanne. Je faisais ordinairement cette course avec d'autres catholiques, surtout avec un brodeur parisien dont j'ai oublié le nom. Ce n'était pas un Parisien comme moi, c'était un vrai Parisien de Paris, un archi-Parisien du bon Dieu, bonhomme[3] comme un Champenois. Il aimait si fort son pays, qu'il ne voulut jamais douter que j'en fusse, de peur de perdre cette occasion d'en parler. M. de Crousaz, lieutenant-baillival[4], avait un jardinier de Paris aussi, mais moins complaisant, et qui trouvait la gloire de son pays compromise à ce qu'on osât se donner pour en être lorsqu'on n'avait pas cet

---

1. **Vevey :** ville située au nord-est du lac de Genève.
2. **Mon roman :** *La Nouvelle Héloïse,* dont les héros s'appellent Julie et Saint-Preux.
3. **Bonhomme :** bon, brave.
4. **Lieutenant-baillival :** officier de justice dans le pays de Vaud.

honneur. Il me questionnait de l'air d'un homme sûr de me prendre en faute, et puis souriait malignement[1]. Il me demanda une fois ce qu'il y avait de remarquable au Marché-Neuf[2]. Je battis la campagne comme on peut croire. Après avoir passé vingt ans à Paris, je dois à présent connaître cette ville ; cependant, si l'on me faisait aujourd'hui pareille question, je ne serais pas moins embarrassé d'y répondre ; et de cet embarras on pourrait aussi bien conclure que je n'ai jamais été à Paris : tant, lors même qu'on rencontre la vérité, l'on est sujet à se fonder sur des principes trompeurs !

Je ne saurais dire exactement combien de temps je demeurai à Lausanne. Je n'apportai pas de cette ville des souvenirs bien rappelants[3]. Je sais seulement que, n'y trouvant pas à vivre, j'allai de là à Neuchâtel, et que j'y passai l'hiver. Je réussis mieux dans cette dernière ville ; j'y eus des écolières, et j'y gagnai de quoi m'acquitter avec mon bon ami Perrotet, qui m'avait fidèlement envoyé mon petit bagage, quoique je lui redusse assez d'argent.

J'apprenais insensiblement la musique en l'enseignant. Ma vie était assez douce ; un homme raisonnable eût pu s'en contenter : mais mon cœur inquiet me demandait autre chose. Les dimanches et les jours où j'étais libre, j'allais courir les campagnes et les bois des environs, toujours errant, rêvant, soupirant ; et quand j'étais une fois sorti de la ville, je n'y rentrais plus que le soir. Un jour, étant à Boudry[4], j'entrai pour dîner dans un cabaret : j'y vis un homme à grande barbe avec un habit violet à la grecque, un bonnet fourré, l'équipage et l'air assez nobles, et qui souvent avait peine à se faire entendre, ne parlant qu'un jargon presque indéchiffrable, mais plus ressemblant à

1. **Malignement :** avec malice.
2. **Marché-Neuf :** marché parisien situé dans l'île de la Cité.
3. **Rappelants :** vifs, marquants.
4. **Boudry :** bourg non loin de Neuchâtel.

910 l'italien qu'à nulle autre langue. J'entendais presque tout ce qu'il disait, et j'étais le seul ; il ne pouvait s'énoncer que par signes avec l'hôte et les gens du pays. Je lui dis quelques mots en italien qu'il entendit parfaitement : il se leva, et vint m'embrasser avec transport. La liaison fut bientôt faite, 915 et dès ce moment je lui servis de truchement[1]. Son dîner était bon, le mien était moins que médiocre[2]. Il m'invita de prendre part au sien ; je fis peu de façons. En buvant et baragouinant[3] nous achevâmes de nous familiariser, et dès la fin du repas nous devînmes inséparables. Il me 920 conta qu'il était prélat[4] grec et archimandrite[5] de Jérusalem ; qu'il était chargé de faire une quête en Europe pour le rétablissement du Saint-Sépulcre[6]. Il me montra de belles patente[7] de la Czarine[8] et de l'Empereur[9] ; il en avait de beaucoup d'autres souverains. Il était assez 925 content de ce qu'il avait amassé jusqu'alors ; mais il avait eu des peines incroyables en Allemagne, n'entendant pas un mot d'allemand, de latin ni de français, et réduit à son grec, au turc et à la langue franque pour toute ressource ; ce qui ne lui en procurait pas beaucoup dans le pays où 930 il s'était enfourné[10]. Il me proposa de l'accompagner pour lui servir de secrétaire et d'interprète. Malgré mon petit habit violet, nouvellement acheté, et qui ne cadrait pas

---

1. **De truchement :** d'interprète.
2. **Moins que médiocre :** franchement mauvais.
3. **Baragouinant :** en faisant de nombreuses fautes de langue.
4. **Prélat :** dignitaire ecclésiastique.
5. **Archimandrite :** supérieur de certains monastères dans l'Église grecque.
6. **Saint-Sépulcre :** l'ordre du Saint-Sépulcre de Jérusalem visait à contrôler les Lieux saints, où se trouve le tombeau du Christ, qui appartenaient alors à l'Empire ottoman.
7. **Patentes :** lettres royales accordant une faveur à une personne.
8. **Czarine :** impératrice de Russie ; il s'agit d'Anna Ivanovna.
9. **Empereur :** il s'agit de l'empereur d'Autriche Charles VI.
10. **Enfourné :** introduit.

mal avec mon nouveau poste, j'avais l'air si peu étoffé[1], qu'il ne me crut pas difficile à gagner[2], et il ne se trompa point. Notre accord fut bientôt fait ; je ne demandais rien, 935 et il promettait beaucoup. Sans caution, sans sûreté, sans connaissance, je me livre à sa conduite, et dès le lendemain me voilà parti pour Jérusalem.

Nous commençâmes notre tournée par le canton de Fribourg, où il ne fit pas grand'chose. La dignité épisco- 940 pale[3] ne permettait pas de faire le mendiant, et de quêter aux particuliers ; mais nous présentâmes sa commission au Sénat, qui lui donna une petite somme. De là nous fûmes à Berne. Il fallut ici plus de façon, et l'examen de ses titres ne fut pas l'affaire d'un jour. Nous logions au *Faucon*, 945 bonne auberge alors où l'on trouvait bonne compagnie. La table était nombreuse et bien servie. Il y avait longtemps que je faisais mauvaise chère ; j'avais grand besoin de me refaire[4], j'en avais l'occasion, et j'en profitai. Monseigneur l'archimandrite était lui-même un homme de bonne com- 950 pagnie, aimant assez à tenir table, gai, parlant bien pour ceux qui l'entendaient, ne manquant pas de certaines connaissances, et plaçant son érudition grecque avec assez d'agrément. Un jour, cassant au dessert des noisettes, il se coupa le doigt fort avant ; et comme le sang sor- 955 tait avec abondance, il montra son doigt à la compagnie, et dit en riant : *mirate, signori ; questo è sangue Pelasgo*[5].

À Berne mes fonctions ne lui furent pas inutiles, et je ne m'en tirai pas aussi mal que j'avais craint. J'étais bien plus hardi et mieux parlant que je n'aurais été pour moi-même. 960

1. **Si peu étoffé :** si mal vêtu.
2. **Pas difficile à gagner :** facile à persuader.
3. **La dignité épiscopale :** le statut d'évêque.
4. **Me refaire :** me refaire une santé.
5. ***Mirate, signori ; questo è sangue pelasgo* :** « Regardez, messieurs, ceci est du sang pélasgien » (peuple de l'Antiquité).

Les choses ne se passèrent pas aussi simplement qu'à Fribourg. [Il fallut de longues et fréquentes conférences avec les premiers de l'État, et l'examen de ses titres ne fut pas l'affaire d'un jour.] Enfin, tout étant en règle, il fut
965 admis à l'audience du Sénat. J'entrai avec lui comme son interprète, et l'on me dit de parler. Je ne m'attendais à rien moins, et il ne m'était pas venu dans l'esprit qu'après avoir longuement conféré avec les membres, il fallût s'adresser au corps comme si rien n'eût été dit. Qu'on juge de mon
970 embarras ! Pour un homme aussi honteux, parler non seulement en public, mais devant le Sénat de Berne, et parler impromptu[1] sans avoir une seule minute pour me préparer, il y avait là de quoi m'anéantir. Je ne fus pas même intimidé. J'exposai succinctement[2] et nettement la com-
975 mission de l'archimandrite. Je louai la piété des Princes qui avaient contribué à la collecte qu'il était venu faire. Piquant d'émulation[3] celle de leurs Excellences, je dis qu'il n'y avait pas moins à espérer de leur munificence[4] accoutumée ; et puis, tâchant de prouver que cette bonne
980 œuvre en était également une pour tous les chrétiens sans distinction de secte, je finis par promettre les bénédictions du Ciel à ceux qui voudraient y prendre part. Je ne dirai pas que mon discours fit effet ; mais il est sûr qu'il fut goûté, et qu'au sortir de l'audience l'Archimandrite reçut
985 un présent fort honnête, et de plus, sur l'esprit de son secrétaire, des compliments dont j'eus l'agréable emploi d'être le truchement[5], mais que je n'osai lui rendre à la lettre. Voilà la seule fois dans ma vie que j'aie parlé en

1. **Parler impromptu :** en improvisant, sans aucune préparation.
2. **Succinctement :** en peu de mots.
3. **Piquant d'émulation :** faisant jouer la rivalité, provoquant une situation de concurrence.
4. **Munificence :** grande générosité.
5. **Être le truchement :** servir d'intermédiaire.

public et devant un souverain[1], et la seule fois aussi peut-être que j'aie parlé hardiment et bien. Quelle différence dans les dispositions du même homme ! Il y a trois ans qu'étant allé voir à Yverdon mon vieux ami M. Roguin, je reçus une députation pour me remercier de quelques livres que j'avais donnés à la bibliothèque de cette ville. Les Suisses sont grands harangueurs[2] ; ces messieurs me haranguèrent[3]. Je me crus obligé de répondre ; mais je m'embarrassai tellement dans ma réponse, et ma tête se brouilla si bien, que je restai court et me fis moquer de moi. Quoique timide naturellement, j'ai été hardi quelquefois dans ma jeunesse, jamais dans mon âge avancé. Plus j'ai vu le monde, moins j'ai pu me faire à son ton.

Partis de Berne, nous allâmes à Soleure[4] ; car le dessein de l'Archimandrite était de reprendre la route d'Allemagne, et de s'en retourner par la Hongrie ou par la Pologne, ce qui faisait une route immense : mais, comme chemin faisant, sa bourse s'emplissait plus qu'elle ne se vidait, il craignait peu les détours. Pour moi, qui me plaisais presque autant à cheval qu'à pied, je n'aurais pas mieux demandé que de voyager ainsi toute ma vie : mais il était écrit que je n'irais pas si loin.

La première chose que nous fîmes, arrivant à Soleure, fut d'aller saluer M. l'Ambassadeur de France. Malheureusement pour mon évêque, cet ambassadeur était le marquis de Bonac, qui avait été ambassadeur à la Porte[5], et qui devait être au fait de tout ce qui regardait le Saint-Sépulcre.

1. **Souverain :** autorité désignant le pouvoir souverain (ici, le sénat de Berne).
2. **Harangueurs :** orateurs qui discourent interminablement devant un public (terme satirique).
3. **Me haranguèrent :** m'adressèrent des discours pompeux et ennuyeux.
4. **Soleure :** ville de Suisse au pied du Jura.
5. **Ambassadeur à la Porte :** ambassadeur en Turquie (la Sublime Porte désignant l'Empire ottoman).

L'Archimandrite eut une audience d'un quart d'heure, où je ne fus pas admis, parce que M. l'Ambassadeur entendait la langue franque, et parlait l'italien du moins aussi bien
1020 que moi. À la sortie de mon Grec je voulus le suivre ; on me retint : ce fut mon tour. M'étant donné pour parisien, j'étais comme tel sous la juridiction de Son Excellence. Elle me demanda qui j'étais, m'exhorta de lui dire la vérité ; je le lui promis en lui demandant une audience particulière
1025 qui me fut accordée. M. l'Ambassadeur m'emmena dans son cabinet, dont il ferma sur nous la porte, et là, me jetant à ses pieds, je lui tins parole. Je n'aurais pas moins dit quand je n'aurais rien promis, car un continuel besoin d'épanchement met à tout moment mon cœur sur mes
1030 lèvres ; et, après m'être ouvert sans réserve au musicien Lutold, je n'avais garde de faire le mystérieux avec le marquis de Bonac. Il fut si content de ma petite histoire et de l'effusion de cœur avec laquelle il vit que je l'avais contée, qu'il me prit par la main, entra chez Mme l'Ambassadrice,
1035 et me présenta à elle en lui faisant un abrégé de mon récit. Mme de Bonac m'accueillit avec bonté, et dit qu'il ne fallait pas me laisser aller avec ce moine grec. Il fut résolu que je resterais à l'hôtel[1] en attendant qu'on vît ce qu'on pourrait faire de moi. Je voulais aller faire mes adieux à
1040 mon pauvre Archimandrite, pour lequel j'avais conçu de l'attachement : on ne me le permit pas. On envoya lui signifier mes arrêts, et un quart d'heure après je vis arriver mon petit sac. M. de la Martinière, secrétaire d'ambassade, fut en quelque façon chargé de moi. En me conduisant
1045 dans la chambre qui m'était destinée, il me dit : « Cette chambre a été occupée sous le comte Du Luc par un homme célèbre du même nom que vous[1] : il ne tient qu'à vous de le remplacer de toutes manières, et de faire dire un

1. **L'hôtel :** la résidence de l'ambassadeur.

jour, Rousseau premier, Rousseau second. » Cette conformité, qu'alors je n'espérais guère, eût moins flatté mes désirs si j'avais pu prévoir à quel prix je l'achèterais un jour. 1050

Ce que m'avait dit M. de La Martinière me donna de la curiosité. Je lus les ouvrages de celui dont j'occupais la chambre, et sur le compliment qu'on m'avait fait, croyant avoir du goût pour la poésie, je fis pour mon coup d'essai une cantate[2] à la louange de Mme de Bonac. Ce goût ne se soutint pas. J'ai fait de temps en temps quelques médiocres vers ; c'est un exercice assez bon pour se rompre aux inversions élégantes, et apprendre à mieux écrire en prose ; mais je n'ai jamais trouvé dans la poésie française assez d'attrait pour m'y livrer tout à fait[3]. 1055 1060

M. de La Martinière voulut voir de mon style, et me demanda par écrit le même détail que j'avais fait à M. l'Ambassadeur. Je lui écrivis une longue lettre, que j'apprends avoir été conservée par M. de Marianne, qui était attaché depuis longtemps au marquis de Bonac, et qui depuis a succédé à M. de la Martinière sous l'ambassade de M. de Courteilles. J'ai prié M. de Malesherbes de tâcher de me procurer une copie de cette lettre. Si je puis l'avoir par lui ou par d'autres, on la trouvera dans le recueil qui doit accompagner mes confessions. 1065 1070

L'expérience que je commençais d'avoir modérait peu à peu mes projets romanesques, et par exemple, non seulement je ne devins point amoureux de Mme de Bonac, mais je sentis d'abord[4] que je ne pouvais faire un grand chemin dans la maison de son mari. M. de la Martinière en 1075

---

1. **Du même nom que vous :** il s'agit du poète Jean-Baptiste Rousseau (1671-1741), célèbre pour avoir été condamné à l'exil pendant près de trente ans.
2. **Cantate :** petit poème mis en musique.
3. **Pour m'y livrer tout à fait :** pour m'y consacrer entièrement.
4. **D'abord :** tout de suite, dès le début.

place, et M. de Marianne pour ainsi dire en survivance[1], ne me laissaient espérer pour toute fortune qu'un emploi de sous-secrétaire qui ne me tentait pas infiniment. Cela fit que, quand on me consulta sur ce que je voulais faire, je marquai beaucoup d'envie d'aller à Paris. M. l'Ambassadeur goûta cette idée, qui tendait au moins à le débarrasser de moi. M. de Merveilleux, secrétaire interprète de l'ambassade, dit que son ami M. Gaudard, colonel suisse au service de la France, cherchait quelqu'un pour mettre auprès de son neveu, qui entrait fort jeune au service, et pensa que je pourrais lui convenir. Sur cette idée assez légèrement prise, mon départ fut résolu ; et moi, qui voyais un voyage à faire et Paris au bout, j'en fus dans la joie de mon cœur. On me donna quelques lettres, cent francs pour mon voyage, accompagnés de force bonnes leçons, et je partis.

Je mis à ce voyage une quinzaine de jours, que je peux compter parmi les heureux de ma vie. J'étais jeune, je me portais bien, j'avais assez d'argent, beaucoup d'espérance, je voyageais, je voyageais à pied, et je voyageais seul. On serait étonné de me voir compter un pareil avantage, si déjà l'on n'avait dû se familiariser avec mon humeur. Mes douces chimères[2] me tenaient compagnie, et jamais la chaleur de mon imagination n'en enfanta de plus magnifiques. Quand on m'offrait quelque place vide dans une voiture, ou que quelqu'un m'accostait en route, je rechignais de voir renverser la fortune dont je bâtissais l'édifice en marchant. Cette fois mes idées étaient martiales[3]. J'allais m'attacher à un militaire et devenir militaire moi-même ; car on avait arrangé que je commencerais par être

1. **En survivance :** destiné à lui succéder dans sa charge après sa mort.
2. **Chimères :** illusions, fantasmes de l'imagination.
3. **Martiales :** relatives à la guerre.

cadet[1] Je croyais déjà me voir en habit d'officier avec un beau plumet blanc. Mon cœur s'enflait à cette noble idée. J'avais quelque teinture de[2] géométrie et de fortifications ; j'avais un oncle ingénieur ; j'étais en quelque sorte enfant de la balle[3]. Ma vue courte[4] offrait un peu d'obstacle, mais qui ne m'embarrassait pas ; et je comptais bien à force de sang-froid et d'intrépidité[5] suppléer à[6] ce défaut. J'avais lu que le maréchal Schomberg avait la vue très courte ; pourquoi le maréchal Rousseau ne l'aurait-il pas ? Je m'échauffais tellement sur ces folies, que je ne voyais plus que troupes, remparts, gabions[7], batteries, et moi, au milieu du feu et de la fumée, donnant tranquillement mes ordres, la lorgnette à la main. Cependant, quand je passais dans des campagnes agréables, que je voyais des bocages et des ruisseaux, ce touchant aspect me faisait soupirer de regret ; je sentais au milieu de ma gloire que mon cœur n'était pas fait pour tant de fracas, et bientôt, sans savoir comment, je me retrouvais au milieu de mes chères bergeries, renonçant pour jamais aux travaux de Mars.

Combien l'abord de Paris démentit l'idée que j'en avais ! La décoration extérieure que j'avais vue à Turin, la beauté des rues, la symétrie et l'alignement des maisons, me faisaient chercher à Paris autre chose encore.

Je m'étais figuré une ville aussi belle que grande, de l'aspect le plus imposant, où l'on ne voyait que de superbes rues,

---

1. **Cadet :** jeune gentilhomme qui sert comme simple soldat pour apprendre le métier des armes.
2. **Quelque teinture de :** quelques notions en.
3. **Enfant de la balle :** qui fait le même métier que son père ou ses ancêtres.
4. **Vue courte :** myopie.
5. **Intrépidité :** audace, hardiesse.
6. **Suppléer à :** remédier à.
7. **Gabions :** paniers destinés à être remplis de terre pour servir de boucliers de protection (terme militaire).

des palais de marbre et d'or. En entrant par le faubourg Saint-Marceau[1] je ne vis que de petites rues sales et puantes, 1135 de vilaines maisons noires, l'air de la malpropreté, de la pauvreté, des mendiants, des charretiers, des ravaudeuses, des crieuses de tisanes et de vieux chapeaux. Tout cela me frappa d'abord à tel point, que tout ce que j'ai vu depuis à Paris de magnificence réelle n'a pu détruire cette première 1140 impression, et qu'il m'en est resté toujours un secret dégoût pour l'habitation de cette capitale. Je puis dire que tout le temps que j'y ai vécu dans la suite ne fut employé qu'à y chercher des ressources pour me mettre en état d'en vivre éloigné. Tel est le fruit d'une imagination trop 1145 active, qui exagère par-dessus l'exagération des hommes, et voit toujours plus que ce qu'on lui dit. On m'avait tant vanté Paris, que je me l'étais figuré comme l'ancienne Babylone[2], dont je trouverais peut-être autant à rabattre, si je l'avais vue, du portrait que je m'en suis fait. La même 1150 chose m'arriva à l'Opéra, où je me pressai d'aller le lendemain de mon arrivée ; la même chose m'arriva dans la suite à Versailles ; dans la suite encore en voyant la mer ; et la même chose m'arrivera toujours en voyant des spectacles qu'on m'aura trop annoncés : car il est impossible 1155 aux hommes et difficile à la nature elle-même de passer en richesse mon imagination.

À la manière dont je fus reçu de tous ceux pour qui j'avais des lettres, je crus ma fortune faite. Celui à qui j'étais le plus recommandé, et qui me caressa le moins, 1160 était M. de Surbeck, retiré du service et vivant philosophiquement à Bagneux, où je fus le voir plusieurs fois, et où jamais il ne m'offrit un verre d'eau. J'eus plus d'accueil de Mme de Merveilleux, belle-sœur de l'interprète, et de son

1. **Faubourg Saint-Marceau :** quartier au sud-est de Paris, hors de l'enceinte de la ville.
2. **L'ancienne Babylone :** capitale de l'Antiquité, souvent assimilée au XVIIIe siècle à la mythique ville de Babel.

neveu, officier aux gardes : non seulement la mère et le fils me reçurent bien, mais ils m'offrirent leur table, dont je profitai souvent durant mon séjour à Paris. Mme de Merveilleux me parut avoir été belle ; ses cheveux étaient d'un beau noir, et faisaient, à la vieille mode, le crochet[1] sur ses tempes. Il lui restait ce qui ne périt point avec les attraits, un esprit très agréable. Elle me parut goûter le mien, et fit tout ce qu'elle put pour me rendre service ; mais personne ne la seconda, et je fus bientôt désabusé de tout ce grand intérêt qu'on avait paru prendre à moi. Il faut pourtant rendre justice aux Français ; ils ne s'épuisent point tant qu'on dit en protestations, et celles qu'ils font sont presque toujours sincères ; mais ils ont une manière de paraître s'intéresser à vous qui trompe plus que des paroles. Les gros compliments des Suisses n'en peuvent imposer qu'à des sots : les manières des Français sont plus séduisantes en cela même qu'elles sont plus simples ; on croirait qu'ils ne vous disent pas tout ce qu'ils veulent faire, pour vous surprendre plus agréablement. Je dirai plus ; ils ne sont point faux dans leurs démonstrations : ils sont naturellement officieux, humains, bienveillants, et même, quoi qu'on en dise, plus vrais qu'aucune autre nation ; mais ils sont légers et volages. Ils ont en effet le sentiment qu'ils vous témoignent, mais ce sentiment s'en va comme il est venu. En vous parlant, ils sont pleins de vous ; ne vous voient-ils plus, ils vous oublient. Rien n'est permanent dans leur cœur : tout est chez eux l'œuvre du moment.

Je fus donc beaucoup flatté et peu servi. Ce colonel Gaudard au neveu duquel on m'avait donné, se trouva être un vilain vieux avare, qui, quoique tout cousu d'or, voyant ma détresse, me voulut avoir pour rien. Il prétendait que je fusse auprès de son neveu une espèce de valet

1. **Faisaient [...] le crochet :** retombaient en boucles.

sans gages[1] plutôt qu'un vrai gouverneur. Attaché continuellement à lui, et par là dispensé du service, il fallait que je vécusse de ma paye de cadet, c'est-à-dire de soldat ; 1200 et à peine consentait-il à me donner l'uniforme ; il aurait voulu que je me contentasse de celui du régiment. Mme de Merveilleux, indignée de ses propositions, me détourna elle-même de les accepter ; son fils fut du même sentiment. On cherchait autre chose, et l'on ne trouvait 1205 rien. Cependant je commençais d'être pressé, et cent francs, sur lesquels j'avais fait mon voyage, ne pouvaient me mener bien loin. Heureusement je reçus, de la part de M. l'Ambassadeur, encore une petite remise[2] qui me fit grand bien, et je crois qu'il ne m'aurait pas abandonné si 1210 j'eusse eu plus de patience : mais languir, attendre, solliciter, sont pour moi choses impossibles. Je me rebutai, je ne parus plus, et tout fut fini. Je n'avais pas oublié ma pauvre Maman ; mais comment la trouver ? Où la chercher ? Mme de Merveilleux, qui savait mon histoire, m'avait aidé 1215 dans cette recherche, et longtemps inutilement. Enfin elle m'apprit que Mme de Warens était repartie il y avait plus de deux mois, mais qu'on ne savait si elle était allée en Savoie ou à Turin, et que quelques personnes la disaient retournée en Suisse. Il ne m'en fallut pas davantage pour 1220 me déterminer à la suivre, bien sûr qu'en quelque lieu qu'elle fût, je la trouverais plus aisément en province que je n'avais pu faire à Paris.

Avant de partir j'exerçai mon nouveau talent poétique dans une épître[3] au colonel Gaudard, où je le drapai[4] de 1225 mon mieux. Je montrai ce barbouillage à Mme de Merveilleux, qui, au lieu de me censurer comme elle

1. **Gages :** salaire d'un domestique.
2. **Une petite remise :** une petite somme d'argent.
3. **Épître :** lettre en vers.
4. **Drapai :** *draper* quelqu'un signifie en dire du mal, s'en moquer.

aurait dû faire, rit beaucoup de mes sarcasmes[1], de même que son fils, qui, je crois, n'aimait pas M. Gaudard, et il faut avouer qu'il n'était pas aimable. J'étais tenté de lui envoyer mes vers ; ils m'y encouragèrent : j'en fis un paquet à son adresse, et comme il n'y avait point alors à Paris de petite poste[2], je le mis dans ma poche, et je le lui envoyai d'Auxerre en passant. Je ris quelquefois encore en songeant aux grimaces qu'il dut faire en lisant ce panégyrique, où il était peint trait pour trait. Il commençait ainsi :

Tu croyais, vieux pénard[3], qu'une folle manie
D'élever ton neveu m'inspirerait l'envie.

Cette petite pièce, mal faite à la vérité, mais qui ne manquait pas de sel, et qui annonçait du talent pour la satire, est cependant le seul écrit satirique qui soit sorti de ma plume. J'ai le cœur trop peu haineux pour me prévaloir d'un pareil talent : mais je crois qu'on peut juger par quelques écrits polémiques faits de temps à autre pour ma défense, que, si j'avais été d'humeur batailleuse, mes agresseurs auraient eu rarement les rieurs de leur côté.

La chose que je regrette le plus dans les détails de ma vie dont j'ai perdu la mémoire est de n'avoir pas fait des journaux de mes voyages. Jamais je n'ai tant pensé, tant existé, tant vécu, tant été moi, si j'ose ainsi dire, que dans ceux que j'ai faits seul et à pied. La marche a quelque chose qui anime et avive mes idées : je ne puis presque penser quand je reste en place ; il faut que mon corps soit en branle pour y mettre mon esprit. La vue de la campagne, la succession des aspects agréables, le grand air, le grand appétit, la bonne santé que je gagne en marchant, la liberté du cabaret, l'éloignement de tout ce qui me fait sentir ma dépendance, de tout ce qui me rappelle à ma

---

1. **Sarcasmes :** moqueries insultantes.
2. **Petite poste :** créée en 1759, la *petite poste* servira la ville et sa banlieue.
3. **Vieux pénard :** terme injurieux qui désigne un vieillard.

situation, tout cela dégage mon âme, me donne une plus grande audace de penser, me jette en quelque sorte dans
1260 l'immensité des êtres pour les combiner, les choisir, me les approprier à mon gré, sans gêne et sans crainte. Je dispose en maître de la nature entière ; mon cœur, errant d'objet en objet, s'unit, s'identifie à ceux qui le flattent, s'entoure d'images charmantes, s'enivre de sentiments délicieux. Si
1265 pour les fixer je m'amuse à les décrire en moi-même, quelle vigueur de pinceau, quelle fraîcheur de coloris, quelle énergie d'expression je leur donne ! On a, dit-on, trouvé de tout cela dans mes ouvrages, quoique écrits vers le déclin de mes ans. Oh ! Si l'on eût vu ceux de ma
1270 première jeunesse, ceux que j'ai faits durant mes voyages, ceux que j'ai composés et que je n'ai jamais écrits... Pourquoi, direz-vous, ne les pas écrire ? Et pourquoi les écrire ? vous répondrai-je : pourquoi m'ôter le charme actuel de la jouissance, pour dire à d'autres que j'avais
1275 joui ? Que m'importaient des lecteurs, un public, et toute la terre, tandis que je planais dans le ciel ? D'ailleurs, portais-je avec moi du papier, des plumes ? Si j'avais pensé à tout cela, rien ne me serait venu. Je ne prévoyais pas que j'aurais des idées ; elles viennent quand il leur plaît, non quand il
1280 me plaît. Elles ne viennent point, ou elles viennent en foule, elles m'accablent de leur nombre et de leur force. Dix volumes par jour n'auraient pas suffi. Où prendre du temps pour les écrire ? En arrivant je ne songeais qu'à bien dîner. En partant je ne songeais qu'à bien marcher. Je sen-
1285 tais qu'un nouveau paradis m'attendait à la porte. Je ne songeais qu'à l'aller chercher.

Jamais je n'ai si bien senti tout cela que dans le retour dont je parle. En venant à Paris, je m'étais borné aux idées relatives à ce que j'y allais faire. Je m'étais élancé dans la
1290 carrière où j'allais entrer, et je l'avais parcourue avec assez de gloire : mais cette carrière n'était pas celle où mon cœur m'appelait et les êtres réels nuisaient aux êtres imaginaires. Le colonel Gaudard et son neveu figuraient mal

avec un héros tel que moi. Grâce au ciel, j'étais maintenant délivré de tous ces obstacles : je pouvais m'enfoncer à mon gré dans le pays des chimères[1], car il ne restait que cela devant moi. Aussi je m'y égarai si bien, que je perdis réellement plusieurs fois ma route ; et j'eusse été fort fâché d'aller plus droit[2], car, sentant qu'à Lyon j'allais me retrouver sur la terre, j'aurais voulu n'y jamais arriver. 1300

Un jour entre autres, m'étant à dessein détourné pour voir de près un lieu qui me parut admirable, je m'y plus si fort et j'y fis tant de tours que je me perdis enfin tout à fait. Après plusieurs heures de course inutile, las et mourant de soif et de faim, j'entrai chez un paysan dont la maison n'avait pas belle apparence, mais c'était la seule que je visse aux environs. Je croyais que c'était comme à Genève ou en Suisse où tous les habitants à leur aise sont en état d'exercer l'hospitalité. Je priai celui-ci de me donner à dîner en payant. Il m'offrit du lait écrémé et de gros pain d'orge, en me disant que c'était tout ce qu'il avait. Je buvais ce lait avec délices, et je mangeais ce pain, paille et tout[3] ; mais cela n'était pas fort restaurant[4] pour un homme épuisé de fatigue. Ce paysan, qui m'examinait, jugea de la vérité de mon histoire par celle de mon appétit. Tout de suite, après m'avoir dit qu'il voyait bien que j'étais un bon jeune honnête homme qui n'était pas là pour le vendre, il ouvrit une petite trappe à côté de sa cuisine, descendit, et revint un moment après avec un bon pain bis de pur froment, un jambon très appétissant quoique entamé, et une bouteille de vin dont l'aspect me réjouit le cœur plus que tout le reste. On joignit à cela une omelette assez épaisse, et je fis un dîner tel qu'autre qu'un

1. **Le pays des chimères :** le pays de mes rêves, de mon imagination.
2. **Plus droit :** plus directement, en ligne droite.
3. **Paille et tout :** jusqu'à la dernière miette.
4. **Pas fort restaurant :** pas très nourrissant.

piéton n'en connut jamais. Quand ce vint à payer[1], voilà
1325 son inquiétude et ses craintes qui le reprennent ; il ne voulait point de mon argent, il le repoussait avec un trouble extraordinaire ; et ce qu'il y avait de plaisant était que je ne pouvais imaginer de quoi il avait peur. Enfin, il prononça en frémissant ces mots terribles de Commis[2] et de
1330 Rats-de-Cave[3]. Il me fit entendre qu'il cachait son vin à cause des aides[4], qu'il cachait son pain à cause de la taille[5], et qu'il serait un homme perdu si l'on pouvait se douter qu'il ne mourût pas de faim. Tout ce qu'il me dit à ce sujet, et dont je n'avais pas la moindre idée, me fit une
1335 impression qui ne s'effacera jamais. Ce fut là le germe de cette haine inextinguible qui se développa depuis dans mon cœur contre les vexations qu'éprouve le malheureux peuple et contre ses oppresseurs. Cet homme, quoique aisé, n'osait manger le pain qu'il avait gagné à la sueur de
1340 son front, et ne pouvait éviter sa ruine qu'en montrant la même misère qui régnait autour de lui. Je sortis de sa maison aussi indigné qu'attendri, et déplorant le sort de ces belles contrées à qui la nature n'a prodigué ses dons que pour en faire la proie des barbares publicains[6].

1345 Voilà le seul souvenir bien distinct qui me reste de ce qui m'est arrivé durant ce voyage. Je me rappelle seulement qu'en approchant de Lyon je fus tenté de prolonger ma route pour aller voir les bords du Lignon ; car, parmi les romans que j'avais lus avec mon père *L'Astrée*[7] n'avait
1350 pas été oubliée, et c'était celui qui me revenait au cœur le

1. **Quand ce vint à payer :** quand ce fut le moment de payer.
2. **Commis :** ici, collecteurs d'impôts.
3. **Rats-de-Cave :** expression méprisante pour désigner les commis inspectant les caves des particuliers.
4. **Aides :** impôts sur le vin et les boissons.
5. **Taille :** impôt payé par le peuple.
6. **Publicains :** dans l'Empire romain, les publicains étaient chargés des impôts.
7. ***L'Astrée* :** célèbre roman pastoral du XVIIe siècle d'Honoré d'Urfé.

plus fréquemment. Je demandai la route du Forez ; et tout en causant avec une hôtesse, elle m'apprit que c'était un bon pays de ressource pour les ouvriers, qu'il y avait beaucoup de forges, et qu'on y travaillait fort bien en fer. Cet éloge calma tout à coup ma curiosité romanesque, et 1355 je ne jugeai pas à propos d'aller chercher des Dianes et des Sylvandres[1] chez un peuple de forgerons. La bonne femme qui m'encourageait de la sorte m'avait sûrement pris pour un garçon serrurier.

Je n'allais pas tout à fait à Lyon sans vues. En arrivant, 1360 j'allai voir aux Chasottes[2] Mlle du Châtelet, amie de Mme de Warens, et pour laquelle elle m'avait donné une lettre quand je vins avec M. Le Maître : ainsi c'était une connaissance déjà faite. Mlle du Châtelet m'apprit qu'en effet son amie avait passé à Lyon, mais qu'elle ignorait si elle avait 1365 poussé sa route jusqu'en Piémont, et qu'elle était incertaine elle-même en partant si elle ne s'arrêterait point en Savoie ; que si je voulais, elle écrirait pour en avoir des nouvelles, et que le meilleur parti que j'eusse à prendre était de les attendre à Lyon. J'acceptai l'offre : mais je n'osai 1370 dire à Mlle du Châtelet que j'étais pressé de la réponse, et que ma petite bourse épuisée ne me laissait pas en état de l'attendre longtemps. Ce qui me retint n'était pas qu'elle m'eût mal reçu. Au contraire, elle m'avait fait beaucoup de caresses[3], et me traitait sur un pied d'égalité qui m'ôtait le 1375 courage de lui laisser voir mon état, et de descendre du rôle de bonne compagnie à celui d'un malheureux mendiant.

Il me semble de voir assez clairement la suite de tout ce que j'ai marqué dans ce livre. Cependant je crois me rappeler, dans le même intervalle, un autre voyage de Lyon, 1380 dont je ne puis marquer la place, et où je me trouvai déjà

---

1. **Des Dianes et des Sylvandres :** couple d'amants de *L'Astrée*.
2. **Aux Chasottes :** au couvent des Chazeaux, ou Chasottes.
3. **Elle m'avait fait beaucoup de caresses :** elle m'avait donné de nombreuses marques d'affection.

fort à l'étroit[1]. Une petite anecdote assez difficile à dire ne me permettra jamais de l'oublier. J'étais un soir assis en Bellecour[2], après un très mince souper, rêvant aux moyens 1385 de me tirer d'affaire, quand un homme en bonnet vint s'asseoir à côté de moi ; cet homme avait l'air d'un de ces ouvriers en soie qu'on appelle à Lyon des taffetatiers[3]. Il m'adresse la parole ; je lui réponds : voilà la conversation liée. À peine avions-nous causé un quart d'heure, que, 1390 toujours avec le même sang-froid et sans changer de ton, il me propose de nous amuser de compagnie. J'attendais qu'il m'expliquât quel était cet amusement ; mais, sans rien ajouter, il se mit en devoir de m'en donner l'exemple. Nous nous touchions presque, et la nuit n'était pas assez 1395 obscure pour m'empêcher de voir à quel exercice il se préparait. Il n'en voulait point à ma personne ; du moins rien n'annonçait cette intention, et le lieu ne l'eût pas favorisée. Il ne voulait exactement, comme il me l'avait dit, que s'amuser et que je m'amusasse, chacun pour son compte ; 1400 et cela lui paraissait si simple, qu'il n'avait même pas supposé qu'il ne me le parût pas comme à lui. Je fus si effrayé de cette impudence que, sans lui répondre, je me levai précipitamment et me mis à fuir à toutes jambes, croyant avoir ce misérable à mes trousses. J'étais si troublé, qu'au 1405 lieu de gagner mon logis par la rue Saint-Dominique, je courus du côté du quai, et ne m'arrêtai qu'au-delà du pont de bois, aussi tremblant que si je venais de commettre un crime. J'étais sujet au même vice ; ce souvenir m'en guérit pour longtemps.

1410 À ce voyage-ci j'eus une autre aventure à peu près du même genre, mais qui me mit en plus grand danger. Sentant mes espèces tirer à leur fin, j'en ménageais le ché-

1. **À l'étroit :** dans une situation financière difficile.
2. **En Bellecour :** place Bellecour, célèbre place centrale de Lyon.
3. **Taffetatiers :** ouvriers spécialisés dans la soie.

tif reste. Je prenais moins souvent des repas à mon auberge, et bientôt je n'en pris plus du tout, pouvant pour cinq ou six sols, à la taverne, me rassasier tout aussi bien que je faisais là pour mes vingt-cinq. N'y mangeant plus, je ne savais comment y aller coucher, non que j'y dusse grand'chose, mais j'avais honte d'occuper une chambre sans rien faire gagner à mon hôtesse. La saison était belle. Un soir qu'il faisait fort chaud, je me déterminai à passer la nuit dans la place, et déjà je m'étais établi sur un banc, quand un abbé qui passait, me voyant ainsi couché, s'approcha et me demanda si je n'avais point de gîte. Je lui avouai mon cas, il en parut touché ; il s'assit à côté de moi, et nous causâmes. Il parlait agréablement ; tout ce qu'il me dit me donna de lui la meilleure opinion du monde. Quand il me vit bien disposé, il me dit qu'il n'était pas logé fort au large, qu'il n'avait qu'une seule chambre, mais qu'assurément il ne me laisserait pas coucher ainsi dans la place ; qu'il était tard pour me trouver un gîte, et qu'il m'offrait pour cette nuit la moitié de son lit. J'accepte l'offre, espérant déjà me faire un ami qui pourrait m'être utile. Nous allons : il bat le fusil[1] Sa chambre me parut propre[2] dans sa petitesse : il m'en fit les honneurs fort poliment. Il tira d'une armoire un pot de verre où étaient des cerises à l'eau-de-vie ; nous en mangeâmes chacun deux, et nous fûmes nous coucher.

Cet homme avait les mêmes goûts que mon Juif de l'hospice, mais il ne les manifestait pas si brutalement. Soit que, sachant que je pouvais être entendu, il craignît de me forcer à me défendre, soit qu'en effet il fût moins confirmé dans ses projets, il n'osa m'en proposer ouvertement l'exécution, et cherchait à m'émouvoir sans m'inquiéter. Plus

1. **Il bat le fusil :** il fait du feu ; le *fusil* est une petite pièce métallique avec laquelle on bat un caillou pour faire jaillir des étincelles de feu.
2. **Propre :** ici, bien rangée, bien ordonnée.

instruit que la première fois, je compris bientôt son des-
1445 sein[1], et j'en frémis ; ne sachant ni dans quelle maison, ni entre les mains de qui j'étais, je craignis, en faisant du bruit, de le payer de ma vie. Je feignis d'ignorer ce qu'il me voulait ; mais paraissant très importuné de ses caresses et très décidé à n'en pas endurer le progrès[2], je fis si bien
1450 qu'il fut obligé de se contenir. Alors je lui parlai avec toute la douceur et toute la fermeté dont j'étais capable ; et, sans paraître rien soupçonner, je m'excusai de l'inquiétude que je lui avais montrée, sur mon ancienne aventure, que j'affectai de lui conter en termes si pleins de dégoût et
1455 d'horreur, que je lui fis, je crois, mal au cœur à lui-même, et qu'il renonça tout à fait à son sale dessein. Nous passâmes tranquillement le reste de la nuit. Il me dit même beaucoup de choses très bonnes, très sensées, et ce n'était assurément pas un homme sans mérite, quoique ce fût un
1460 grand vilain[3].

Le matin, M. l'Abbé, qui ne voulait pas avoir l'air mécontent, parla de déjeuner, et pria une des filles de son hôtesse, qui était fort jolie, d'en faire apporter. Elle lui dit qu'elle n'avait pas le temps : il s'adressa à sa sœur, qui ne daigna pas lui
1465 répondre. Nous attendions toujours : point de déjeuner. Enfin nous passâmes dans la chambre de ces demoiselles. Elles reçurent M. l'Abbé d'un air très peu caressant ; j'eus encore moins à me louer de leur accueil. L'aînée, en se retournant, m'appuya son talon pointu sur le bout du
1470 pied, où un cor fort douloureux m'avait forcé de couper mon soulier ; l'autre vint ôter brusquement de derrière moi une chaise sur laquelle j'étais prêt à m'asseoir ; leur mère, en jetant de l'eau par la fenêtre, m'en aspergea le visage : en quelque place que je me misse, on m'en faisait

1. **Son dessein :** son projet, son intention.
2. **Très décidé à n'en pas endurer le progrès :** bien résolu à ne pas le laisser aller plus loin.
3. **Un grand vilain :** un homme malhonnête.

ôter pour chercher quelque chose ; je n'avais été de ma vie à pareille fête. Je voyais dans leurs regards insultants et moqueurs une fureur cachée, à laquelle j'avais la stupidité de ne rien comprendre. Ébahi, stupéfait, prêt à les croire toutes possédées[1], je commençais tout de bon à m'effrayer, quand l'Abbé, qui ne faisait semblant de voir ni d'entendre, jugeant bien qu'il n'y avait point de déjeuner à espérer, prit le parti de sortir, et je me hâtai de le suivre, fort content d'échapper à ces trois furies[2]. En marchant il me proposa d'aller déjeuner au café. Quoique j'eusse grand'faim, je n'acceptai pas cette offre, sur laquelle il n'insista pas beaucoup non plus, et nous nous séparâmes au trois ou quatrième coin de rue ; moi, charmé de perdre de vue tout ce qui appartenait à cette maudite maison ; et lui fort aise, à ce que je crois, de m'en avoir assez éloigné pour qu'elle ne me fût pas facile à reconnaître. Comme à Paris, ni dans aucune autre ville, jamais rien ne m'est arrivé de semblable à ces deux aventures, il m'en est resté une impression peu avantageuse au peuple de Lyon, et j'ai toujours regardé cette ville comme celle de l'Europe où règne la plus affreuse corruption.

Le souvenir des extrémités où j'y fus réduit ne contribue pas non plus à m'en rappeler agréablement la mémoire. Si j'avais été fait comme un autre, que j'eusse eu le talent d'emprunter et de m'endetter à mon cabaret, je me serais aisément tiré d'affaire ; mais c'est à quoi mon inaptitude égalait ma répugnance ; et pour imaginer à quel point vont l'une et l'autre, il suffit de savoir qu'après avoir passé presque toute ma vie dans le mal-être, et souvent prêt à manquer de pain, il ne m'est jamais arrivé une seule fois de me faire demander de l'argent par un créancier[3] sans lui en donner à l'instant même. Je n'ai jamais su faire des

1475 1480 1485 1490 1495 1500 1505

1. **Possédées :** qui semblent être en proie au démon, au diable.
2. **Furies :** femmes folles furieuses.
3. **Créancier :** personne à qui il est dû de l'argent.

dettes criardes[1], et j'ai toujours mieux aimé souffrir que devoir.

1510 C'était souffrir assurément que d'être réduit à passer la nuit dans la rue, et c'est ce qui m'est arrivé plusieurs fois à Lyon. J'aimais mieux employer quelques sols qui me restaient à payer mon pain que mon gîte ; parce qu'après tout je risquais moins de mourir de sommeil que de faim. Ce qu'il y a d'étonnant, c'est que dans ce cruel état je n'étais 1515 ni inquiet ni triste. Je n'avais pas le moindre souci sur l'avenir, et j'attendais les réponses que devait recevoir Mlle du Châtelet, couchant à la belle étoile, et dormant étendu par terre ou sur un banc aussi tranquillement que sur un lit de roses. Je me souviens même d'avoir passé une 1520 nuit délicieuse hors de la ville, dans un chemin qui côtoyait le Rhône ou la Saône, car je ne me rappelle pas lequel des deux. Des jardins élevés en terrasse bordaient le chemin du côté opposé. Il avait fait très chaud ce jour-là, la soirée était charmante ; la rosée humectait l'herbe 1525 flétrie ; point de vent, une nuit tranquille ; l'air était frais, sans être froid ; le soleil, après son coucher, avait laissé dans le ciel des vapeurs rouges dont la réflexion rendait l'eau couleur de rose ; les arbres des terrasses étaient chargés de rossignols qui se répondaient de l'un à l'autre. Je 1530 me promenais dans une sorte d'extase livrant mes sens et mon cœur à la jouissance de tout cela, et soupirant seulement un peu du regret d'en jouir seul. Absorbé dans ma douce rêverie, je prolongeai fort avant dans la nuit ma promenade, sans m'apercevoir que j'étais las. Je m'en aper- 1535 çus enfin. Je me couchai voluptueusement sur la tablette[2] d'une espèce de niche ou de fausse porte enfoncée dans un mur de terrasse ; le ciel de mon lit était formé par les têtes des arbres ; un rossignol était précisément au-dessus

---

1. **Des dettes criardes :** des dettes importantes.
2. **Tablette :** dalle.

de moi ; je m'endormis à son chant : mon sommeil fut doux, mon réveil le fut davantage. Il était grand jour : mes yeux en s'ouvrant virent l'eau, la verdure, un paysage admirable. Je me levai, me secouai, la faim me prit, je m'acheminai gaiement vers la ville, résolu de mettre à un bon déjeuner deux pièces de six blancs[1] qui me restaient encore. J'étais de si bonne humeur, que j'allais chantant tout le long du chemin, et je me souviens même que je chantais une cantate de Batistin[2], intitulée *Les Bains de Thomery*, que je savais par cœur. Que béni soit le bon Batistin et sa bonne cantate, qui m'a valu un meilleur déjeuner que celui sur lequel je comptais et un dîner bien meilleur encore, sur lequel je n'avais point compté du tout. Dans mon meilleur train d'aller et de chanter, j'entends quelqu'un derrière moi, je me retourne, je vois un Antonin[3] qui me suivait et qui paraissait m'écouter avec plaisir. Il m'accoste, me salue, me demande si je sais la musique. Je réponds, *un peu*, pour faire entendre beaucoup. Il continue à me questionner ; je lui conte une partie de mon histoire. Il me demande si je n'ai jamais copié de la musique. Souvent, lui dis-je. Et cela était vrai ; ma meilleure manière de l'apprendre était d'en copier[4]. Eh bien ! me dit-il, venez avec moi ; je pourrai vous occuper quelques jours, durant lesquels rien ne vous manquera, pourvu que vous consentiez à ne pas sortir de la chambre. J'acquiesçai très volontiers et je le suivis.

Cet Antonin s'appelait M. Rolichon ; il aimait la musique, il la savait, et chantait dans de petits concerts qu'il faisait

1. **Blancs :** pièces de monnaie.
2. **Batistin :** Jean-Baptiste Struck, dit Batistin, célèbre musicien du XVIIIe siècle.
3. **Antonin :** religieux de l'ordre des Antonins.
4. **Copier :** Rousseau a souvent survécu grâce aux maigres revenus que lui procurait son activité de copiste de musique.

avec ses amis. Il n'y avait rien là que d'innocent et d'honnête ; mais ce goût dégénérait apparemment en fureur[1], dont il était obligé de cacher une partie. Il me conduisit
1570 dans une petite chambre que j'occupai, et où je trouvai beaucoup de musique qu'il avait copiée. Il m'en donna d'autre à copier, particulièrement la cantate que j'avais chantée, et qu'il devait chanter lui-même dans quelques jours. J'en demeurai là trois ou quatre à copier tout le
1575 temps où je ne mangeais pas ; car de ma vie je ne fus si affamé ni mieux nourri. Il apportait mes repas lui-même de leur cuisine, et il fallait qu'elle fût bonne si leur ordinaire valait le mien. De mes jours je n'eus tant de plaisir à manger, et il faut avouer aussi que ces lippées[2] me
1580 venaient fort à propos, car j'étais sec comme du bois. Je travaillais presque d'aussi bon cœur que je mangeais, et ce n'est pas peu dire. Il est vrai que je n'étais pas aussi correct que diligent[3]. Quelques jours après, M. Rolichon, que je rencontrai dans la rue, m'apprit que mes parties avaient
1585 rendu la musique inexécutable, tant elles s'étaient trouvées pleines d'omissions, de duplications et de transpositions. Il faut avouer que j'ai choisi là dans la suite le métier du monde auquel j'étais le moins propre. Non que ma note ne fût belle et que je ne copiasse fort nettement ;
1590 mais l'ennui d'un long travail me donne des distractions si grandes, que je passe plus de temps à gratter qu'à noter, et que si je n'apporte la plus grande attention à collationner[4] mes parties, elles font toujours manquer l'exécution. Je fis donc très mal en voulant bien faire, et pour aller vite j'allais

---

1. **Dégénérait apparemment en fureur :** prenait chez lui l'ampleur d'une passion violente.
2. **Lippées :** repas.
3. **Diligent :** rapide.
4. **Collationner :** faire la collation d'une copie avec l'original, c'est-à-dire les comparer (afin de vérifier que la copie soit conforme à l'original).

tout de travers. Cela n'empêcha pas M. Rolichon de me bien traiter jusqu'à la fin, et de me donner encore en sortant un petit écu que je ne méritais guère, et qui me remit tout à fait en pied ; car peu de jours après je reçus des nouvelles de Maman qui était à Chambéry, et de l'argent pour l'aller joindre, ce que je fis avec transport. Depuis lors mes finances ont souvent été fort courtes, mais jamais assez pour être obligé de jeûner. Je marque cette époque avec un cœur sensible aux soins de la providence. C'est la dernière fois de ma vie que j'ai senti la misère et la faim.

Je restai à Lyon sept ou huit jours encore pour attendre les commissions dont Maman avait chargé Mlle du Châtelet, que je vis durant ce temps-là plus assidûment qu'auparavant, ayant le plaisir de parler avec elle de son amie, et n'étant plus distrait par ces cruels retours sur ma situation, qui me forçaient de la cacher. Mlle du Châtelet n'était ni jeune ni jolie, mais elle ne manquait pas de grâce ; elle était liante[1] et familière, et son esprit donnait du prix à cette familiarité. Elle avait ce goût de morale observatrice qui porte à étudier les hommes ; et c'est d'elle, en première origine, que ce même goût m'est venu. Elle aimait les romans de Le Sage, et particulièrement *Gil Blas*[2] ; elle m'en parla, me le prêta, je le lus avec plaisir ; mais je n'étais pas mûr encore pour ces sortes de lectures ; il me fallait des romans à grands sentiments. Je passais ainsi mon temps à la grille de Mlle du Châtelet avec autant de plaisir que de profit, et il est certain que les entretiens[3] intéressants et sensés[4] d'une femme de mérite sont plus propres à former un jeune homme que

1. **Liante :** aimable, sociable.
2. ***Gil Blas* :** célèbre roman picaresque de Lesage (XVIIIe siècle).
3. **Entretiens :** conversations, discussions.
4. **Sensés :** raisonnables et pleins de bon sens.

1625 toute la pédantesque[1] philosophie des livres. Je fis connaissance aux Chasottes[2] avec d'autres pensionnaires[3] et de leurs amies ; entre autres avec une jeune personne de quatorze ans, appelée Mlle Serre, à laquelle je ne fis pas alors une grande attention, mais dont je me passionnai 1630 huit ou neuf ans après, et avec raison, car c'était une charmante fille.

Occupé de l'attente de revoir bientôt ma bonne Maman, je fis un peu de trêve à mes chimères, et le bonheur réel qui m'attendait me dispensa d'en chercher dans mes 1635 visions. Non seulement je la retrouvais, mais je retrouvais près d'elle et par elle un état agréable ; car elle marquait m'avoir trouvé une occupation qu'elle espérait qui me conviendrait, et qui ne m'éloignerait pas d'elle. Je m'épuisais en conjectures pour deviner quelle pouvait être cette 1640 occupation, et il aurait fallu deviner[4] en effet pour rencontrer juste. J'avais suffisamment d'argent pour faire commodément la route. Mlle du Châtelet voulait que je prisse un cheval ; je n'y pus consentir, et j'eus raison : j'aurais perdu le plaisir du dernier voyage pédestre que j'ai fait en ma vie ; 1645 car je ne peux donner ce nom aux excursions que je faisais souvent à mon voisinage, tandis que je demeurais à Môtiers.

C'est une chose bien singulière que mon imagination ne se monte jamais plus agréablement que quand mon état 1650 est le moins agréable, et qu'au contraire elle est moins riante lorsque tout rit autour de moi. Ma mauvaise tête ne peut s'assujettir aux choses. Elle ne saurait embellir, elle veut créer. Les objets réels s'y peignent tout au plus tels

---

1. **Pédantesque :** prétentieuse, qui fait étalage d'érudition.
2. **Aux Chasottes :** au couvent des Chasottes.
3. **Pensionnaires :** il s'agit des pensionnaires du couvent où est logée Mlle du Châtelet.
4. **Il aurait fallu deviner :** il aurait fallu être devin.

qu'ils sont ; elle ne sait parer que les objets imaginaires. Si je veux peindre le printemps, il faut que je sois en hiver ; 1655 si je veux décrire un beau paysage, il faut que je sois dans des murs ; et j'ai dit cent fois que si j'étais mis à la Bastille, j'y ferais le tableau de la liberté. Je ne voyais en partant de Lyon qu'un avenir agréable ; j'étais aussi content, et j'avais tout lieu de l'être, que je l'étais peu quand je partis de 1660 Paris. Cependant je n'eus point durant ce voyage ces rêveries délicieuses qui m'avaient suivi dans l'autre. J'avais le cœur serein, mais c'était tout. Je me rapprochais avec attendrissement de l'excellente amie que j'allais revoir. Je goûtais d'avance, mais sans ivresse, le plaisir de vivre 1665 auprès d'elle : je m'y étais toujours attendu ; c'était comme s'il ne m'était rien arrivé de nouveau. Je m'inquiétais de ce que j'allais faire comme si cela eût été fort inquiétant. Mes idées étaient paisibles et douces, non célestes et ravissantes. Tous les objets que je passais frappaient ma vue ; je 1670 donnais de l'attention aux paysages : je remarquais les arbres, les maisons, les ruisseaux ; je délibérais aux croisées des chemins, j'avais peur de me perdre, et je ne me perdais point. En un mot, je n'étais plus dans l'empyrée[1], j'étais tantôt où j'étais, tantôt où j'allais, jamais plus loin. 1675

Je suis, en racontant mes voyages, comme j'étais en les faisant ; je ne saurais arriver. Le cœur me battait de joie en approchant de ma chère Maman, et je n'en allais pas plus vite. J'aime à marcher à mon aise, et m'arrêter quand il me plaît. La vie ambulante est celle qu'il me faut. Faire route à 1680 pied par un beau temps, dans un beau pays, sans être pressé, et avoir pour terme de ma course un objet agréable : voilà de toutes les manières de vivre celle qui est le plus de mon goût. Au reste, on sait déjà ce que j'entends par un beau pays. Jamais pays de plaine, quelque beau qu'il fût, 1685

1. **Empyrée :** dans la mythologie antique, région du ciel qui était le séjour des dieux.

ne parut tel à mes yeux. Il me faut des torrents, des rochers, des sapins, des bois noirs, des montagnes, des chemins raboteux à monter et à descendre, des précipices à mes côtés qui me fassent bien peur. J'eus ce plaisir, et je 1690 le goûtai dans tout son charme en approchant de Chambéry. Non loin d'une montagne coupée qu'on appelle le Pas-de-l'Échelle, au-dessous du grand chemin taillé dans le roc à l'endroit appelé Chailles, court et bouillonne dans des gouffres affreux une petite rivière qui 1695 paraît avoir mis à les creuser des milliers de siècles. On a bordé le chemin d'un parapet pour prévenir les malheurs : cela faisait que je pouvais contempler au fond et gagner des vertiges tout à mon aise ; car ce qu'il y a de plaisant dans mon goût pour les lieux escarpés, est qu'ils me font 1700 tourner la tête, et j'aime beaucoup ce tournoiement, pourvu que je sois en sûreté. Bien appuyé sur le parapet, j'avançais le nez, et je restais là des heures entières, entrevoyant de temps en temps cette écume et cette eau bleue dont j'entendais le mugissement à travers les cris des cor- 1705 beaux et des oiseaux de proie qui volaient de roche en roche et de broussaille en broussaille à cent toises au-dessous de moi. Dans les endroits où la pente était assez unie et la broussaille assez claire pour laisser passer des cailloux, j'en allais chercher au loin d'aussi gros que je les 1710 pouvais porter ; je les rassemblais sur le parapet en pile ; puis, les lançant l'un après l'autre, je me délectais à les voir rouler, bondir et voler en mille éclats, avant que d'atteindre le fond du précipice.

Plus près de Chambéry j'eus un spectacle semblable, en 1715 sens contraire. Le chemin passe au pied de la plus belle cascade que je vis de mes jours. La montagne est tellement escarpée, que l'eau se détache net et tombe en arcade, assez loin pour qu'on puisse passer entre la cascade et la roche quelquefois sans être mouillé. Mais si l'on 1720 ne prend bien ses mesures, on y est aisément trompé, comme je le fus : car, à cause de l'extrême hauteur, l'eau se divise et tombe en poussière, et lorsqu'on approche un peu trop de ce nuage, sans s'apercevoir d'abord qu'on se mouille, à l'instant on est tout trempé.

J'arrive enfin, je la revois. Elle n'était pas seule. M. l'Intendant général était chez elle au moment que j'entrai. Sans me parler, elle me prend par la main, et me présente à lui avec cette grâce qui lui ouvrait tous les cœurs : « Le voilà, monsieur, ce pauvre jeune homme ; daignez le protéger aussi longtemps qu'il le méritera, je ne suis plus en peine de lui pour le reste de sa vie. » Puis, m'adressant la parole : « Mon enfant, me dit-elle, vous appartenez au Roi ; remerciez M. l'Intendant qui vous donne du pain. »

J'ouvrais de grands yeux sans rien dire, sans savoir trop qu'imaginer ; il s'en fallut peu que l'ambition naissante ne me tournât la tête, et que je ne fisse déjà le petit Intendant. Ma fortune se trouva moins brillante que sur ce début je ne l'avais imaginée ; mais quant à présent, c'était assez pour vivre, et pour moi c'était beaucoup. Voici de quoi il s'agissait.

Le roi Victor-Amédée, jugeant, par le sort des guerres précédentes et par la position de l'ancien patrimoine de ses pères, qu'il lui échapperait quelque jour, ne cherchait qu'à l'épuiser. Il y avait peu d'années qu'ayant résolu d'en mettre la noblesse à la taille[1] il avait ordonné un cadastre[2] général de tout le pays, afin que, rendant l'imposition réelle, on pût la répartir avec plus d'équité. Ce travail, commencé sous le père, fut achevé sous le fils. Deux ou trois cents hommes, tant arpenteurs, qu'on appelait géomètres, qu'écrivains[3], qu'on appelait secrétaires, furent employés à cet ouvrage, et c'était parmi ces derniers que Maman m'avait fait inscrire. Le poste, sans être fort

1725 1730 1735 1740 1745 1750

1. **Taille** : impôt levé jusque-là uniquement sur le peuple.
2. **Cadastre** : registre public dans lequel sont consignés la quantité et la valeur des biens en vue de calculer l'impôt.
3. **Écrivains** : commis chargés des écritures, secrétaires.

lucratif[1], donnait de quoi vivre au large dans ce pays-là. Le mal était que cet emploi n'était qu'à temps[2] mais il mettait
1755 en état de chercher et d'attendre, et c'était par prévoyance qu'elle tâchait de m'obtenir de l'Intendant une protection particulière pour pouvoir passer à quelque emploi plus solide quand le temps de celui-là serait fini.

J'entrai en fonction peu de jours après mon arrivée. Il
1760 n'y avait à ce travail rien de difficile, et je fus bientôt au fait. C'est ainsi qu'après quatre ou cinq ans de courses, de folies et de souffrances depuis ma sortie de Genève, je commençai pour la première fois de gagner mon pain avec honneur.

1765 Ces longs détails de ma première jeunesse auront paru bien puérils, et j'en suis fâché : quoique né homme à certains égards, j'ai été longtemps enfant, et je le suis encore à beaucoup d'autres. Je n'ai pas promis d'offrir au public un grand personnage ; j'ai promis de me peindre tel que je
1770 suis ; et, pour me connaître dans mon âge avancé, il faut m'avoir bien connu dans ma jeunesse. Comme en général les objets font moins d'impression sur moi que leurs souvenirs, et que toutes mes idées sont en images, les premiers traits qui se sont gravés dans ma tête y sont demeu-
1775 rés, et ceux qui s'y sont empreints dans la suite se sont plutôt combinés avec eux qu'ils ne les ont effacés. Il y a une certaine succession d'affections et d'idées qui modifient celles qui les suivent, et qu'il faut connaître pour en bien juger. Je m'applique à bien développer partout les
1780 premières causes pour faire sentir l'enchaînement des effets. Je voudrais pouvoir en quelque façon rendre mon âme transparente aux yeux du lecteur, et pour cela je cherche à la lui montrer sous tous les points de vue, à l'éclairer par tous les jours, à faire en sorte qu'il ne s'y

1. **Sans être fort lucratif :** qui ne rapportait pas beaucoup.
2. **À temps :** à durée déterminée.

passe pas un mouvement qu'il n'aperçoive, afin qu'il puisse juger par lui-même du principe qui les produit. 1785

Si je me chargeais du résultat et que je lui disse : Tel est mon caractère, il pourrait croire sinon que je le trompe, au moins que je me trompe. Mais en lui détaillant avec simplicité tout ce qui m'est arrivé, tout ce que j'ai fait, tout ce que j'ai pensé, tout ce que j'ai senti, je ne puis l'induire en erreur, à moins que je ne le veuille ; encore même en le voulant, n'y parviendrais-je pas aisément de cette façon. C'est à lui d'assembler ces éléments et de déterminer l'être qu'ils composent : le résultat doit être son ouvrage ; et s'il se trompe alors, toute l'erreur sera de son fait. Or, il ne suffit pas pour cette fin que mes récits soient fidèles, il faut aussi qu'ils soient exacts. Ce n'est pas à moi de juger de l'importance des faits, je les dois tous dire, et lui laisser le soin de choisir. C'est à quoi je me suis appliqué jusqu'ici de tout mon courage, et je ne me relâcherai pas dans la suite. Mais les souvenirs de l'âge moyen sont toujours moins vifs que ceux de la première jeunesse. J'ai commencé par tirer de ceux-ci le meilleur parti qu'il m'était possible. Si les autres me reviennent avec la même force, des lecteurs impatients s'ennuieront peut-être, mais moi je ne serai pas mécontent de mon travail. 1790 1795 1800 1805

Je n'ai qu'une chose à craindre dans cette entreprise : ce n'est pas de trop dire ou de dire des mensonges, mais c'est de ne pas tout dire, et de taire des vérités. 1810

Clefs d'analyse

L'idylle champêtre à Thônes (Livre IV, l. 113-277)

Compréhension

Une journée idyllique

- Observer les notations temporelles qui rythment l'extrait.
- Définir l'effet produit par les mots du champ lexical de la nature.
- Observer en quels termes le narrateur avoue le plaisir procuré par ce souvenir et en souligne la perfection et l'intensité.

Le partage de plaisirs simples et enfantins

- Chercher l'effet produit par les détails de la vie campagnarde.
- Définir l'effet produit par les mots du champ lexical de la nourriture.
- Définir les composantes du bonheur de cette journée.

Réflexion

Une atmosphère gaie et pleine de sensualité

- Analyser la sensualité de ce passage.
- Expliquer comment le désir se manifeste à trois instants précis.

Un bonheur innocent qui allie « la plus grande décence » à « la plus grande liberté »

- Expliquer en quoi les deux demoiselles font figure de tentatrices.
- Montrer en quoi Rousseau se moque de la timidité du jeune Jean-Jacques tout en la louant.

À retenir :

L'effet produit par l'idylle est la nostalgie d'une brève histoire sentimentale simplement esquissée. En se laissant aller au plaisir d'évoquer les moments heureux sur le mode de l'idylle, Rousseau – sans doute imprégné de romans pastoraux tel L'Astrée *– livre un aspect essentiel de son imaginaire amoureux, fait de tendresse amoureuse et de complicité.*

Clefs d'analyse

L'art de voyager à pied d'un promeneur solitaire (Livre IV, l. 1676-1713)

Compréhension

Les souvenirs heureux d'un promeneur amoureux de la nature

- Observer l'effet produit par la superposition de l'image du jeune Jean-Jacques et de celle du narrateur Rousseau.
- Définir la valeur du présent.
- Déterminer la fonction des temps du passé.

L'évocation des charmes de la « vie ambulante »

- Définir l'effet produit par l'affirmation de Rousseau (l. 1680).
- Relever les termes appartenant au champ lexical du plaisir.
- Relever les différents types de sensations mentionnées.

Réflexion

L'éloge du voyage à pied

- Montrer comment Rousseau présente le voyage à pied comme une occasion de goûter à l'indépendance.

La prose poétique d'une âme sensible

- Analyser les procédés de style propres à transcrire la sensibilité du promeneur.
- Expliquer en quoi un « beau » paysage est pour Rousseau celui qu'offre une nature brute et sauvage.

À retenir :

Chez Rousseau, le discours descriptif a une fonction symbolique et sert l'analyse psychologique. En effet, la nature n'est pas seulement un spectacle esthétique propice à la contemplation ; elle permet aussi au promeneur solitaire de se reconnaître dans certains « paysages-états d'âme » qui correspondant parfaitement à sa personnalité.

Synthèse Livre IV

Jean-Jacques entre dix-sept et dix-neuf ans

Personnages

Un être velléitaire et insouciant qui prend goût au vagabondage

Le livre IV retrace la période de dix-huit mois (mars 1730 - octobre 1731) au cours de laquelle Rousseau voyage, se rendant notamment d'Annecy à Fribourg, puis de Lausanne à Paris, et enfin de Paris à Chambéry, en passant par Lyon. Laissé à lui-même en raison de l'absence prolongée de sa protectrice Mme de Warens, Jean-Jacques (qui a de dix-huit à vingt ans) renoue ainsi avec l'errance et le vagabondage. Certes, durant ces longs voyages à pied, Jean-Jacques doit affronter une réelle misère et toute une série de dangers inséparables de la vie errante – dont celui des mauvaises rencontres. Pourtant, la tonalité de ce livre est joyeuse et insouciante, à l'image de l'état d'esprit d'un jeune homme non seulement profondément épris d'indépendance et amoureux de la nature mais encore prompt à imaginer les expédients les plus saugrenus pour survivre, comme en témoignent ses personnalités d'emprunt (une fois en musicien de Paris, une autre fois en interprète d'un prétendu évêque de Jérusalem !) inspirées sans doute autant par sa misère que par son goût du travestissement et de l'aventure.

Langage

Espace réel, espace fantasmé : la description dans Les Confessions

« Jamais je n'ai tant pensé, tant existé, tant vécu, tant été moi, si j'ose dire, que dans les voyages que j'ai faits seuls et à pied », écrit Rousseau dans la longue parenthèse qui explique le plaisir qu'il éprouve à marcher (l. 1246-1286). Grâce à la marche, Jean-Jacques découvre son être profond, le promeneur recréant les paysages selon sa sensibilité et son imaginaire. Si Rousseau avait tenu des « journaux de [ses] voyages » (l. 1248), ceux-ci auraient consigné non pas les caractéristiques des lieux traversés, mais les « idées » d'un promeneur préférant toujours l'imagination à la réalité (comme en témoigne son refus de se rendre dans la région du Forez pour ne pas être déçu par une réalité contredisant l'image idéale que lui a laissé la lecture du roman pastoral *L'Astrée*, l. 1346-1357). Les différents lieux ne sont ainsi jamais mentionnés pour eux-mêmes, mais pour ce qu'ils évoquent : si Rousseau les décrit avec lyrisme, c'est qu'ils sont vus à travers le prisme de son imagination, de ses souvenirs et de ses lectures : de même que la nostalgie de Mme de Warens et le souvenir de Mlle de Vulson embellissent le pays de Vaud (dont le cadre idyllique est fait pour accueillir les figures idéales de *La Nouvelle Héloïse*, l. 823-864), de même les images de liberté et de tendresse associées à l'enfance rendent la seule vue de Genève émouvante (l. 518-527). Rousseau se montre d'ailleurs parfaitement conscient du mécanisme psychologique qui le pousse à projeter sur le réel des représentations qu'il porte en lui (« Je croyais voir tout cela dans ma patrie, parce que je le portais dans mon cœur ») et à créer ainsi de véritables « paysages-état d'âme » en harmonie avec sa sensibilité.

Société

La vie errante des êtres marginaux et déshérités sous l'Ancien Régime

Les nombreux tableaux pittoresques et contrastés de la vie aventureuse que mène Jean-Jacques dans le livre IV offrent une image vivante et réaliste de la vie errante que mènent sous l'Ancien Régime un bon nombre de marginaux et de déshérités qui sillonnent les routes en vivant d'expédients. Rousseau ne se contente pas en effet d'évoquer l'ivresse de la liberté éprouvée lors de ses vagabondages : il en mentionne également les déboires et les souffrances, qu'il s'agisse de la faim, des nuits passées à la rue, des mauvaises rencontres, de l'exercice de petits métiers précaires et peu lucratifs (comme ceux de maître de musique ou de copiste) ou des risques liés aux escroqueries et aux impostures auxquelles recourent les misérables aventuriers pour survivre.

POUR APPROFONDIR

Genre, action, personnages

Genre et registres

Qu'est-ce qu'une autobiographie ?

Si l'on admet la définition selon laquelle une *autobiographie* (mot composé de trois racines grecques : *graphein*, « écrire » ; *bios*, « vie » ; *autos*, « soi-même ») est un « récit rétrospectif en prose qu'une personne réelle fait de sa propre existence, lorsqu'elle met l'accent sur sa vie individuelle, en particulier sur l'histoire de sa personnalité » (Philippe Lejeune), *Les Confessions* apparaissent bien comme l'acte de fondation de l'autobiographie moderne. Il s'agit bien en effet d'un récit dans lequel il y a identité entre l'auteur, le narrateur et le personnage principal – identité qui fait clairement l'objet d'un « pacte » avec le lecteur, comme en témoigne la déclaration d'intention solennellement mise en scène dans le « préambule » et réaffirmée à de nombreuses reprises au cours des *Confessions*. Deux autres caractéristiques de l'autobiographie telle que la pratique Rousseau viennent compléter cette définition. La narration suit l'ordre chronologique, jugé indispensable par un auteur non seulement conscient du rôle déterminant de l'enfance dans la formation de la personnalité (« pour me connaître dans mon âge avancé, il faut m'avoir bien connu dans ma jeunesse », livre IV, l. 1770-1771) mais aussi soucieux d'expliquer les « origines », les « combinaisons » et les « causes » (termes récurrents sous sa plume : voir livre I, l. 527-534 ; l. 1483-1487) de sa personnalité (« Il y a une certaine succession d'affections et d'idées qui modifient celles qui les suivent, et qu'il faut connaître pour en bien juger. Je m'applique à bien développer partout les premières causes pour faire sentir l'enchaînement des effets », livre IV, l. 1776-1781). L'écriture autobiographique prend ainsi une dimension archéologique, puisque c'est en remontant aux « premières traces de [s]on être sensible » (livre I, l. 527-528) que Rousseau entend expliquer son individualité singulière pour que ses lecteurs la comprennent et la jugent en connaissance de cause. En outre, une part importante est réservée à l'introspection, la démarche descriptive du narrateur se doublant d'une démarche analytique (voir les rubriques « Langage » des synthèses I et III).

Une écriture modelée en profondeur par le « pacte autobiographique »

L'engagement solennel de sincérité que prend Rousseau à l'égard de son lecteur (mis en scène notamment dans l'« avertissement » et le « préambule ») donne lieu à une écriture radicalement nouvelle, qui n'hésite pas à raconter et à analyser les « longs détails de [s]a première jeunesse » (livre IV, l. 1765). La parenthèse que fait Rousseau au livre II pour justifier son besoin de tout dire, y compris ce qui peut apparaître comme des « détails » (terme récurrent dans *Les Confessions*), le montre soucieux d'expliquer une démarche qui ne peut manquer de surprendre, voire de lasser son lecteur : « [...] je dois au lecteur mon excuse ou ma justification, tant sur les menus détails où je viens d'entrer que sur ceux où j'entrerai dans la suite, et qui n'ont rien d'intéressant à ses yeux. Dans l'entreprise que j'ai faite de me montrer tout entier au public, il faut que rien de moi ne lui reste obscur ou caché ; il faut que je me tienne incessamment sous ses yeux ; qu'il me suive dans tous les égarements de mon cœur, dans tous les recoins de ma vie ; qu'il ne me perde pas de vue un seul instant. » (l. 600-609). Pour rester fidèle à son intention de « dévoiler [s]on intérieur » avec une « franchise » inédite et exemplaire (voir le préambule), Rousseau se doit donc d'être exhaustif, ce qui implique ainsi non seulement d'avouer « ce qui est ridicule et honteux », mais aussi de renoncer à la pudeur et à la bienséance pour explorer « le labyrinthe obscur et fangeux » de sa personnalité (livre I, l. 510-513), comme en témoignent les aveux souvent très crus concernant ses préférences, expériences et mésaventures amoureuses ou sexuelles.
Parce qu'il veut se montrer tel qu'il est « *intus, et in cute* » (« intérieurement, et sous la peau »), Rousseau refuse de s'en tenir à une seule perspective ou de n'exposer que les principaux traits

de son caractère. Cherchant à montrer toutes les facettes de sa personnalité, le narrateur instaure ainsi avec le lecteur – qui le suit dans toutes ses pérégrinations – une intimité et une familiarité de tous les instants : « Je voudrais pouvoir en quelque façon rendre mon âme transparente aux yeux du lecteur, et pour cela je cherche à la lui montrer sous tous les points de vue, à l'éclairer par tous les jours, à faire en sorte qu'il ne s'y passe pas un mouvement qu'il n'aperçoive, afin qu'il puisse juger par lui-même du principe qui les produit » (livre IV, l. 1781-1786). Ce faisant, Rousseau se soumet au jugement du lecteur, auquel il assigne une tâche complexe.

Les interventions d'un auteur qui invite son lecteur à prendre une part active à l'entreprise autobiographique

Tout au long des *Confessions*, les interventions de l'auteur sont extrêmement nombreuses. Premièrement, elles peuvent se présenter sous forme de commentaires marquant une pause dans le récit. Soit ces commentaires analysent les conséquences d'un événement précis, soit ils proposent une mise au point sur un aspect majeur de la vie de Rousseau ou de son caractère, soit ils tissent des liens entre différents épisodes (tel est le rôle des nombreux retours en arrière, anticipations et analogies). Deuxièmement, les interventions de l'auteur peuvent prendre la forme d'adresses plus ou moins directes au lecteur, qui visent tantôt à répondre par anticipation à ses objections, tantôt à solliciter son attention en l'apostrophant ou en lui posant des questions oratoires. Ce dialogue entre l'auteur et son lecteur, qui surplombe le récit des faits, traduit la volonté de Rousseau d'aider le lecteur à mieux comprendre l'homme qu'il est véritablement et ainsi à le juger en connaissance de cause.
Car le lecteur est d'abord un juge, dont le rôle actif est rappelé avec force à la fin du quatrième livre (l. 1787-1810) : « C'est à lui d'assembler ces éléments et de déterminer l'être qu'ils composent : le résultat doit être son ouvrage [...]. Ce n'est pas à moi de juger de l'importance des faits, je les dois tous dire, et lui laisser

le soin de choisir. » La coopération du lecteur est donc nécessaire. D'une part, c'est à lui que revient la charge de trier et d'agencer la matière brute livrée par le récit autobiographique afin de reconstituer à partir des indications livrées par Rousseau sur sa personnalité une image de celle-ci qui soit la plus ressemblante possible. D'autre part, c'est à lui de l'interpréter et de la juger. Rousseau attend en effet de son lecteur, appelé à « se familiariser avec [s]on humeur » (livre IV, l. 1096-1098), non seulement une lecture attentive mais surtout une lecture active visant à établir la vérité et à rendre un verdict. La responsabilité du lecteur est donc écrasante, comme le souligne Rousseau de façon provocante : « [...] et s'il se trompe alors, toute l'erreur sera de son fait. »

L'autobiographie comme « tentative de rectification de l'erreur des autres » (Jean Starobinski)

Si Rousseau écrit *Les Confessions*, c'est en réaction contre les jugements erronés des contemporains qui se contentent de calomnier sans le comprendre son « air [...] bizarre et [...] fou » (livre II, l. 465), mais aussi contre les fausses opinions de ses proches (comme M. Masseron et M. d'Aubonne, qui s'en tiennent aux apparences, livre III, l. 1025-1041) ou encore contre le manque de perspicacité de son lectorat (« public » jugé « frivole », livre II, l. 488). Ce faisant, il assigne au lecteur-juge des *Confessions* une triple tâche.

Premièrement, le lecteur doit s'efforcer de comprendre les paradoxes de sa personnalité. Même s'« il y a des moments d'une espèce de délire où il ne faut point juger des hommes par leurs actions » (livre I, l. 1387-1390), Rousseau parvient à expliquer la plupart de ses conduites. S'il est resté chaste et vertueux, c'est à cause de sa découverte précoce de la sexualité, qui a eu pour conséquence l'hypertrophie de son imagination (livre I, l. 423-437). S'il a dénoncé à tort Marion, c'est par amour pour elle (livre II, l. 1715-1722). S'il se comporte en avare, c'est par dédain de l'argent (livre I, l. 1278-1370). S'il a « peu de succès auprès des femmes », c'est parce qu'il les aime de façon trop pure (livre II, l. 1341-1355). S'il se conduit parfois en misanthrope, c'est parce qu'il a « un cœur trop affectueux, trop aimant, trop tendre, qui, faute d'en trouver d'existants qui lui ressemblent, est forcé de s'alimenter de fictions » (livre I, l. 1481-1483).

Deuxièmement, Rousseau incite son lecteur à ne pas se laisser piéger par les apparences. Pour cela, il revient sur les calomnies dont il a été la cible et en explique la cause, qu'il s'agisse de son avarice (livre I, l. 1278-1370), de sa volonté de se distinguer (livre II, l. 454-494), de son manque d'intelligence et de sa misanthropie (voir l'autoportrait du livre III, l. 1042-1195) ou de sa croyance aux miracles (livre III, l. 1334-1383). À chaque fois, Rousseau explique patiemment l'origine de ces jugements erronés et dépréciatifs forgés à partir des seules apparences (voir la synthèse III).

Troisièmement, le lecteur est invité à dépasser les images apparemment contradictoires de la personnalité de Rousseau et à « juger par lui-même du principe qui les produit » (livre IV, l. 1786). Certes, cette personnalité est profondément instable et changeante (« il y a des temps où je suis si peu semblable à moi-même qu'on me prendrait pour un autre homme de caractère tout opposé », livre III, l. 1666-1669). Pourtant, Rousseau essaie d'en saisir l'unité profonde. Pour cela, il ne se contente pas de donner de lui-même des images contradictoires mais ménage au sein du récit des pauses explicatives obéissant à la logique de l'introspection (voir livre I, l. 1330-1437 et livre II, l. 1104-1275). C'est ainsi que la longue analyse que consacre Rousseau à son rapport complexe à l'argent (livre I) énonce deux traits de son caractère qui semblent opposés avant de les rapporter à leur seule et même cause : si Jean-Jacques est à la fois avare et incapable de convoiter un bien, c'est parce qu'il éprouve un besoin d'indépendance radicale ; s'il méprise l'argent tout en étant dépensier, c'est parce qu'il est paresseux. Grâce à cette méthode, Rousseau invite le lecteur à dépasser ses « prétendues contradictions » (livre I, l. 1331) et à mieux cerner les caractéristiques et principes de son être profond.

Les fonctions de l'écriture autobiographique, entre confession et justification

Le titre semble indiquer que Rousseau se place dans une perspective religieuse, le terme de *confession* renvoyant à l'aveu de ses péchés que fait le fidèle catholique à un prêtre afin d'en obtenir le pardon. Certes, Rousseau emprunte ce titre à un texte majeur de la littérature chrétienne, *Les Confessions* de saint Augustin ; certes, dans un préambule qui fait nettement référence au Jugement dernier, il se représente son livre à la main et prêt à se confesser devant Dieu et l'humanité entière. Pourtant, force est de constater que l'auteur des *Confessions* s'écarte très largement de la pratique chrétienne.

Premièrement, l'aveu de ses fautes n'obéit pas à une intention religieuse : alors que saint Augustin souhaite convertir son lecteur, l'aveu de ses péchés servant à célébrer la grandeur divine et la foi qui sauve du péché, Rousseau cherche seulement à alléger sa conscience et à dévoiler ses « dispositions intérieures » (livre IV, l. 1689-1698). Deuxièmement, tandis que saint Augustin s'adresse à Dieu, Rousseau s'adresse aux hommes (l. 23-26 du préambule) : s'il avoue ses fautes, c'est pour être compris par ses « semblables » plutôt que pardonné par Dieu. Troisièmement, Rousseau s'écarte de la pratique chrétienne par la manière dont il avoue ses fautes, transformant ses aveux en occasions de se justifier et déployant un véritable plaidoyer en sa faveur.

Au carrefour entre analyse psychologique et intention apologétique

Rousseau cherche sans cesse à convaincre le lecteur de son innocence. Pour cela, tantôt il minimise ses fautes en les présentant comme de simples « faiblesses », d'amusants « méfaits enfantins » (livre I, l. 213) ou de sympathiques « extravagances » de jeunesse (livre IV, l. 658-663) ; tantôt il les explique par toutes sortes de circonstances atténuantes – les imputant à son jeune âge ou à la mauvaise influence de son entourage, par exemple celle du maître graveur qui le soumet à d'injustes privations ; tantôt il insiste sur la pureté de ses intentions, comme dans l'épisode du vol des asperges, que Rousseau dit avoir dérobées par amitié pour son compagnon. Même les aveux que Rousseau présente comme les plus pénibles aboutissent à le disculper, le plaisir coupable ressenti par l'enfant lors de la fessée administrée par Mlle Lambercier étant plus « ridicule et honteux » que « criminel », l'accusation de l'innocente Marion étant une « faiblesse » et l'abandon de M. Le Maître, malade à Lyon, une étourderie de jeunesse. Mais Rousseau ne se contente pas de démontrer son innocence : il veut aussi persuader le lecteur de sa bonté foncière. Pour cela, il favorise l'indulgence du lecteur par toutes sortes de procédés particulièrement habiles, n'hésitant ni à mettre en scène son courage d'avouer ses fautes, ni à dramatiser le poids de son remords, ni à souligner le côté pathétique de son destin d'éternelle victime.

L'entreprise autobiographique rousseauiste et ses difficultés constitutives

Rousseau insiste à de très nombreuse reprises (notamment dans le préambule et dans la conclusion du livre IV) sur son désir de vérité intégrale. Pourtant, celui-ci se heurte inévitablement à trois types d'obstacles. Premièrement, Rousseau, qui fait en quelques pages le récit d'une vie, est obligé de sélectionner ses souvenirs. C'est ainsi qu'il abrège à regret ses souvenirs d'enfance, choisissant finalement l'histoire du « noyer de la terrasse » plutôt que « celle du derrière de Mlle Lambercier » (livre I, l. 670-682), qu'il se contente de mentionner les « scènes à pâmer de rire » autour de Venture (livre IV, l. 57) ou qu'il ne raconte qu'une seule des « extravagantes manœuvres » auxquelles il se livre à Turin (livre III, l. 29). Deuxièmement, la mémoire peut faire défaut, comme le souligne le préambule (l. 15-18) : Rousseau avoue plusieurs fois les lacunes de sa mémoire, signalant les épisodes de sa vie qui ne lui ont pas laissé de « souvenirs bien rappelants » (livre IV, l. 890-892). De fait, et c'est là le troisième obstacle à la sincérité absolue, la mémoire est sélective. Par opposition aux souvenirs très précis de l'enfance (livre I, l. 648-672), « les souvenirs de l'âge moyen sont toujours moins vifs que ceux de la première jeunesse » (livre IV, l. 1802-1803). En outre, il insiste sur le fait qu'il retient plus facilement les moments de bonheur, dont le souvenir lui procure une « volupté pure » (livre IV, l. 106-112). Pourtant, ces obstacles ne nuisent pas à l'authenticité des *Confessions*, Rousseau ne cherchant pas à raconter l'histoire des événements de sa vie mais « celle de l'état de son âme » (Préambule de Neuchâtel). Même si certains critiques littéraires ont réussi à établir les distorsions entre la version des faits présentés dans *Les Confessions* et la réalité, insistant notamment sur la tendance de Rousseau à l'idéalisation, la sincérité de Rousseau n'est pas remise en cause puisque ce qui compte, ce n'est pas l'histoire des événements, mais celle des émotions.

L'action

Un récit autobiographique aux allures de roman picaresque

La structure narrative des *Confessions* est fondée sur le schéma autobiographique : elle est donc chronologique et donne à voir les pérégrinations du jeune Jean-Jacques, dont l'identité se forge peu à peu sous les yeux du lecteur. Ponctué de ruptures et de rebondissements, de rencontres et d'expériences, son itinéraire ressemble fort à ceux que dépeignent les romans picaresques (le plus célèbre de la littérature française étant *Gil Blas de Santillane*, paru entre 1715 et 1735 et cité par Rousseau au livre IV, l. 1617-1618). Le roman picaresque est un genre littéraire né en Espagne au XVIe siècle. C'est le récit à la première personne des aventures d'un héros (le *picaro*) qui ne cesse de passer d'un milieu social à un autre, d'une ville à une autre, d'un amour à un autre, continuellement livré aux hasards de l'existence. Comme l'a montré Jean-Louis Lecercle, les tribulations du jeune Jean-Jacques sont tout à fait comparables à celles d'un *picaro* : tantôt heureux et tantôt malheureux, « tantôt héros et tantôt vaurien » (livre III, l. 114), tantôt élève zélé et tantôt aventurier, Jean-Jacques est avant tout un être solitaire, sans attache et inconstant, qui passe d'amis en amis, de femmes en femmes, toujours prêt à partir à l'aventure avec des compagnons plus ou moins recommandables.

Les personnages

Certes, *Les Confessions* retracent la formation sentimentale, morale et intellectuelle du jeune Jean-Jacques, dont la personnalité complexe, pleine de paradoxes voire de contradictions (livre I, l. 274-281 et l. 1259-1277), peut se définir par quelques traits de caractère particulièrement saillants : sa sensibilité extrêmement vive, son tempérament rêveur et mélancolique, son besoin de douceur et de tendresse, son caractère insoumis et prompt à se révolter, son imagination féconde, son inhibition devant les femmes, son caractère fantasque et irrationnel porté aux engouements passagers et aux projets chimériques, ou encore son amour pour la nature et la vie errante. Pourtant, ces composantes psychologiques sont indissociables des nombreuses figures des *Confessions*, qui tantôt les révèlent, tantôt en favorisent l'expression, tantôt les transforment. De très nombreux « personnages » (terme soulignant combien le travail d'écriture fictionnalise les êtres réels) traversent ainsi la vie de Jean-Jacques, influant, chacun à sa manière, sur sa personnalité et son histoire.

Les figures tendres et attachantes d'une enfance présentée comme une période mythique

Le livre I évoque rapidement l'entourage d'un « enfant chéri » (l. 196) grandissant dans une atmosphère pleine de tendresse, de douceur et de vertu, propre à développer en lui une sensibilité déjà exceptionnelle (livre I, l. 92 et 110-111), comme en témoignent les figures de la tante Suzon, qui donne au jeune Jean-Jacques le goût de la musique, de son cousin Bernard, qui lui fait éprouver une amitié passionnée, ou celles des Lambercier, qui favorisent son amour de la nature.

Mais ce sont surtout les figures du père et de la mère qui s'avèrent décisives dans la formation de la sensibilité du jeune Jean-Jacques. D'une part, c'est de ses parents « nés tendres et sensibles » (l. 42-43) qu'il tient sa sensibilité à fleur de peau (l. 91-94). D'autre part, ce sont eux qui sont à l'origine de la passion de Jean-Jacques pour la lecture. Son père l'encourage de manière directe en lisant avec lui durant des nuits entières (l. 111-123), favorisant ainsi chez son fils une sensibilité « bizarre et romanesque » (l. 124-134). Quant à sa mère, bien que morte à sa naissance, elle influence ce goût pour les livres de manière indirecte. En précisant que les romans qu'il lit viennent de sa mère (l. 115-116), Rousseau insiste sur le fait que celle-ci lui transmet sa sensibilité. En outre, en soulignant que les « bons livres » plus sérieux qu'il lit ensuite – et qui lui donnent « cet esprit libre et républicain » (l. 155) – sont ceux qu'elle tenait de son père pasteur (l. 136-142), Rousseau met en valeur le rôle que joue sa mère dans son éducation.

La figure centrale de Mme de Warens, une protectrice séduisante, attentive et généreuse

Mme de Warens apparaît avant tout comme une figure maternelle et protectrice. Présentée par l'abbé de Pontverre comme une « bonne dame bien charitable », elle fait preuve de pitié et de générosité en accueillant chez elle l'adolescent après sa fuite de Genève (livre II), à son retour de Turin (livre III) puis à son retour de Lyon (livre IV). Elle représente ainsi le centre de gravité de la vie de Jean-Jacques qui se regarde comme « l'ouvrage, l'élève, l'ami, presque l'amant de Mme de Warens » (livre II, l. 533-534), en même temps qu'un pôle de stabilité. Bienveillante et prévoyante, elle multiplie les tentatives pour lui trouver un état stable, au séminaire, à la cathédrale, au cadastre. Mais cette séduisante dévote n'est pas seulement un substitut maternel, puisque Jean-Jacques voue à celle qu'il appelle « Maman » un amour ambigu. La vie qu'il mène, faite de complicité et de familiarité amoureuse, (livre III, l. 671-993) avec celle qui apparaît comme « une tendre mère, une sœur chérie, une délicieuse amie, et rien de plus » (livre III, l. 885-887) révèle ainsi à quel point l'adolescent est à la fois affectueux et passionné, rêveur et exalté, tendre et emporté.

Les figures féminines qui contribuent à l'éducation sentimentale du jeune Jean-Jacques

Les figures féminines qui jalonnent *Les Confessions* soulignent bien la double polarité de l'imaginaire amoureux de Jean-Jacques, capable de « deux sortes d'amours très distincts » (livre I, l. 891-896). L'apparition simultanée dans sa vie de Mlle Goton et de Mlle de Vulson donne ainsi lieu à une antithèse appuyée entre l'amour sensuel reposant sur des rapports de domination et l'amour sentimental et platonique. Traumatisé par la mort de sa mère, le jeune Jean-Jacques est surtout attiré par des figures maternelles, qu'il s'agisse au livre I de Mlle Lambercier, qui a pour lui « l'affection d'une mère » et lui inflige une correction, de Mlle de Vulson, qui est son aînée et qui le traite comme une « poupée », ou de Mlle Goton, qui joue avec lui à la maîtresse d'école ; au livre II de la douce et attentionnée Mme Basile, qui lui inspire le désir de se jeter à ses pieds, ou au livre III de Mme de Warens, qu'il appelle « Maman ». Le jeune Jean-Jacques vit ainsi une série d'idylles éphémères conjuguant la sensualité et la chasteté, ses « aventures galantes » n'allant jamais au-delà de tendres « préliminaires » (livre IV, l. 288-294) tant il est idéaliste, inhibé devant les femmes, timide et ignorant des choses de l'amour – comme le souligne le narrateur vieillissant se moquant des occasions manquées, au livre IV, lors de la journée passée en compagnie de Mlle Galley et Mlle de Graffenried, l. 113-294, ou lors du voyage effectué en compagnie de Merceret (l. 493-516). Bref, le jeune Jean-Jacques, dont les « romans » sont aussi éphémères que platoniques, n'est « pas heureux dans la conclusion de [s]es amours » (livre III, l. 329-331).

Les personnages qui contribuent à la formation intellectuelle et morale de l'adolescent

Si Rousseau avoue de bon cœur qu'il est un élève inattentif et rêveur, trop épris de liberté pour apprendre sous la contrainte, il exprime toutefois sa gratitude à l'égard de ceux qui se sont efforcés de favoriser son éducation, comme, au livre III, le comte de la Roque, qui sait déceler ses capacités intellectuelles (l. 173-195), ou comme le « bienfaisant et prévoyant » comte de Gouvon, qui le confie à son fils (l. 354-427). Il loue également les maîtres doux et patients, comme l'abbé Gaime, bon prêtre savoyard qui lui prodigue « les leçons de la saine morale et les maximes de la droite raison » (livre III, l. 103-172), ou comme l'abbé Gâtier (livre IV, 1272-1291).

Les compagnons d'aventure de Jean-Jacques : Bâcle et Venture de Villeneuve

Bâcle et Venture suscitent en Jean-Jacques une fascination aussi intense qu'éphémère à des moments très semblables de sa vie : c'est au moment où il s'est enfin fait apprécier dans la maison du comte de Gouvon et où sa carrière semble prometteuse que Jean-Jacques cède à son engouement obsessionnel pour Bâcle, inséparable de la séduction du voyage (livre III, l. 449-572) ; de même, c'est à une époque où sa vie à Annecy est paisible qu'il se laisse aller à sa fascination pour l'« aimable débauché » Venture de Villeneuve, aussi doué pour la conversation que pour la musique (livre III, l. 1470-1587 et livre IV, l. 42-64). Si Jean-Jacques est totalement séduit par ces figures fantasques et amusantes au point de s'affranchir brutalement de ses protecteurs, c'est parce qu'ils révèlent son tempérament profond, à savoir son goût pour l'indépendance et pour le vagabondage, pour les extravagances ou encore pour les plaisirs immédiats qui ne demandent ni efforts ni projets (livre IV, l. 581-593).

Genre, action, personnages

D'innombrables personnages simplement esquissés

Les Confessions déploient une véritable galerie de portraits plus ou moins détaillés, qui apparente nettement celles-ci à un roman picaresque, comme en témoignent les nombreux portraits hauts en couleur qui sont prétexte à de petites scènes plaisantes, tels que ceux de La Tribu, « fameuse loueuse de livres » sans scrupule (Livre I, l. 1404-1451), des époux Sabran, à la fois amusants et malhonnêtes (livre II, l. 523-524), de l'escroc se faisant passer pour un archimandrite (livre IV, l. 904-947), de Merceret, qui a un faible pour Jean-Jacques (livre IV, l. 496-504), de Mlle Giraud (dont le lecteur retient le « museau sec et noir, barbouillé de tabac d'Espagne », livre IV, l. 76-89 et l. 470-471) ou encore du président du tribunal d'Annecy, homme pittoresque présenté par Venture (livre IV, l. 347-415). Mais *Les Confessions* abondent aussi en portraits satiriques, comme ceux des catéchumènes et des prêtres, ignorants et hypocrites en matière de mœurs, de l'hospice de Turin (livre II) ou encore comme le « maudit lazariste » du séminaire (livre III, l. 1244-1257). D'autres figures semblent se résumer à un mot (le bon mot de Mme de Vercellis juste avant sa mort) ou à un regard (Mlle de Breil). Enfin, certaines figures qui n'ont même pas de nom sont simplement évoquées par Rousseau pour témoigner sa reconnaissance à l'égard d'un acte d'indulgence (comme celui de l'homme au sabre, livre II, l. 54-104) ou d'un acte de bonté (comme celui du propriétaire d'une auberge près de Lausanne, livre IV, 606-620).

L'œuvre : origines et prolongements

L'invention d'un genre littéraire

L*ES* *CONFESSIONS*, présentées orgueilleusement comme « une entreprise qui n'eut jamais d'exemple », n'appartiennent effectivement à aucun genre littéraire préexistant et marquent une véritable rupture dans l'histoire de l'écriture de soi. Certes, Rousseau emprunte à saint Augustin (354-430) le titre de son œuvre ; mais son projet ne répond pas à des motivations religieuses. Certes, son désir de tout dire rappelle le projet de Montaigne (1533-1592) de se peindre « tout entier et tout nu » dans ses *Essais* ; pourtant, il ne s'agit pas pour Rousseau – qui critique d'ailleurs vivement Montaigne – d'« essayer » sa pensée sur toutes sortes de sujets en de longues digressions philosophiques et morales, mais bien de raconter sa vie en mettant l'accent sur la formation de sa personnalité – ce qui est la définition même de l'autobiographie moderne. Bref, Rousseau ne semble pas avoir de précurseur.

EN OUTRE, il se détache très nettement des mémoires, genre cultivé depuis l'Antiquité et très pratiqué au XVIIe siècle. En effet, tandis que le mémorialiste se présente comme un spectateur privilégié et même un acteur de l'Histoire, l'autobiographe se penche sur sa seule histoire personnelle. Si Rousseau prend la parole, ce n'est pas en tant qu'homme public mais bien en tant qu'homme privé : « Et qu'on n'objecte pas que, n'étant qu'un homme du peuple, je n'ai rien à dire qui mérite l'attention des lecteurs. Cela peut être vrai des événements de ma vie ; mais j'écris moins l'histoire de ces événements en eux-mêmes que celle de l'état de mon âme, à mesure qu'ils sont arrivés. Or, les âmes ne sont plus ou moins illustres que selon qu'elles ont des sentiments plus ou moins grands ou nobles, des idées plus ou moins vives et nombreuses. Les faits ne sont ici que des causes occasionnelles. Dans quelque obscurité que j'ai pu vivre, si j'ai pensé plus et mieux que les rois, l'histoire de mon âme est plus intéressante que celle des leurs » (Préambule de Neuchâtel). Par ces affirmations provocantes, Rousseau non seulement anticipe sur l'objection de ses contemporains selon laquelle sa condition sociale rend sa vie indigne d'être contée, mais aussi souligne la nouveauté radicale de son entreprise.

Une œuvre singulière indissociable des douloureuses circonstances de sa rédaction

DANS SON FAMEUX PRÉAMBULE, Rousseau définit clairement sa volonté de se montrer tel qu'il est afin de faire reconnaître par tous son être véritable. Certes, l'écriture des *Confessions* semble répondre à un dessein déjà ancien de Rousseau, comme en témoignent plusieurs projets et fragments à caractère autobiographique – dont les quatre *Lettres à Malesherbes* (janvier 1762). Pourtant, elle s'explique surtout par la douloureuse période que vit Rousseau de 1762 à 1764 : s'il décide ainsi de présenter aux hommes un témoignage véridique de sa personnalité profonde, « seul monument sûr de [s]on caractère », c'est qu'il s'estime « défiguré par [s]es ennemis » (voir l'avertissement) et qu'il éprouve le besoin de se justifier et de se défendre.

D'UNE PART, à partir des années 1757-1758, Rousseau s'est peu à peu brouillé avec ses amis du milieu encyclopédiste (dont Diderot, le baron d'Holbach, Grimm ou Mme d'Épinay), qui le considèrent comme un fou et un misanthrope. D'autre part, en 1762, *Du contrat social* et l'*Émile* (qui attaquent le clergé et l'État) sont condamnés par les autorités politiques à Paris et à Genève – où ils sont brûlés sur la place publique –, et Rousseau fait l'objet d'un mandat d'arrestation, ce qui le contraint à s'enfuir hors de France puis hors de Suisse. En outre, Rousseau développe une nette tendance à la paranoïa, qui se traduit par une obsession du complot : même s'il est effectivement confronté à toutes sortes d'attaques, auxquelles il répond dans ses *Lettres de la montagne* en 1764, il croit voir se dresser contre lui une véritable coalition d'ennemis. Ce sentiment est encore aggravé par la publication, en 1764, d'un pamphlet anonyme, « Le sentiment des citoyens » (écrit en fait par Voltaire), qui attaque violemment Rousseau et l'accuse d'avoir abandonné ses enfants. Ulcéré de se sentir ainsi condamné, Rousseau décide de rétablir la vérité sur lui-même en retraçant sa propre histoire avec une franchise inédite jusque-là. C'est un tournant décisif dans sa vie et dans son inspiration : désormais, toutes ses œuvres mêleront intimement l'autoportrait et l'autojustification, qu'il s'agisse des *Confessions*, des *Dialogues ou Rousseau juge de Jean-Jacques* ou des *Rêveries du promeneur solitaire. Les Confessions* sont ainsi rédigées de 1765 à 1770, dans des conditions précaires et douloureuses, ces années étant marquées notamment par la lapidation de la maison de Rousseau (la population ayant été montée contre lui par le pasteur du lieu), par son expulsion de l'île de Saint-Pierre, par son exil en Angleterre et par son retour en France sous un faux nom et dans un état profondément dépressif.

Une œuvre hors normes jugée scandaleuse avant même sa parution

AINSI QUE le montre Jean-François Perrin, la publication des *Confessions* était attendue avec impatience par les contemporains de Rousseau : hommes de lettres, journalistes ou amateurs de belles-lettres. Mais elle était également redoutée par les philosophes, qui craignaient des révélations compromettantes, comme en témoignent les attaques de Diderot contre Rousseau (1779 et 1782). C'est donc dans une atmosphère tendue et polémique que *Les Confessions* furent en partie divulguées. Certes, elles ne furent publiées qu'après la mort de Rousseau, en 1782 pour les six premiers livres, en 1789 pour les six derniers. Mais l'œuvre fut connue avant sa publication : non seulement Rousseau en fit des lectures en 1770-1771 dans divers salons (lectures que Mme d'Épinay tenta de faire interdire par la police !), mais encore il donna à lire son manuscrit à quelques personnalités influentes (dont M. de Malesherbes). En outre, il fut probablement à l'origine de la diffusion de son préambule. Tout cela était propre à exciter la curiosité des contemporains, ce qui explique que dès 1778, peu après la mort de Rousseau, des inédits furent publiés avec le préambule dans le *Journal de Paris*, qui entreprit une véritable campagne de presse en sa faveur.

Les jugements moraux et passionnels de lecteurs déstabilisés par une « entreprise qui n'eut jamais d'exemple »

LA PARUTION de la première partie des *Confessions* fut un grand succès de librairie puisque huit mille exemplaires furent vendus en quelques mois. Pourtant, le livre déçut ceux qui attendaient des révélations sensationnelles et fut surtout violemment critiqué par un public moralement choqué, qu'il s'agisse des femmes alors à la mode dans les salons, des journalistes littéraires ou des gens de lettres. *Les Confessions* furent globalement mal accueillies, même si quelques voix s'élevèrent pour les défendre, comme celle de Mme de Staël. Les nombreux jugements dépréciatifs portés sur *Les Confessions* traduisent le dégoût et la répulsion de lecteurs choqués non seulement par le projet de Rousseau mais aussi par sa personnalité. Ces jugements – qui restèrent les mêmes durant tout le XIXe siècle – reposent essentiellement sur deux types de reproches.

Le premier type de reproches tient au rejet du sujet même des *Confessions*, c'est-à-dire l'histoire détaillée d'une vie obscure et vulgaire. Les journalistes de l'époque, qui la jugèrent sans intérêt, présentèrent ainsi *Les Confessions* comme « un incroyable tissu de puérilités, de sottises et d'extravagances, qui blessent parfois les bonnes mœurs », bref comme un ouvrage ne valant guère la peine d'être lu et qui ne se composait que de « niaiseries et de contes [...] insipides ». C'est ainsi que l'épisode de la fessée parut puéril et superflu au public, qui jugea que cet aveu d'une « faiblesse involontaire, mais extravagante, fait au public sans nécessité, sans aucun fruit, [devait] étonner les uns, faire rougir les autres, fournir au plus grand nombre une source intarissable de plaisanteries, et imprimer à la mémoire de Rousseau un ridicule ineffaçable » (article paru dans *L'Année littéraire* de 1782). En outre, les contemporains furent extrêmement choqués par le côté impudique et scandaleux de certains aveux des *Confessions* qui leur parurent « être celles d'un valet de basse-cour, au-dessous même de cet état, maussade, en tout point lunatique et vicieux de la manière la plus dégoûtante » (Mme de Boufflers). Ainsi, *Les Confessions* furent longtemps l'objet d'une profonde répugnance et d'un mépris certain de la part de lecteurs les jugeant, à l'instar d'un Chateaubriand ou d'un Lamartine, aussi impudiques que dénuées d'intérêt. Le second type de reproches fait à l'auteur des *Confessions* repose sur la condamnation morale de la personnalité qui y apparaît en filigrane. De même que les contemporains ne manquèrent pas de souligner l'orgueil démesuré de Rousseau (se fondant notamment sur le fameux préambule) ou sa sensibilité maladive confinant à la folie, les critiques de la seconde moitié du XIXe siècle dénoncèrent violemment son égarement spirituel, son immoralité et son impudeur.

OR CE QUI EST FRAPPANT, c'est que tous ces griefs obéissent à des critères non pas d'ordre littéraire mais d'ordre moral. Qu'il s'agisse des admirateurs de Rousseau (qui louent son courage, sa sincérité, ses souffrances et sa sensibilité) ou de ses détracteurs, tous recourent à des arguments tirés de considérations non pas sur l'écrivain mais sur l'homme, non pas sur le style mais sur les sentiments qu'ils expriment, non pas sur l'œuvre mais sur l'individualité singulière qui s'y donne à lire. Bref, la réception des *Confessions* apparaît inséparable des jugements portés non sur un texte mais sur la personnalité qui y transparaît.

Une œuvre très vite consacrée par la postérité comme l'acte de naissance de l'autobiographie

FORCE EST DE CONSTATER le décalage entre l'affirmation orgueilleuse de Rousseau proclamant que son entreprise « n'aura point d'imitateur » et la réalité historique. En effet, *Les Confessions* sont bien à l'origine de ce que l'on a appelé plus tard le genre autobiographique, comme le souligne George May : « [...] si c'est à l'instauration d'une tradition littéraire de l'autobiographie qu'on s'intéresse, il est peu douteux que celle-ci date du milieu ou de la fin du XVIIIe siècle et que l'impulsion en soit due en grande partie à la notoriété et au succès des œuvres posthumes de Rousseau. [...] si le mot autobiographie commence à s'implanter dans les diverses langues européennes une dizaine d'années après la publication posthume des *Confessions*, ce n'est pas en vertu d'une coïncidence gratuite. Tout indique au contraire que le succès du livre fut l'occasion de la première prise de conscience collective de l'existence littéraire de l'autobiographie. » De fait, au cours des années qui suivent la publication des *Confessions*, les autobiographies se multiplient, notamment sous l'influence du romantisme, et l'œuvre de Rousseau – qu'elle soit violemment dénigrée ou passionnément admirée – devient vite la référence obligée de tous les autobiographes.

L'engouement du XXe siècle pour Les Confessions

NUL DOUTE que *Les Confessions* ont largement bénéficié du véritable engouement de la seconde moitié du XXe siècle pour les écrits personnels en général et pour l'écriture autobiographique en particulier. Parmi les multiples facettes d'une œuvre qui n'en finit pas de susciter commentaires, lectures et études, nous en retiendrons trois, qui permettent de mesurer le caractère radicalement novateur des *Confessions*.

D'UN POINT DE VUE PSYCHOLOGIQUE, on peut souligner la nouveauté radicale d'une entreprise autobiographique qui obéit à une quête de transparence et au besoin de voir son être profond enfin reconnu par les autres. Comme le montre Jean Starobinski, Rousseau part du constat qu'alors que lui-même se connaît parfaitement les autres le méconnaissent, la vie sociale, fondée sur les apparences et les préjugés, constituant un obstacle à la communication authentique entre les êtres. « *Les Confessions* sont au premier chef une tentative de rectification de l'erreur des autres [...]. Le souci de Rousseau commence donc par cette question : pourquoi le sentiment intérieur, immédiatement évident, ne trouve-t-il pas son écho dans une reconnaissance immédiatement accordée ? Pourquoi est-il si difficile de faire concorder ce qu'on est pour soi et ce qu'on est pour les autres ? L'apologie personnelle et l'autobiographie deviennent nécessaires à Jean-Jacques parce que la clarté de la conscience de soi est insuffisante tant qu'elle ne s'est pas propagée au-dehors et dédoublée en un clair reflet dans les yeux de ses témoins. »

D'UN POINT DE VUE STYLISTIQUE, il convient de mesurer le caractère profondément novateur de l'écriture des *Confessions*, qui épouse la « dynamique propre et toute personnelle de sa pensée, de son sentiment et de sa passion » (Ernst Cassirer). En effet, Rousseau ne se laisse enfermer ni dans un genre établi ni dans une esthétique prédéfinie. Au contraire, l'expression de sa singularité donne lieu à un style lui-même singulier. « Il n'importe plus d'écrire bien, avec soin, dans une forme constante, égale et réglée, selon l'idéal classique d'après lequel on fait des livres » (Maurice Blanchot). Rousseau revendique d'ailleurs son « style inégal et naturel, tantôt rapide et tantôt diffus, tantôt sage et tantôt fou, tantôt grave et tantôt gai », qui passe sans cesse du solennel au burlesque, du lyrique au satirique, de l'élégiaque au comique, du pathétique au parodique. En fait, comme le souligne Jean Starobinski, « dans la diversité du style allégué par Rousseau, deux "tonalités" particulièrement significatives nous frappent à la lecture des *Confessions* : le ton élégiaque, le ton picaresque. Le ton élégiaque [...] exprime le sentiment du bonheur perdu : vivant dans le temps de l'affliction et des ténèbres menaçantes, l'écrivain se réfugie dans le souvenir des jours heureux de sa jeunesse. [...] Le temps où va intervenir l'écriture est le temps de la disgrâce ; l'époque ancienne, elle, que Rousseau entend récupérer par l'écriture, est un paradis perdu. En revanche, dans la narration de type picaresque, c'est le passé qui est le temps "faible" : temps des faiblesses, de l'erreur, de l'errance, des humiliations, des expédients. » Si le style des *Confessions* est aussi bigarré, c'est qu'il traduit le regard que Rousseau porte sur les différents épisodes de sa vie, qui peut aussi bien être attendri et nostalgique qu'amusé et distancié.

D'UN POINT DE VUE GÉNÉRIQUE, *Les Confessions*, qui constituent l'acte de naissance de l'autobiographie, permettent de prendre conscience du caractère infini de l'exploration et de l'écriture de soi. « Rousseau, dans ses *Confessions*, voudra nécessairement tout dire. Tout, c'est d'abord toute son histoire, toute sa vie, ce qui l'accuse (et peut seul l'excuser), l'ignoble, le bas, le pervers, mais aussi l'insignifiant, l'incertain, le nul. » Ce faisant, il découvre la « tâche insensée qu'il ne commence qu'à peine », car il a bien conscience que « tout dire, ce n'est pas épuiser son histoire, ni son caractère, dans un impossible récit intégral » (Maurice Blanchot). C'est ainsi que Rousseau, dans son désir de se montrer « tout entier au public », se condamne à ne plus jamais cesser de transcrire les complexités et les obscurités de sa personnalité. De fait, à partir de 1765 et jusqu'à sa mort, en 1778, il poursuit inlassablement son entreprise autobiographique, craignant « de ne pas tout dire, et de taire des vérités » (derniers mots du livre IV des *Confessions*). La devise adoptée dès 1759 par Rousseau, *Vitam impendere vero* (« Consacrer sa vie à la vérité »), trouve ainsi tout son sens dans cette entreprise d'introspection sans cesse recommencée.

L'œuvre et ses représentations

Rarement dans l'histoire littéraire la personnalité d'un auteur a fait de la part de ses contemporains l'objet de tant d'attaques, souvent violentes et injurieuses, que celle de Rousseau. Il n'est donc pas étonnant qu'il ait inspiré de son vivant tant de peintures, de sculptures, de gravures, de lithographies ou de dessins. Une telle floraison iconographique traduit bien la force de séduction exercée par la personnalité complexe et dérangeante de Rousseau, aussi contrastée que paradoxale, ainsi que ses différentes facettes.

L'image d'un homme sensible participant au combat des Lumières en faveur d'une société plus juste et plus humaine.

Le célèbre pastel de Quentin de La Tour représente un homme plein de douceur et de bonté. Ce n'est d'ailleurs pas un hasard si ce tableau est le seul qu'ait apprécié Rousseau, qui critiquait généralement de façon acerbe ses portraits. Il correspond à l'image de Rousseau alléguée de son vivant par ses admirateurs, celle d'un homme soucieux de combattre toutes les formes d'injustice. *Les Confessions* ne manquent pas de faire écho aux thèses défendues par les philosophes des Lumières. Le narrateur, que l'on sent profondément révolté contre toutes les injustices et les inégalités et qui sourit de sa vocation précoce de « redresseur de torts » (livre I, l. 872), saisit souvent l'occasion de quelque anecdote pour en tirer des réflexions à caractère polémique. Il condamne ainsi un ordre social fondé non pas sur le mérite individuel mais sur les privilèges (épisode de la devise de la maison de Solar). Il stigmatise l'oppression des plus forts sur les plus faibles (comme le montrent les anecdotes de l'enfance et de l'adolescence de Jean-Jacques, évoquant le sort des enfants et des apprentis soumis aux châtiments corporels et à l'autorité sadique des maîtres). Il fustige « les vexations qu'éprouve le malheureux peuple » (livre IV, l. 1335-1344). Il critique violemment l'intolérance des catholiques obsédés par la conversion des hérétiques (livre II). Enfin, il condamne une société qui, parce qu'elle juge sur les apparences, est profondément injuste, comme le montrent au livre I l'épisode du peigne cassé, celui du ruban volé mais aussi celui du vol des asperges, qui se termine par cette réflexion à portée générale : « Voilà comment en tout état le fort coupable se sauve aux dépens du faible innocent » (l. 1159-1161).

L'image d'un homme solitaire fuyant les maux de la vie en société

De nombreuses gravures représentent Jean-Jacques Rousseau retiré, contemplatif et solitaire, tantôt se promenant, tantôt méditant et écrivant. Dans son *Discours sur l'origine et les fondements de l'inégalité parmi les hommes*, Rousseau avait heurté ses contemporains par sa vision très pessimiste de l'évolution humaine : prenant pour point de départ un utopique état de nature caractérisé par l'harmonie et l'innocence, il démontrait que l'histoire de l'humanité conduisait irrémédiablement à la corruption et à l'immoralité, l'homme naturellement bon se trouvant peu à peu perverti par la vie en société. Si, dès 1756, alors qu'il est un musicien et un philosophe reconnu, Rousseau s'isole de plus en plus, fuit le monde et se retire loin de Paris, c'est qu'il ne parvient plus à supporter les maux de la vie en société, dont certains apparaissent nettement dans *Les Confessions*. On peut citer par exemple les bienséances et les préjugés qui étouffent l'homme sensible (l'amitié entre le simple apprenti Jean-Jacques et son cousin étant sacrifiée aux convenances sociales et aux préjugés d'une société fondée sur le paraître, livre I, l. 1532-1535) ou les règles de la conversation qui paralysent un homme qui manque d'esprit d'à propos au point de passer pour « sot » et « sauvage » (livre III, l. 1117-1195). Dans *Les Confessions*, la thèse selon laquelle la vie sociale, qui s'oppose à la vie naturelle, corrompt l'homme simple et vertueux apparaît clairement : « Parmi le peuple, [...] les sentiments de la nature se font plus souvent entendre. Dans les états plus élevés ils sont étouffés absolument, et sous le masque du sentiment il n'y a jamais que l'intérêt ou la vanité qui parle » (livre IV, l. 651-655). Bref, la vertu est inversement proportionnelle à la place occupée dans la hiérarchie sociale, la vie mondaine reposant sur le règne des apparences et les calculs de l'amour-propre et de la vanité. Et Rousseau de conclure au livre IV (l. 1000-1001) : « Plus j'ai vu le monde, moins j'ai pu me faire à son ton. »

L'image d'un pédagogue aux thèses radicalement nouvelles

L'*Émile ou De l'éducation*, qui paraît en 1762, représente une véritable révolution dans le regard porté sur l'enfant, Rousseau le considérant non plus comme une sorte d'animal à dresser, mais comme « un petit être intelligent et moral » (l. 583), ainsi que le souligne le premier livre des *Confessions.* Celles-ci sont jalonnées de toute une série de réflexions sur l'éducation ; les souvenirs évoqués nourrissent la réflexion du pédagogue, qui conclut de sa propre expérience « qu'on changerait de méthode avec la jeunesse si l'on voyait mieux les effets éloignés de celle qu'on emploie » (livre I, l. 382-384). En condamnant le recours aux châtiments corporels, présentés comme inefficaces et pernicieux, en analysant la mauvaise influence d'un maître tyrannique, injuste et brutal qui pousse au vice et à la malhonnêteté, en soulignant sa méfiance envers « la pédantesque philosophie des livres » (livre IV, l. 1620-1625), qui détournent de la réalité et donnent « de la vie humaine des notions bizarres et romanesques » (livre I, l. 132-133), en rappelant son refus d'une religion dogmatique enseignée par les livres (livre II, l. 718-725) ou en soulignant à de multiples reprises son incapacité à apprendre sous la contrainte d'un maître, Rousseau laisse parler en lui le pédagogue soucieux de poser les principes d'un nouveau mode d'éducation.

L'image d'un homme tourmenté

Qu'il s'agisse du célèbre portrait d'Allan Ramsay ou du buste de Houdon, ces deux œuvres insistent sur l'inquiétude d'un homme à l'aspect souffrant et torturé, qui non seulement se sent incompris et persécuté, mais qui, en outre, est obsédé par l'idée d'un complot d'ennemis visant à dénaturer sa pensée et à « défigurer » son être véritable. De fait, l'image de Rousseau qui l'emporte dans l'avertissement, le préambule ou la conclusion du livre IV des *Confessions* est bien celle d'un homme tourmenté, guetté par la folie paranoïaque et obsédé par l'idée de se justifier.

L'image d'un penseur et d'un sage unanimement reconnu

Rousseau n'a jamais cessé de pourfendre l'injustice et l'inégalité. Il n'est donc pas étonnant que les révolutionnaires, qui décident le transfert de ses cendres au Panthéon en 1794, lui aient voué un véritable culte, comme en témoignent les innombrables gravures et sculptures représentant Rousseau – dont l'effigie se met à orner aussi bien des cartes à jouer que des assiettes, des boîtes ou des éventails ! – en bienfaiteur de l'humanité et en précurseur de la Révolution. Mais, après sa mort, Rousseau, fréquemment représenté en penseur vêtu à l'antique, en philosophe chéri des muses ou en allégorie de la sagesse, devient aussi le symbole du sage voué à l'incompréhension de ses contemporains – une telle mythification ayant été largement favorisée par la mise en scène, dans *Les Confessions*, du destin pathétique d'un homme persécuté en raison de son refus des conventions sociales, des injustices et des préjugés.

Carte à jouer à l'effigie de Rousseau.

Arrivée de Rousseau aux Champs-Élysées,
reçu par Platon, Montaigne, Plutarque et d'autres philosophes.
Gravure de Macret.

Allégorie révolutionnaire en l'honneur de Rousseau.
Huile sur toile.

Monument dédié à Rousseau au Panthéon.
Plâtre de Paul-Albert Bartholomé, 1910.

L'œuvre à l'examen

Objet d'étude : l'autobiographie.

À l'**écrit**

TEXTE 1

Michel de MONTAIGNE, *Essais*, livre 1,
« Au lecteur », Paris, GF-Flammarion, 1969, p. 35.

[Dans l'avis « Au lecteur » qui ouvre l'édition de 1580, Montaigne interpelle son lecteur pour lui présenter ses motivations et le sujet de son livre.]

C'est icy un livre de bonne foy, lecteur. Il t'advertit dès l'entrée, que je ne m'y suis proposé aucune fin, que domestique et privée. Je n'y ay eu nulle consideration de ton service, ny de ma gloire. Mes forces ne sont pas capables d'un tel dessein. Je l'ay voué à la commodité particuliere de mes parens et amis : à ce que m'ayant perdu (ce qu'ils ont à faire bien tost) ils y puissent retrouver aucuns traits de mes conditions et humeurs, et que par ce moyen ils nourrissent plus entiere et plus vifve la connoissance qu'ils ont eu de moy. Si c'eust esté pour rechercher la faveur du monde, je me fusse mieux paré et me presenterois en une marche estudiée. Je veus qu'on m'y voie en ma façon simple, naturelle et ordinaire, sans contantion et artifice : car c'est moy que je peins. Mes defauts s'y liront au vif, et ma forme naïfve, autant que la reverence publique me l'a permis. Que si j'eusse esté entre ces nations qu'on dict vivre encore sous la douce liberté des premieres loix de nature, je t'asseure que je m'y fusse très-volontiers peint tout entier, et tout nud. Ainsi, lecteur, je suis moy-mesmes la matiere de mon livre : ce n'est pas raison que tu employes ton loisir en un subject si frivole et si vain. A Dieu donq ; de Montaigne, ce premier de Mars mille cinq cens quatre ving.

TEXTE 2

George SAND, *Histoire de ma vie*, dans *Œuvres complètes* de G. Sand, Paris, Calmann-Lévy, s. d., p. 2-4.

[Dans l'incipit de *L'Histoire de ma vie*, George Sand explique que « se définir et [...] se résumer en personne » représente pour elle un « devoir », qu'elle a décidé d'accomplir en se livrant à « une étude sincère de [s]a propre nature et un examen attentif de [s]a propre existence ».]

Quand on s'habitue à parler de soi, on en vient facilement à se vanter, et cela très involontairement sans doute, par une loi naturelle de l'esprit humain, qui ne peut s'empêcher d'embellir et d'élever l'objet de sa contemplation. Il y a même de ces vanteries naïves dont on ne doit pas s'effrayer lorsqu'elles sont revêtues des formes du lyrisme, comme celle des poètes, qui ont, sur ce point, un privilège spécial et consacré. Mais l'enthousiasme de soi-même qui inspire ces audacieux élans vers le ciel n'est pas le milieu où l'âme puisse se poser pour parler longtemps d'elle-même aux hommes. [...]

Il est certainement impossible de croire que cette faculté des poètes qui consiste à idéaliser leur propre existence et à en faire quelque chose d'abstrait et d'impalpable soit un enseignement bien complet. Utile et vivifiant, il l'est sans doute ; car tout esprit s'élève avec celui des rêveurs inspirés, tout sentiment s'épure ou s'exalte en les suivant à travers ces régions de l'extase, mais il manque à ce baume subtil, versé par eux sur nos défaillances, quelque chose d'assez important, la réalité.

Eh bien, il en coûte à un artiste de toucher à cette réalité, et ceux qui s'y complaisent sont vraiment bien généreux ! Pour ma part, j'avoue que je ne puis porter aussi loin l'amour du devoir, et que ce n'est pas sans un grand effort que je vais descendre dans la prose de mon sujet.

TEXTE 3

Ernest RENAN, *Souvenirs d'enfance et de jeunesse*, « Préface », Paris, Presses Pocket, 1992, p. 37-38.

[Dans la « Préface » qui précède ses *Souvenirs d'enfance et de jeunesse*, Ernest Renan présente ses intentions et son œuvre au lecteur.]

Les *Souvenirs d'enfance* n'ont pas la prétention de former un récit complet et suivi. Ce sont, presque sans ordre, les images qui me sont apparues et les réflexions qui me sont venues à l'esprit, pendant que j'évoquais ainsi un passé vieux de cinquante ans. Goethe choisit, pour titre de ses Mémoires, *Vérité et Poésie*, montrant par là qu'on ne saurait faire sa propre biographie de la même manière qu'on fait celle des autres. Ce qu'on dit de soi est toujours poésie. S'imaginer que les menus détails sur sa propre vie valent la peine d'être fixés, c'est donner la preuve d'une bien mesquine vanité. On écrit de telles choses pour transmettre aux autres la théorie de l'univers qu'on porte en soi. La forme de *Souvenirs* m'a paru commode pour exprimer certaines nuances de pensée que mes autres écrits ne rendaient pas. Je ne me suis nullement proposé de fournir des renseignements par avance à ceux qui feront sur moi des notices ou des articles.
Ce qui est une qualité dans l'histoire eût été ici un défaut ; tout est vrai dans ce petit volume, mais non de ce genre de vérité qui est requis pour une *Biographie universelle*. Bien des choses ont été mises afin qu'on sourie [...]. La simple discrétion me commandait des réserves. Beaucoup de personnes dont je parle peuvent vivre encore ; or, ceux qui ne sont point familiarisés avec la publicité en ont une sorte de crainte. J'ai donc changé plusieurs noms propres. D'autres fois, au moyen d'interversions légères de temps et de lieu, j'ai dépisté toutes les identifications qu'on pourrait être tenté d'établir.

TEXTE 4

Jean-Jacques ROUSSEAU, *Les Confessions*, « Préambule », livre I, l. 1-29.

L'œuvre à l'examen

RAPPEL

a. Question préliminaire (sur 4 points)

Définissez et expliquez les difficultés à dire la vérité sur soi qu'exposent les quatre auteurs.

b. Travaux d'écriture (sur 16 points) – au choix

Sujet 1. Commentaire.

Vous ferez le commentaire du texte de Rousseau.

Sujet 2. Dissertation.

À propos de l'écriture autobiographique, le critique Paul Valéry affirme que la sincérité n'est pas possible : « Comment ne pas choisir le meilleur dans ce vrai sur quoi l'on opère ? Comment ne pas souligner, arrondir, colorer, chercher à faire plus net, plus fort, plus troublant, plus intime, plus brutal que le modèle ? *En littérature, le vrai n'est pas concevable*. [...] Nous savons bien qu'on ne se dévoile que pour quelque effet. [...] Qui se confesse ment, et fuit le véritable vrai, lequel est nul, ou informe, et, en général, indistinct [...]. »
Pensez-vous que l'écriture autobiographique favorise ou au contraire limite, voire entrave, l'expression de la vérité sur soi ?

Sujet 3. Écriture d'invention.

Au cours d'une émission littéraire, deux auteurs qui viennent d'écrire leur autobiographie sont invités à débattre sur leur conception de ce genre littéraire. L'un affirme avoir dit toute la vérité et revendique son absolue sincérité. L'autre soutient au contraire qu'il est préférable de mêler une certaine poésie à la vérité. Imaginez leur échange. Vous aurez pour cela recours aux procédés du discours argumentatif.

Documentation et compléments d'analyse sur :
www.petitsclassiqueslarousse.com

L'œuvre à l'examen

Objet d'étude : l'autobiographie.

À l' **oral**

Les *Confessions*, livre I, l. 603-641.

Sujet : quelle est la fonction de ce passage au sein des Confessions ?

RAPPEL

Une lecture analytique peut suivre les étapes suivantes :

I. Mise en situation du passage, puis lecture à haute voix.
II. Projet de lecture.
III. Composition du passage.
IV. Analyse du passage.
V. Conclusion – remarques à regrouper un jour d'oral en fonction de la question posée.

I. Situation du passage

Nous sommes ici au livre I des *Confessions*, qui raconte l'enfance puis l'adolescence de Rousseau. Mis en pension à la campagne chez le pasteur Lambercier et sa sœur, à Bossey, Jean-Jacques, alors âgé de dix à douze ans, y vit une période de bonheur fait d'innocence enfantine, de communication confiante avec ses proches, de liberté au sein de la nature. Deux événements viennent malheureusement mettre fin à cette période idyllique. D'une part, une fessée infligée par Mlle Lambercier marque l'apparition d'un plaisir que l'enfant ressent en coupable. D'autre part, une accusation injuste portée contre Jean-Jacques, à propos d'un peigne cassé, lui fait brutalement prendre conscience de l'injustice et du mensonge propres à la vie sociale.

Cet extrait se situe à la fin de l'épisode dit « du peigne cassé ». Après avoir raconté comment il fut accusé à tort et comment il refusa d'avouer un forfait qu'il n'avait pas commis, Rousseau explique au lecteur non seulement le traumatisme vécu par l'enfant qu'il était alors mais aussi les conséquences psychologiques de « ce premier sentiment de la violence et de l'injustice ».

II. Projet de lecture

Le jeune Jean-Jacques n'avait connu jusque-là que « des sentiments tendres, affectueux, paisibles ». Or il est soudain accusé à tort du bris du peigne mais également de « méchanceté », de « mensonge » et d'« obstination ». Près de quarante ans après cette aventure, dont le souvenir l'émeut encore, il éprouve le besoin non seulement de la raconter mais surtout d'expliquer au lecteur le traumatisme subi par l'enfant qu'il fut – traumatisme que Rousseau présente comme l'origine de l'un de ses traits de caractère les plus saillants, sa haine de l'injustice. Ce faisant, il assigne deux tâches à l'écriture autobiographique : d'une part, faire partager au lecteur son émotion d'enfant ; d'autre part, expliquer et ainsi justifier sa révolte contre toutes les formes d'injustice.

III. Composition du passage

1. l. 603-605 : Rousseau, qui vient de faire le récit de l'épisode du peigne cassé, commente ce qu'il ressent au moment où il évoque sa souffrance d'enfant.
2. l. 605-620 : Rousseau livre un trait caractéristique de son autoportrait moral : la haine viscérale pour toute forme d'injustice. Il présente ce trait de caractère comme la conséquence de « ce premier sentiment de la violence et de l'injustice ». Puis il illustre cet aspect de sa personnalité par des exemples (d'où le présent à valeur de caractérisation), à savoir ses réactions face à « un tyran féroce », à « un fourbe de prêtre » ou face à « un animal [en tourmentant] un autre ».

3. l. 620-623 : Rousseau analyse la combinaison entre un « mouvement » qui lui est « naturel » et l’influence déterminante de cette « première injustice ».

4. l. 624-627 : Rousseau souligne la rupture que représente l’épisode traumatisant du peigne cassé.

5. l. 627-641 : Rousseau reprend son récit et raconte le changement radical causé dans sa vie par cet épisode.

IV. Analyse du passage

I. L’évocation d’une étape déterminante dans la vie et la formation de la sensibilité de Rousseau

1. L’entrelacs de l’émotion du jeune protagoniste Jean-Jacques et celle de l’autobiographe vieillissant Rousseau

a. Temps des faits racontés et temps de l’écriture : les interventions du scripteur soulignent à quel point Rousseau, au moment où il écrit, revit cet épisode de son enfance ; « Je sens en écrivant ceci… » (l. 603), « et je sens aujourd’hui même » (l. 625-626).

b. L’alternance entre le récit et l’analyse : le récit de cette « première injustice » est suivi de l’analyse de ses conséquences psychologiques, comme le montrent les structures consécutives « si… que » (l. 606-607), « une telle… s’est tellement… que… » (l. 609-610).

2. L’opposition entre un avant et un après

a. L’emploi de verbes signifiant la rupture : « Là fut le terme… Dès ce moment… s’arrête là » (l. 624-627), « nous commencions à » (l. 635).

b. Le choix de structures syntaxiques exprimant un changement irréversible présenté comme une dégradation, une déchéance affective et morale : parallélisme (« en apparence… en effet », l. 630-631) ; négations (« ne… plus », l. 632 et 633) ; comparaisons (« nous étions moins… et plus… », l. 634-635).

II. Le bouleversement psychologique et moral d'un enfant qui fait pour la première fois l'expérience de la « violence » et de l'« injustice »

1. L'évocation pathétique de l'émotion d'un enfant qui voit son monde s'écrouler

a. La suggestion d'un âge d'or fait de tendresse, de confiance et de pureté morale : « sérénité », « bonheur pur », « charmes », « l'attachement, le respect, l'intimité, la confiance » (l. 624-632).

b. Le champ lexical de la perversion d'un climat affectif et moral jusque-là idyllique : « corrompaient », « enlaidissaient », « perdit », « elle s'était comme couverte... qui nous en cachait... » (l. 636-641).

2. L'image du paradis perdu au service de l'expression de l'intensité du bouleversement intérieur vécu par l'enfant

a. Un réseau d'antithèses qui fait apparaître la coupure radicale et irréversible avec le bonheur serein de l'enfance : à la relation harmonieuse entre les « élèves » et leurs « guides » (l. 633), à l'« innocence », aux « jeux », à « la douceur et la simplicité » de la vie à la campagne menée jusque-là par les deux cousins succèdent « tous les vices de [leur] âge » : « mal faire », se « cacher », se « mutiner », « mentir » (l. 634-641). Tout a changé, aussi bien les relations entre les personnes que le comportement des deux enfants et que la perception qu'ils ont du réel.

b. Une catastrophe morale comparable à la chute et à l'expulsion du Paradis : la comparaison de l'enfance à Bossey avec un paradis perdu (l. 628-630) souligne la valeur initiatique de cet épisode après lequel rien n'est plus comme avant. Ce traumatisme enfantin constitue une étape de plus dans la perte de l'innocence et du bonheur enfantins que retrace le livre I, dont la structure, fortement marquée par cinq ruptures successives, a été rapprochée par Philippe Lejeune de la succession des quatre périodes mythiques des Anciens : l'âge d'or vécu chez le père, l'âge d'argent vécu à Bossey, l'âge d'airain chez l'oncle et l'âge de fer chez le maître graveur.

III. L'écriture autobiographique comme moyen d'explication et de justification de l'un des principaux traits de caractère de Rousseau : sa haine viscérale de l'injustice

1. Une douloureuse désillusion présentée comme l'origine d'un esprit de révolte contre l'un des pires maux de la société, l'injustice

a. Un véritable réquisitoire contre un monde adulte qui condamne sur de fausses apparences, qui commet des injustices et qui persécute des innocents : l'injustice révèle aux enfants la contradiction entre la vérité et les apparences, ainsi que l'impossibilité de communiquer la vérité (« plus craintifs d'être accusés », l. 635).

b. L'interprétation d'un épisode d'enfance de Jean-Jacques par le philosophe Rousseau : en filigrane apparaît la figure du philosophe auteur du *Discours sur l'origine et les fondements de l'inégalité parmi les hommes*, c'est-à-dire un homme sensible toujours prêt à combattre les inévitables injustices de la vie en société. Le fait que Rousseau revive dans sa chair même (son « pouls s'élève encore », l. 603) son « premier sentiment de la violence et de l'injustice » (l. 605-606) montre à quel point toute injustice est pour lui révoltante et intolérable (« toujours présents quand je vivrais cent mille ans », l. 604-605).

2. De l'explication à la justification de soi

a. L'insistance sur l'une des caractéristiques essentielles de la personnalité de Rousseau, sa haine de l'injustice : dans le premier paragraphe, Rousseau recourt à toutes sortes de procédés expressifs : énumération ; hyperboles ; phrases longues et très construites ; exemples concrets qui traduisent sa solidarité avec toutes les victimes (même les animaux), sa révolte contre l'oppression (comme l'illustre son rejet des tyrans) et ses rapports conflictuels avec une société dont il rejette toutes les formes d'oppression (y compris celle du clergé, évoquée par l'allusion au « fourbe de prêtre »).

b. Un véritable plaidoyer en faveur de la vocation philosophique et de la noblesse de cœur d'un « redresseur de torts » toujours prêt à lutter contre l'injustice : son rejet de l'injustice apparaît comme une donnée psychologique aussi bien que morale et philosophique… mais également littéraire, puisque c'est justement pour se défendre contre les jugements injustes portés contre lui que Rousseau écrit *Les Confessions* !

V. Conclusion

Cet extrait illustre de façon exemplaire la méthode introspective déployée dans *Les Confessions* par Rousseau, qui consiste à se raconter de manière à comprendre l'origine de sa personnalité. En effet, jouant sur l'alternance entre le récit et l'analyse, Rousseau attribue à sa découverte traumatisante de l'injustice une importance décisive, qui a modelé en profondeur son affectivité.

L'écriture autobiographique répond donc dans ce passage à un double objectif chez Rousseau : d'une part, faire partager l'émotion de l'enfant qu'il a été en évoquant de façon pathétique son traumatisme moral et affectif ; d'autre part, expliquer et ainsi justifier l'un de ses principaux traits de caractère, sa haine de l'injustice – trait de caractère qui explique à la fois son insoumission, sa vie d'éternel révolté et son œuvre de philosophe combattant toutes les formes d'injustice.

AUTRES SUJETS TYPES

- ***Le registre pathétique : livre I, l. 1068-1098.***
- ***Le registre comique : livre I, l. 1173-1206.***
- ***Le registre lyrique : livre II, l. 152-182.***
- ***Le registre satirique : livre II, l. 626-674.***

Documentation et compléments d'analyse sur :
www.petitsclassiqueslarousse.com

Outils de lecture

Antithèse
Figure qui consiste à opposer deux idées, deux mots, deux images, et qui se développe souvent dans un parallélisme de construction.

Apologie
Discours visant à défendre, à justifier une personne ou une doctrine. Parce que Rousseau cherche à se défendre aux yeux du lecteur, on peut dire que dans *Les Confessions* l'analyse psychologique est motivée par une intention apologétique.

Argumentation
Ensemble des ressources langagières mises en œuvre afin d'emporter l'adhésion du destinataire. L'argumentation s'appuie sur des arguments (idées ou faits invoqués pour soutenir une thèse). Elle peut chercher soit à convaincre le destinataire en utilisant des raisonnements logiques qui s'adressent à sa raison soit à le persuader en faisant appel à ses sentiments et à ses émotions.

Autobiographie
« Récit rétrospectif en prose qu'une personne réelle fait de sa propre existence lorsqu'elle met l'accent sur sa vie individuelle, en particulier sur l'histoire de sa personnalité » (définition de Philippe Lejeune).
L'autobiographie se caractérise par le contrat que passe l'auteur avec son lecteur, notamment par une déclaration d'intention (telle que celle du préambule des *Confessions*) établissant l'identité de l'auteur, du narrateur et du personnage principal. C'est cette identité qui fonde le « pacte autobiographique ».

Blâme
Discours qui dévalorise quelqu'un ou quelque chose.

Champ lexical
Ensemble de termes qui se rapportent à une même notion, à un même thème.

Comique
Registre visant à susciter le rire. On distingue le comique de situation, le comique de caractère, le comique de mots et le comique de gestes.

Connotation
Valeur affective ou culturelle, variable selon le contexte et la situation d'énonciation, qui s'ajoute au sens lexical d'un mot, la dénotation. C'est ainsi que l'on parle de la connotation religieuse du titre des *Confessions*.

Coup de théâtre
Événement inattendu qui fait rebondir l'action.

Discours direct
Forme de discours rapporté où les propos sont rapportés tels quels par le narrateur, qui les met entre guillemets.

Discours indirect
Forme de discours rapporté où les propos sont insérés dans le discours du narrateur au moyen de subordonnées complétives (ce qui implique divers ajustements concernant notamment le temps des verbes et les pronoms).

Outils de lecture

Élégiaque
Registre qui se caractérise par son ton plaintif et mélancolique. On parle de lyrisme élégiaque lorsque les sentiments exprimés sont ceux de la tristesse, de la nostalgie et du regret.

Éloge
Discours de louange reposant sur l'exaltation des qualités ou des vertus de quelqu'un ou de quelque chose.

Hyperbole
Figure de style reposant sur l'exagération. L'emploi d'hyperboles, qui recherche la force expressive du propos, peut parfois donner lieu à un style excessivement solennel, que l'on qualifie d'emphatique ou de grandiloquent.

Idylle
Petite aventure amoureuse pleine de fraîcheur, tendre et chaste, qui a généralement pour cadre un décor champêtre.

Intertextualité
C'est l'ensemble des relations qu'un texte entretient avec un ou plusieurs autres textes.

Introspection
Mouvement de réflexion sur soi conduisant à l'analyse de sa vie intérieure, notamment de ses sentiments et de ses états d'âme.

Lyrique
Registre qui se caractérise par l'expression des sentiments personnels.

Parodique
Registre fondé sur l'imitation d'un genre ou d'un style afin de s'en moquer. Rousseau *parodie* par exemple à plusieurs reprises le style des romans de chevalerie médiévaux pour faire la satire de ses propres illusions de jeunesse.

Pastorale
Genre littéraire existant depuis l'Antiquité et dont les thèmes sont particulièrement à la mode au XVIIe siècle, comme l'illustre *L'Astrée* d'Honoré d'Urfé, roman pastoral qui représente de façon conventionnelle la vie et les amours de bergers raffinés, délicats et sensibles.

Pathétique
Registre qui cherche à émouvoir fortement le lecteur en provoquant sa compassion et sa pitié.

Picaresque
Le roman picaresque décrit, sous la forme d'une autobiographie fictive, les aventures, les voyages et les expériences successives du jeune *picaro*, qui signifie en espagnol « aventurier ».

Rhétorique
Art de persuader ou de convaincre grâce aux ressources du langage.

Satirique
Registre qui vise à se moquer des défauts d'un être, d'une situation ou d'un comportement – défauts généralement présentés au lecteur de façon à le faire rire.

Bibliographie

Édition complète de l'œuvre autobiographique de Rousseau

Rousseau, *Les Confessions. Autres textes autobiographiques*, in *Œuvres complètes*, éd. B. Gagnebin et M. Raymond, Paris, Gallimard, « Bibliothèque de la Pléiade », 1959.

Sur Rousseau, sa vie et son œuvre

- Jean-Louis Lecercle, *Jean-Jacques Rousseau. Modernité d'un classique*, Paris, Larousse Université, « Thèmes et texte », 1973.
- Georges May, *Rousseau par lui-même*, Paris, Seuil, coll. « Écrivains de toujours », 1961.

Sur *Les Confessions*

- Jean-Louis Lecercle, *Rousseau et l'art du roman*, Genève, Slatkine, 1979. Voir la quatrième partie, intitulée « Jean-Jacques », sur *Les Confessions*.
- Philippe Lejeune, *Le Pacte autobiographique*, Paris, Le Seuil, « Poétique », 1975. Voir les chapitres intitulés « La punition des enfants, lecture d'un aveu de Rousseau » et « Le livre I des *Confessions* ».
- Jean-François Perrin, *Les Confessions de Jean-Jacques Rousseau*, Paris, Gallimard, « Foliothèque », 1997.
- Marcel Raymond, *Jean-Jacques Rousseau : la quête de soi et la rêverie*, Paris, José Corti, 1962. Voir la « Lecture du premier livre des *Confessions* ».
- Jean Starobinski, *La Relation critique*, Gallimard, 1970. Voir « Le style de l'autobiographie » et « Le dîner de Turin ».

Sur la pensée de Rousseau

• Jean Starobinski, *Jean-Jacques Rousseau : la transparence et l'obstacle*, Paris, Gallimard, 1971.

• Tzvetan Todorov, *Frêle Bonheur. Essai sur Rousseau*, Paris, Hachette, « Textes du xxᵉ siècle », 1985.

Livres à consulter pour leur iconographie

• Bernard Gagnebin, *À la rencontre de Jean-Jacques Rousseau*, Genève, Georg, 1962.

• Bernard Gagnebin, *Album Rousseau*, Paris, Gallimard, « Bibliothèque de la Pléiade », 1976.

Direction de la collection : Carine Girac-Marinier
Direction éditoriale : Claude Nimmo
avec le concours de Romain LANCREY-JAVAL
Édition : Marie-Hélène Christensen
Lecture-correction : service Lecture-correction Larousse
Recherche iconographique : Valérie PERRIN, Laure BACCHETTA
Direction artistique : Uli MEINDL
Couverture et maquette intérieure : Serge CORTESI
Responsable de fabrication : Marlène DELBEKEN

Crédits photographiques

Couverture	Dessin de Alain Boyer
7	Ph. Jean Tarascon © Archives Larbor
11	Ph. Coll. Archives Nathan © Adagp, Paris 2006
20	Ph. Olivier Ploton © Archives Larousse
61	Ph. Coll. Archives Larbor
87	Ph. Olivier Ploton © Archives Larousse
215	Ph. Olivier Ploton © Archives Larousse
301	Ph. Coll. Archives Nathan
302	Ph. Coll Archives Larbor
303	Ph. Jeanbor © Archives Larbor
304	Ph. © Archives Larbor

Photocomposition : CGI
Impression : Rotolito Lombarda - **307190/03**
Dépôt légal : Août 2006 – N° de projet : **11037274 - octobre 2017**